LEONES
MUERTOS

MICK HERRON

LEONES MUERTOS

Traducción del inglés de
Enrique de Hériz

black
salamandra

Papel certificado por el Forest Stewardship Council®

Título original: *Dead Lions*
Primera edición: septiembre de 2020

© 2013, Mick Herron
© 2020, Penguin Random House Grupo Editorial, S. A. U.
Travessera de Gràcia, 47-49, 08021 Barcelona
© 2020, herederos de Enrique de Hériz, por la traducción

Printed in Spain – Impreso en España

ISBN: 978-84-18107-23-8
Depósito legal: B-8.086-2020

Impreso en Liberdúplex
Sant Llorenç d'Hortons, Barcelona

SM07238

Penguin
Random House
Grupo Editorial

Para MSJ

1

Un cortocircuito en Swindon había dejado parada toda la red del suroeste. Los monitores de la estación de Paddington fueron cambiando horarios de salida por rótulos de RETRASADO y los trenes detenidos llenaron vías y andenes. En el vestíbulo, algunos viajeros desafortunados se arracimaron en torno a las maletas mientras otros más experimentados se encaminaban al pub o aprovechaban aquella coartada sólida para llamar a casa pensando en ir a reunirse con sus amantes en la ciudad. Y a treinta y seis minutos de Londres, un tren de alta velocidad que circulaba en dirección a Worcester fue desacelerando hasta detenerse en un fragmento de vía con vistas al Támesis. Era una fría tarde de marzo y las luces de las casas flotantes se reflejaban en la superficie del río. Dos kayaks (embarcaciones frágiles en pro de la velocidad) aparecieron y desaparecieron surcando el agua en un santiamén ante los ojos de Dickie Bow.

En todo el tren los pasajeros murmuraban, consultaban la hora en sus relojes, llamaban por teléfono... Dickie chasqueó la lengua en un gesto de contrariedad, pero sólo de cara a la galería: no llevaba reloj ni tenía llamadas que hacer. De hecho, no sabía adónde se dirigía; ni siquiera llevaba billete.

Tres asientos más allá, el sospechoso toqueteaba su maletín.

Los altavoces chisporrotearon:

«Les habla el revisor. Lamento informarles que no podemos seguir adelante debido a una avería del suministro en las afueras de Swindon. En estos momentos...» Sonó una especie de crujido y la voz se desvaneció junto con el ruido de la estática, aunque el mensaje siguió llegando débilmente desde los otros vagones. Momentos después, los altavoces volvieron a funcionar: «... marcha atrás hasta Reading, donde habrá autobuses de reemplazo...».

La noticia se recibió con un murmullo de irritación y más de una palabrota, pero, para sorpresa de Dickie Bow, a esas alturas muchos pasajeros ya se habían apresurado a coger los abrigos, cerrar portátiles y mochilas y levantarse de sus asientos. El tren dio una sacudida y a continuación el río empezó a fluir en dirección contraria. Unos minutos más tarde, la estación de Reading volvió a aparecer ante ellos.

En Reading, los pasajeros que iban bajando fueron apiñándose en los andenes hasta formar un pequeño caos: no sabían adónde ir. Dickie Bow tampoco lo sabía, pero a él sólo le importaba el sospechoso, que enseguida había desaparecido sumergiéndose en un mar de cuerpos. Él, sin embargo, tenía demasiada experiencia como para dejarse llevar por el pánico: sabía perfectamente lo que debía hacer; era como si nunca hubiera abandonado el Zoo de los Espías.

La única diferencia era que en otros tiempos habría buscado un trozo de pared vacío para fumarse un cigarrillo. Allí no era posible, lo que no impidió que sintiera la punzada de la nicotina en su interior... o más bien un pinchazo repentino, como de avispa, en el muslo, tan fuerte que dio un respingo. Bajó la mano y apartó el canto de un maletín ajeno y luego la desagradable y resbaladiza humedad de un paraguas. «Armas mortales», pensó. «Los oficinistas siempre lleváis armas mortales encima.»

La multitud le impedía quedarse quieto, pero de pronto todo volvió a su sitio: recuperó el contacto visual. El sospechoso, con la calva protegida por un sombrero y el maletín bajo el brazo, estaba cerca de la escalera mecánica que llevaba al puente de los pasajeros. Así que, dejándose llevar por los cansados viajeros, Dickie avanzó lentamente, subió por la escalera y, al llegar arriba, se deslizó hasta un rincón. Por aquel puente se llegaba a la entrada principal: dio por hecho que todos tomarían ese camino en cuanto anunciaran algo sobre los autobuses.

Cerró los ojos. Aquél no era un día cualquiera: normalmente a esas horas (poco después de las seis y media) ya estarían limadas todas las asperezas. Llevaría despierto desde las doce, tras cinco horas de sueño tormentoso, y tocarían el café solo y el cigarrillo en su habitación; una ducha, de ser necesario, y luego el Star, donde una Guinness con un chupito de whisky al lado le abrirían el apetito o le advertirían que era mejor evitar los alimentos sólidos. Los días difíciles habían quedado atrás. En otros tiempos solía ser menos digno de confianza: borracho, tomaba a las monjas por putas y a los policías por amigos; sobrio, miraba a la cara a sus ex esposas sin reconocerlas, lo que para ellas resultaba un alivio. Malos tiempos.

Pero ni siquiera entonces habría visto pasar a un espía de primera categoría de Moscú sin reconocerlo enseguida.

Percibió movimiento: habían anunciado algo sobre los autobuses y todo el mundo intentaba cruzar el puente. Se quedó junto al monitor el rato suficiente para dejar pasar al espía y luego se sumó a la corriente dejando tres cálidos cuerpos de separación entre ellos. No debería estar tan cerca, pero no había manera de controlar la coreografía de la multitud.

Y era una multitud descontenta: tras cruzar la zona de control, algunos se pusieron a increpar al personal de la estación, que se limitó a apaciguarlos sin discutir demasiado y a señalar las salidas. Fuera, el día era húmedo y oscuro... y no había rastro de autobuses. La multitud avanzó por la explanada y, atrapado en su abrazo, Dickie Bow no tuvo más remedio que seguirlos. Eso sí: mantuvo los ojos fijos en el espía, que aguardaba plácidamente.

«Un viaje truncado», pensó Dickie. En ese tipo de trabajos (había olvidado que ya no se dedicaba a ese tipo de trabajos) había que saber anticiparse a las dificultades. Seguro que el espía había previsto ya varios escenarios, incluso antes de bajarse del tren, y ahora se limitaría a seguir la corriente sin armar ningún lío y procuraría llegar por cualquier medio disponible a su destino... Un destino que Dickie ignoraba: el tren iba a Worcester, pero había muchas paradas en el trayecto; el espía podría bajarse en cualquier lugar y Dickie sólo sabía que él también bajaría allí.

En ese momento, tres autobuses doblaron la esquina y la gente se apretó aún más. El espía se las arregló para navegar entre la masa como un rompehielos por el Ártico y Dickie procuró avanzar por la estela que dejaba a su paso. Alguien daba instrucciones, pero no tenía voz suficiente. Antes de acabar, lo ahogaron los murmullos de los que no alcanzaban a oír.

Pero el espía ya sabía de qué iba la cosa: se dirigía al tercer autobús. Dickie lo siguió abriéndose paso en medio del caos y subió también. Nadie le pidió su billete, de modo que avanzó hasta el fondo, desde donde tenía una buena visión del espía, dos asientos por delante. Se apoyó en el respaldo y se permitió cerrar los ojos. En todas las misiones había momentos de calma, y entonces había que cerrar los ojos y hacer inventario. Estaba a kilómetros de casa y apenas llevaba unas dieciséis libras encima, necesitaba una copa e iba a tardar mucho en conseguirla... pero lo bueno era que estaba allí en ese momento. Cuánto había echado de menos todo eso, ¡y sin saberlo! Vivir la vida, en vez de dejarla transcurrir sin pena ni gloria.

Que era justo lo que estaba haciendo cuando descubrió al espía precisamente en el Star. Un civil cualquiera se habría ido de espaldas: «¡Pero qué diablos hace éste aquí!» Aquel tipo era un profesional; de hecho, un profesional muerto hacía mucho. Comprobó la hora en el reloj de pared, se acabó la Guinness, dobló el *Post* y lo siguió. Deambuló por la casa de apuestas, dos portales más allá, recordando cuándo y con quién había visto por última vez esa cara. El espía era un actor secundario, uno de esos personajes sin parlamento: había cogido la botella y había vertido su contenido en la boca de Dickie, abierta a la fuerza, pero no había sido él quien le había aplicado las descargas eléctricas... Al cabo de diez minutos salió y Dickie fue tras él: Dickie, capaz de seguir a un topo por un bosque, mucho más a un fantasma del pasado, a un fogonazo del pasado, a un eco del Zoo de los Espías.

(Berlín, ya que quieren saberlo: el Zoo de los Espías era Berlín en aquel tiempo en que acababan de abrirse las jaulas y los animalitos asustados salían de la nada como los escarabajos cuando se le da la vuelta a un tronco. Al menos dos veces al día algún sudoroso aspirante a agente se presentaba en la puerta afirmando que llevaba las joyas de la corona en un maletín de cartón: detalles de defensa, capacidad de los misiles, secretos tóxicos... Y, sin embargo, pese a todo aquel ajetreo, la única verdad estaba escrita en el muro que acababa de caer: había colapsado el pasado de todo el mundo... y el futuro de Dickie Bow. «Gracias, viejo amigo. Me temo que tu... bueno, tu talento... ya no nos sirve de mucho... ¿Pensión? ¿Qué pensión?» Así que, naturalmente, había regresado a Londres.)

El conductor anunció un destino que Dickie no alcanzó a entender. La puerta siseó al cerrarse y la bocina sonó dos veces: una despedida para los autobuses que quedaban atrás. Dickie se frotó la zona del muslo donde se le había clavado el canto del maletín o la punta del paraguas y se puso a pensar en la suerte y en los extraños sitios a los que te arrastraba. Como por ejemplo de Soho Street al metro, al otro extremo del vagón, a Paddington, a un tren y finalmente a aquel autobús. Aún no sabía si era buena o mala suerte.

Cuando se apagaron las luces, el autobús se convirtió por un momento en una sombra viajera, luego los pasajeros empezaron a encender las lamparitas del techo, las pantallas de los portátiles lanzaron sus luces azuladas y las manos aferradas a los iPhones adquirieron un blanco espectral. Dickie sacó el teléfono que llevaba en el bolsillo y comprobó si tenía mensajes. Nunca tenía. Recorrió la lista de contactos y le sorprendió lo corta que era. Dos asientos más allá, el espía había enrollado su periódico como un bastón, se lo había encajado entre las piernas y había colgado en él su sombrero. Tal vez estuviera durmiendo.

El autobús se alejó de Reading y al otro lado de la ventanilla empezaron a desplegarse los campos oscuros. A cierta distancia, una secuencia ascendente de luces rojas indicaba la presencia de la antena de radio de la central eléctrica de Didcot, aunque las torres de refrigeración no llegaban a verse.

El móvil era una granada en la mano de Dickie. Pasando el pulgar por el teclado numérico encontró el diminuto pezón que ayudaba a orientar los dedos en la oscuridad. Pero nadie esperaba sus palabras: Dickie era una reliquia. El mundo había seguido avanzando y, además, ¿qué mensaje iba a enviar? ¿Que había visto un rostro del pasado y se disponía a seguirlo hasta su casa? ¿A quién le importaba? El mundo había continuado avanzando sin él: lo había dejado atrás.

Últimamente, el rechazo se había suavizado. Le llegaban rumores: sabía que en estos días incluso a los inútiles se les daba una oportunidad. El servicio secreto, como el resto de las instituciones, había tenido que ajustarse a una serie de normas y reglas. Si echaban a los inútiles, éstos los llevaban a juicio por discriminación, así que preferían enviarlos a un anexo olvidado de la mano de Dios y cargarlos de papeleo: un acoso administrativo cuya única pretensión era obligarlos a tirar la toalla. Los llamaban los «caballos lentos» (los jodidos, los fracasados) y su dueño era Jackson Lamb, con quien Dickie había coincidido en los tiempos del Zoo de los Espías.

Sonó un pitido en su móvil, pero no era un mensaje, sólo un aviso de que se estaba quedando sin batería.

Dickie había tenido antes esa sensación, ni que decir tiene: estar y no estar. Visto y no visto. Los portátiles ronroneaban y los móviles susurraban, pero él no tenía voz y estaba completamente paralizado, salvo por el pulgar que rascaba y rascaba el diminuto pezón que indicaba el centro del teclado.

Había un mensaje importante que enviar, pero Dickie no sabía cuál era ni a quién enviárselo. Durante unos pocos momentos luminosos se sintió parte de una comunidad cálida y húmeda, respiró el mismo aire, oyó la misma melodía, pero la melodía se desvaneció y no hubo manera de recuperarla. Todo se desvaneció, salvo la vista al otro lado de la ventanilla: el paisaje siguió desplegándose, un pliegue negro tras otro, jaspeado de puntitos de luz como lentejuelas en un pañuelo, aunque poco después las luces se difuminaron también y la oscuridad volvió a enrollarse sobre sí misma, por última vez. Sólo quedó el autobús, llevando su carga mortal en medio de la noche hacia Oxford, donde entregaría un alma menos de las que había recogido bajo la lluvia.

PRIMERA PARTE

CISNES NEGROS

2

Ahora que por fin han terminado las obras, Aldersgate Street, en el barrio londinense de Finsbury, está más calmada. No es un lugar que uno escogería para un pícnic, pero ha dejado de ser la escena del crimen de una multitud de delitos relacionados con vehículos que era en otros tiempos. El pulso de la zona se ha normalizado y, si bien los niveles de ruido siguen siendo altos, los taladros han dejado paso al ocasional arrebato de música callejera: los coches tararean, los taxis silban y el personal se queda mirando desconcertado el tráfico que fluye libremente. En otros tiempos, si tenías que recorrer Aldersgate en autobús lo mejor era prepararte algo de comida para llevar; ahora, en cambio, te puedes pasar más de media hora intentando cruzar la calle.

Es un buen ejemplo de cómo la jungla urbana reclama su territorio. Y, observadas con atención, todas las junglas albergan vida salvaje: algún mediodía se ha podido ver a un zorro caminar sigilosamente desde White Lion Court hasta el Barbican Centre; entre los elaborados parterres de flores y las fuentes se pueden encontrar lo mismo pájaros que ratas; las ranas se disimulan en los fondos musgosos de las aguas quietas y hay murciélagos cuando oscurece. Así que no sería del todo sorprendente que un gato saltara de pronto ante nuestros ojos desde una de las torres de Barbican y, tras aterrizar en los adoquines, se quedara inmóvil mirando a todos lados a la vez sin mover siquiera la cabeza, como sólo los gatos pueden hacerlo. Éste es un siamés de pelo claro y corto, bizco, flaco y susurrante, capaz, como todos sus congéneres, de colarse por puertas entreabiertas y por ventanas que todos creerían cerradas. Sólo se queda inmóvil unos segundos, luego avanza.

Como un rumor, cruza el puente peatonal, baja las escaleras hasta la estación y llega a la calle. Un gato de menor categoría se habría detenido antes de atravesar, pero no el nuestro: confiando en sus instintos, su oído y su velocidad, alcanza la acera contraria antes de que el conductor de la furgoneta acabe de frenar y luego se esfuma, al menos aparentemente. El indignado conductor intenta localizarlo con la mirada, pero lo único que ve es un portal polvoriento entre un quiosco y un restaurante chino y una puerta negra cuya vieja pintura está salpicada del barro de la calzada. Frente a esa puerta distingue una solitaria botella de leche (que ya amarillea), pero ni rastro de nuestro gato.

Que, por supuesto, se ha dirigido hacia la entrada trasera: nadie entra en la Casa de la Ciénaga por la puerta de delante; sus ocupantes acceden por un ruinoso callejón a un patio mugriento de paredes mohosas y luego entran por una puerta que muchas mañanas, si la humedad, el frío o el calor han hinchado la madera, requiere una patada para abrirse. Pero las patas de nuestro gato son demasiado sutiles para recurrir a la violencia, de modo que en un abrir y cerrar de ojos ya ha traspasado la puerta y sube un zigzagueante tramo de escalera hasta llegar al primer rellano, donde hay un par de despachos.

Allí, en el primer piso (la planta baja está reservada a otras propiedades: el restaurante Nuevo Imperio Chino y el quiosco que quién sabe cómo se llamará este año), trabaja Roderick Ho, en un despacho que el material electrónico ha transformado en una jungla. Hay teclados abandonados por los rincones y cables de colores brillantes que cuelgan como trozos de intestino de los monitores planos; en los estantes metálicos pueden verse manuales de informática, cintas y cajas de zapatos que casi con toda seguridad contienen pedazos de metal de formas extrañas, y junto al escritorio de Ho se alza tambaleante una torre de cartón levantada con el material de construcción más característico de todos los frikis: cajas de pizza vacías. Hay muchísimas.

El caso es que, cuando nuestro gato asome la cabeza por la puerta, únicamente verá a Ho: el despacho es sólo suyo y él lo prefiere así porque en general le desagrada la gente. Nunca se le ha ocurrido, pero el sentimiento es recíproco: él tampoco les cae bien a los demás. Louisa Guy ha especulado con la posibilidad de que su caso pueda ubicarse en algún lugar del espectro autista, a lo que Min Harper suele responder que también está bastante bien situado en la escala del cretinismo. Así pues, no debería sorprendernos que, si se percatara de la presencia de nuestro gato, Ho reaccionara tirándole una lata de Coca-Cola, aunque seguro que no acertaría y se llevaría un chasco. Porque otra cosa que Roderick Ho desconoce de sí mismo es que se le dan bastante mejor los blancos fijos: casi nunca falla cuando tira una lata a la papelera que tiene en medio del despacho, a menos que no esté en su sitio.

De modo que nuestro gato sigue su camino sin sufrir ningún percance y entra en el despacho contiguo, donde se encuentra con dos rostros desconocidos: uno blanco, el otro negro; uno de mujer, el otro de hombre. Pertenecen a dos recién llegados a la Casa de la Ciénaga, tan nuevos que aún no tienen ni nombres. A ambos les llama la atención el inesperado visitante. ¿Ese gato es un habitual de la casa? ¿Es un compañero más, un caballo lento? ¿Los están poniendo a prueba? Preocupados, intercambian una mirada mientras, aprovechando ese instante de confusión, nuestro gato se escabulle y sube la escalera hasta el siguiente rellano, donde hay otros dos despachos.

El primero está ocupado por Min Harper y Louisa Guy, que por suerte no lo ven; de lo contrario le habrían hecho pasar un rato de vergüenza: Louisa se habría arrodillado, lo habría cogido en brazos y apretujado entre sus pechos... bastante impresionantes, por cierto. En opinión de Min (aunque ya se sabe que en cuestión de opiniones...), ni demasiado pequeños ni demasiado grandes: del tamaño perfecto. El propio Min, por su parte, si hubiera sido capaz de quitarse de la mente las tetas de Louisa durante el tiempo necesario, habría agarrado al gato por el cogote con brusquedad masculina y lo habría obligado a levantar la cabeza para poder intercambiar una mirada con él, de modo que cada uno pudiera entender las cualidades felinas del otro (no el hecho de ser peludo y suavecito, sino la elegancia nocturna y la habilidad de moverse en la oscuridad: el trasfondo depredador que se esconde, ronroneante, detrás de todas las actividades cotidianas de los gatos).

Tanto Min como Louisa habrían hablado de la posibilidad de ir a comprar un poco de leche, aunque ninguno de los dos se habría movido, pues sólo estarían tratando de dejar claro que la bondad y la capacidad de suministrar leche están entre sus virtudes. Y nuestro gato, con toda la razón del mundo, se habría aliviado en la moqueta antes de abandonar su despacho.

Para, acto seguido, entrar en el de River Cartwright, en la misma planta. Y una vez allí, aunque cruzara el umbral con el mismo sigilo con que ha cruzado todos los demás, nunca habría sido suficientemente sigiloso: River Cartwright, que es joven y tiene el pelo claro, la piel pálida y un pequeño lunar en el labio superior, habría dejado de inmediato lo que fuera que estuviera haciendo (papeleo o pantalleo: cualquier cosa que implique más pensamiento que acción, lo que tal vez explique el aire de frustración que contamina el ambiente de su despacho) y le habría sostenido la mirada hasta que el pobre animalito desviara la suya, incómodo ante tal escrutinio. Cartwright ni siquiera se habría planteado ofrecerle leche: estaría demasiado ocupado trazando el mapa de las acciones del gato, calculando cuántas puertas habría cruzado para llegar hasta allí, preguntándose, para empezar, cómo habría ido a parar a la Casa de la Ciénaga y qué motivaciones se escondían detrás de sus ojos... Y en medio de esa reflexión nuestro gato se habría retirado, pidiendo paz, para ascender el último tramo de escaleras.

Y con eso en mente habría descubierto el primero de los dos últimos despachos, un espacio mucho más apropiado para entrar pavoneándose, pues allí trabaja Catherine Standish, y ella sabe cómo tratar a un gato. Porque Catherine Standish no les hace ni caso a los gatos: los gatos son adjuntos o suplentes y Catherine Standish no quiere saber nada de ellos. Tener un gato está tan sólo a un pequeño paso de tener dos, y para una soltera que está a un suspiro de los cincuenta tener dos gatos equivale a dar su vida por terminada. Catherine Standish ha pasado por unos cuantos momentos aterradores, pero ha conseguido sobrevivir y no va a rendirse ahora, así que nuestro gato puede ponerse allí todo lo cómodo que quiera, pero por muy cariñoso que se muestre, por muy astutamente que frote su aterciopelado cuerpo contra las pantorrillas de Catherine, no recibirá ningún trato de favor: nada de filetitos de sardina secados en un clínex y puestos a sus pies; nada de platos de nata. Y como ningún gato que merezca tal nombre puede tolerar la falta de adoración, el nuestro se irá de allí en busca de la siguiente puerta.

Para llegar por fin a la madriguera de Lamb, con su techo inclinado y la ventana oscurecida por una persiana, y una lámpara que reposa sobre una pila de listines telefónicos como única fuente de luz. El ambiente huele a lo que constituiría el sueño olfativo de un perro: comida para llevar, cigarrillos ilegales, pedos del día anterior y cerveza rancia, pero no hay tiempo de listarlo todo porque, cuando le apetece, Jackson Lamb es capaz de moverse con una agilidad sorprendente para un hombre de su volumen. Y créanme que le apetece: al fin y al cabo un puto gato se ha colado en su despacho. En un abrir y cerrar de ojos ya lo ha agarrado por el cuello, ha subido la persiana, ha abierto la ventana y lo ha tirado a la calzada, donde sin duda caerá de pie, como nos lo enseñan la ciencia y la sabiduría popular, aunque probablemente también delante de algún vehículo en movimiento, pues (como ya hemos visto) tal es la nueva realidad de la calle Aldersgate. Tal vez se oiga ascender por el aire el chirriar de unos frenos y el ruido de un golpe seco, pero a esas alturas Lamb ya habrá cerrado la ventana y estará de nuevo sentado en su silla con los ojos cerrados y los dedos como salchichas entrelazados sobre la panza.

Así que para nuestro gato es un golpe de suerte no existir, pues ese final habría sido terrible. Y el golpe de suerte es doble, por lo que se ve, pues esa mañana en particular ha ocurrido algo casi impensable y Jackson Lamb no está echando una cabezadita en su escritorio, ni merodeando por la cocina (situada en la misma planta), ni hurgando en la comida de sus subordinados; tampoco está subiendo o bajando la escalera con ese paso espeluznantemente silencioso que suele adoptar cuando quiere; ni está pateando el suelo de su despacho (el techo del de River Cartwright) por el mero placer de calcular cuánto tarda Cartwright en llegar, ni está recibiendo con cara de aburrimiento a Catherine Standish, que ha ido a entregarle otro informe inútil que él ya ni recuerda haberle encargado. En pocas palabras: no está allí.

Y en la Casa de la Ciénaga nadie tiene ni la menor idea de dónde está.

Jackson Lamb se hallaba en Oxford y tenía una teoría nueva que en su momento tendría que plantearles a los trajeados de Regent's Park. Era ésta: que en vez de enviar a los aprendices de espía a un curso carísimo de resistencia a la tortura en algún escondrijo en la frontera con Gales, habría que enviarlos a la estación de tren de Oxford a observar a los empleados ferroviarios en acción. Porque, fuera cual fuese el entrenamiento que recibían, todos ellos acababan dominando el arte de no dar ningún tipo de información.

—Usted trabaja aquí, ¿no?

—¿Disculpe, señor?

—¿Estaba de turno el martes pasado por la noche?

—El número de atención al cliente está en todos los carteles, señor. Si tiene alguna queja...

—No quiero quejarme —repuso Lamb—, sólo saber si estaba de turno el martes pasado por la noche.

—¿Y por qué quiere saberlo, señor?

A Lamb ya le habían dado tres veces la callada por respuesta, pero había decidido intentarlo de nuevo con un tipo bajito de pelo engominado hacia atrás y un bigote gris que se estremecía de vez en cuando como si tuviera voluntad propia. Parecía una comadreja uniformada. Lamb hubiera querido agarrarlo por las patas traseras y hacerlo restallar como un látigo, pero había un policía cerca que podía verlos.

—Digamos que tiene su importancia —contestó; evidentemente, se había identificado con un nombre falso: no le hacía falta ser pescador para saber que es mejor no tirar piedras al estanque antes de lanzar el sedal. Si alguien llamaba al número que salía en su tarjeta, empezarían a sonar pitos y campanas en Regent's Park y Lamb no quería que los del traje comenzasen a preguntarle qué estaba haciendo. En primer lugar, porque no estaba muy seguro de lo que hacía y, en segundo, porque no compartiría esa información ni aunque estuviera en el infierno—. Mucha importancia —añadió.

Se abrió la solapa de la chaqueta para mostrar la cartera que asomaba del bolsillo interior y el billete de veinte libras que sobresalía.

—Ah.

—Supongo que eso es un «sí».

—Entenderá que debemos tener cuidado, señor. Sobre todo con la gente que hace preguntas en los principales centros de transporte.

«Está bien saber», pensó Jackson Lamb, «que si los terroristas se presentaran en ese "centro de transporte" en particular se encontrarían con una línea de defensa impenetrable... salvo que les mostraran algún billete».

—El martes pasado hubo una especie de colapso —dijo.

Pero el hombre ya estaba negando con la cabeza.

—No fue un problema nuestro, señor: aquí todo estaba bien.

—Salvo que los trenes no funcionaban.

—Aquí sí que funcionaban, señor: hubo problemas en otros sitios.

—De acuerdo. —Hacía mucho tiempo que Lamb no mantenía una conversación tan larga sin soltar ningún taco; los caballos lentos se habrían asombrado, excepto los nuevos, por supuesto, que sospecharían que se trataba de una prueba—. Pero, con independencia de dónde se produjera el problema, aquí llegaron autobuses cargados de gente desde Reading porque los trenes no funcionaban.

La comadreja entornó los ojos. Era obvio que había vislumbrado cómo llegar a la línea final del interrogatorio; sin duda intentaría hacer un esprint.

—Así es, señor. Un servicio de autobuses de reemplazo.

—¿Que venían de dónde?

—En esa ocasión en particular, me inclino a pensar que venían de Reading, señor.

«Pues claro que sí, joder.» Jackson Lamb suspiró y sacó el paquete de cigarrillos.

—Aquí no se puede fumar, señor.

Lamb se encajó un cigarrillo detrás de la oreja.

—¿Y a qué hora pasa el próximo tren a Reading?

—En cinco minutos, señor.

Lamb dio las gracias con un gruñido y se encaminó hacia el puesto de control.

—Disculpe, señor.

Se volvió.

Con la mirada fija en la solapa de Lamb, la comadreja frotó las yemas del índice y el pulgar.

—¿Qué?

—Creía que me iba a...

—¿A dar una propina?

—Sí.

—Ah, claro. Pues mire: si tiene alguna queja, hay un número de atención al cliente en los carteles.

Luego echó a andar hacia el andén y esperó a que llegara su tren.

De vuelta en la calle Aldersgate, los dos caballos nuevos del primer piso estaban tanteándose entre sí. Hacía un mes que habían llegado, ambos en la misma quincena y ambos exiliados de Regent's Park, corazón y horizonte moral del servicio secreto. Todos sabían que la Casa de la Ciénaga, que en realidad no se llamaba así (no se llamaba de ninguna manera), era como un vertedero: se la consideraba un destino temporal, pero sólo porque los que acababan en ella no tardaban en dimitir. Para eso precisamente los destinaban allí: era como instalar un rótulo con la palabra SALIDA donde pudieran verlo. «Caballos lentos», los llamaban.

Ambos (ya tienen nombres: se llaman Marcus Longridge y Shirley Dander) se conocían de vista de sus reencarnaciones previas, pero la cultura departamental está muy arraigada en Regent's Park y los agentes operativos y los de Comunicaciones son peces distintos que nadan en estanques distintos. De modo que ahora, como suele ocurrir en todas partes con los novatos, sospechaban tanto el uno del otro como de los residentes más antiguos. Aun así, el mundo del espionaje es relativamente pequeño y con frecuencia las anécdotas van y vienen sin dar tiempo siquiera a que se asiente el polvo de los escombros. Por eso Marcus Longridge (mediada la cuarentena, negro, nacido en el sur de Londres de padres caribeños) sabía por qué Shirley Dander había salido como un torpedo del Cuartel General de Comunicaciones, y Dander, que estaba en la veintena y tenía una pinta vagamente mediterránea (bisabuela escocesa en las cercanías de un campo de prisioneros, preso italiano con permiso de día), había oído rumores sobre las sesiones de terapia de Longridge, relacionadas con una crisis nerviosa, aunque ninguno de los dos había hablado de eso con el otro. Ni de eso ni de nada, para el caso: se pasaban el día muy ocupados con las minucias de la convivencia en la oficina y con la pérdida de la esperanza a fuego lento.

Fue Marcus quien dio el primer paso, que consistió en una sola palabra:

—Bueno.

Era a última hora de la mañana. El tiempo de Londres estaba sufriendo una crisis esquizoide: rayos de sol repentinos que resaltaban la mugre del cristal de la ventana, repentinos chubascos que no contribuían a limpiarla.

—¿Bueno qué?

—Pues que aquí estamos.

Shirley Dander estaba esperando que se reiniciara su ordenador... una vez más. Usaba un programa de reconocimiento facial para comparar imágenes obtenidas por las cámaras de circuito cerrado en los mítines en que se pedía la retirada de tropas con retratos robot de posibles yihadistas; o sea, de yihadistas de cuya existencia se sospechaba, yihadistas que tenían nombre cifrado y todo, pero que a lo mejor sólo existían en calidad de rumor generado por la ineptitud de los servicios de inteligencia. El programa hacía ya un par de años que estaba obsoleto pero peor aún era su ordenador, que resentía el nivel de exigencia y esa misma mañana lo había hecho saber ya en tres ocasiones.

Sin levantar la mirada, Shirley preguntó:

—¿Estás intentando ligar conmigo?

—No me atrevería.

—Es que no sería nada inteligente.

—Eso dicen.

—Pues vale.

Durante casi un minuto, la cosa quedó así. Shirley podía percibir el tictac de su reloj; incluso podía percibir, a través de la superficie del escritorio, cómo luchaba su ordenador por regresar a la vida. En el piso de arriba, dos pares de pies se pusieron en movimiento: Harper y Guy. Se preguntó adónde irían.

—Entonces, si no es para ligar, ¿no pasa nada si hablamos?

—¿De qué?

—De lo que sea.

Lo miró frunciendo el ceño.

Marcus Longridge se encogió de hombros.

—Nos guste o no, tenemos que compartir despacho. No pasa nada por decir algo más que «cierra la puerta».

—Nunca te he pedido que cierres la puerta.

—O lo que sea.

—De hecho, prefiero que esté abierta. Si no, es como estar en una cárcel.

—Por mí perfecto —dijo Marcus—. ¿Te das cuenta? Ya hemos iniciado una conversación. ¿Has estado en la cárcel?

—No estoy de humor, ¿vale?

Marcus se volvió a encoger de hombros.

—Vale. Aunque nos quedan seis horas y pico en la oficina y veinte años de vida laboral. Si quieres, podemos pasarlos en silencio, pero uno de los dos se volverá loco y al otro se le cruzarán los cables.

Se volvió hacia el ordenador.

Abajo, la puerta que daba al patio trasero se cerró de golpe. La pantalla de Shirley volvió momentáneamente a la vida iluminándose de azul, pero se lo pensó mejor y se bloqueó de nuevo. Tras el intento de Marcus de mantener una conversación, el silencio era tan estridente como una alarma de incendios. El reloj latía. Shirley no tenía opción: debía decir algo más.

—Lo dirás por ti.

—¿Decir qué?

—Lo de los veinte años de vida laboral.

—Cierto.

—En mi caso son cuarenta, más bien.

Marcus asintió. No dejó que se le notara, pero se sentía triunfante.

Sabía reconocer un comienzo cuando lo tenía ante los ojos.

En Reading, Jackson Lamb había localizado al jefe de estación, frente al cual adoptó la actitud exigente y quisquillosa de un profesor. No era difícil tomar a Lamb por un académico: los hombros llenos de caspa, el jersey verde de pico manchado por bocados mal calculados de comida para llevar, los puños de la camisa raídos asomando bajo las mangas del abrigo... Estaba gordo, probablemente por el tiempo que se pasaba sentado en las bibliotecas, y siempre llevaba el escaso pelo rubio sucio y peinado hacia atrás. En cuanto a la barba de varios días, lejos de quedar moderna delataba su holgazanería. Se había dicho de él que se parecía a Timothy Spall, el actor, aunque con peor dentadura.

El jefe de estación lo dirigió a la empresa proveedora de los autobuses de reemplazo y, al cabo de diez minutos, Lamb estaba representando de nuevo su papel de académico quisquilloso, en esta ocasión con un deje de angustia en la voz.

—Mi hermano... —dijo.

—Caramba... lo lamento mucho.

Lamb agitó la mano como restándole importancia.

—No, es horrible. Lo siento de verdad.

—Llevábamos años sin hablar.

—Vaya, entonces aún peor, ¿no?

Lamb, que no tenía ninguna opinión al respecto, se mostró de acuerdo.

—Sí, sí, tiene razón.

Se le nublaron los ojos al evocar un episodio imaginario de la infancia en el que dos hermanos disfrutaban de un instante de absoluta lealtad fraternal sin sospechar que, con los años, se abriría una brecha entre ellos, que de adultos no volverían a hablarse y que uno de ellos terminaría subiéndose a un autobús en Oxfordshire, donde, en medio de la oscuridad, sucumbiría a...

—¿Un infarto, dice?

Incapaz de hablar, Lamb se limitó a asentir.

El gerente de la empresa de autobuses negó con la cabeza con aire triste. Mal asunto: que un cliente muriera en uno de sus vehículos podía dañar la imagen de la compañía. Aunque la empresa en realidad no tenía responsabilidad alguna..., entre otras cosas porque el cadáver ni siquiera llevaba un billete válido encima.

—Me gustaría saber...

—¿Sí?

—... qué autobús era. ¿Lo tienen aquí ahora?

Había cuatro autobuses en el aparcamiento y otros dos en un garaje, y resultó que el gerente sabía exactamente cuál era el que se había convertido de forma involuntaria en coche fúnebre: estaba aparcado a menos de diez metros de allí.

—Sólo me gustaría subir un momento y sentarme en el asiento que ocupaba mi hermano —propuso Lamb—. ¿Sabe cuál era?

—No estoy seguro de que...

—No es que crea en alguna energía cósmica —explicó Lamb con un temblor en la voz—, pero tampoco estoy totalmente seguro de no creer, no sé si me entiende.

—Por supuesto, por supuesto.

—Y si pudiera sentarme donde estaba él cuando... en fin, cuando falleció, pues...

Incapaz de seguir, dejó que su mirada se perdiera más allá del muro que rodeaba el aparcamiento, más allá del edificio de oficinas que había al otro lado... Un par de barnaclas canadienses pasó volando en dirección al río y sus lastimeros graznidos subrayaron la tristeza de sus palabras.

O eso le pareció al gerente de la empresa de autobuses.

—Es ese de allí —dijo.

Lamb dejó de otear el cielo y le dedicó una mirada de inocente gratitud.

• • •

Shirley Dander le dio unos inútiles golpecitos a la pantalla de su reticente monitor con un lápiz que luego dejó caer sobre el escritorio.

Chasqueó la lengua.

—¿Qué pasa? —preguntó Marcus.

—¿Qué significa «no me atrevería»?

—No te sigo.

—Cuando te pregunté si estabas intentando ligar conmigo, dijiste que no te atreverías.

Marcus Longridge contestó:

—Me han contado la historia.

«Como era de esperar», pensó ella. A todo el mundo le habían contado «la historia».

Shirley Dander medía algo menos de un metro sesenta; tenía los ojos marrones, la piel aceitunada y unos labios carnosos que no solía utilizar para sonreír; los hombros fuertes, las caderas anchas. Prefería el color negro: vaqueros negros, tops negros, zapatillas negras... Había llegado a sus oídos que un tipo —célebre por su incompetencia sexual— iba diciendo por ahí que tenía el atractivo sexual de un bolardo. El día que la destinaron a la Casa de la Ciénaga se había rapado el pelo bien corto y desde entonces le daba un repaso cada semana.

No cabía duda de que había inspirado alguna que otra obsesión en el departamento; en concreto, la de un agente de comunicación que ocupaba el cuarto escalón en la cadena de mando de Regent's Park. La había perseguido con una diligencia que nada había conseguido aplacar, ni siquiera el hecho de que ella mantuviera otra relación en ese momento. Le dio por dejarle notas en el escritorio y llamar a casa de su amante a todas horas. Habida cuenta de su trabajo, no le costaba que esas llamadas no dejaran rastro; habida cuenta del de ella, no le costaba rastrearlas.

Por supuesto, había protocolos establecidos para evitar que se dieran casos como ése y un complicadísimo procedimiento (que implicaba detallar «comportamientos inadecuados» y evidenciar «actitudes irrespetuosas») para presentar quejas, pero el personal hacía poco caso de esas directrices: al fin y al cabo, todos habían recibido formación para resistir la tortura.

Finalmente, tras una noche en la que la había llamado seis veces, el agente se acercó a ella en el comedor para preguntarle qué tal había dormido y Shirley lo tumbó de un solo puñetazo.

Podría haber salido bien librada de aquello, de no ser porque lo levantó a pulso para ponerlo de nuevo en pie y volverlo a tumbar de un segundo puñetazo.

«Problemática» fue el veredicto de Recursos Humanos: estaba claro que Shirley Dander era «problemática».

Mientras ella pensaba, Marcus iba hablando:

—Todo el mundo se enteró de esa historia, colega. Alguien me contó que hasta se le levantaron los pies del suelo.

—Sólo la primera vez.

—Tuviste suerte de que no te pusieran de patitas en la calle.

—¿Lo dices en serio?

—Vale, tienes razón, aunque ¿ventilar esas cosas en pleno comedor? A algunos los han despedido por menos.

—A algunos tíos, quizá —dijo ella—. Pero despedir a una chica por tumbar a un pervertido que la está acosando resulta de lo más embarazoso, sobre todo si la chica en cuestión está dispuesta a recurrir a los abogados. —Cuando pronunció «la chica», casi se dibujaron unas comillas en el aire—. Además, yo tenía un as en la manga.

—¿A qué te refieres?

Shirley se impulsó con los dos pies para apartarse del escritorio. Las patas de la silla chirriaron por el suelo.

—¿Qué estás queriendo averiguar?

—Nada.

—Es que, para tratarse de alguien que sólo busca conversación, pareces muy curioso.

—Bueno —contestó él—, ¿qué clase de conversación se puede tener sin curiosidad?

Shirley se lo quedó mirando: no estaba tan mal para su edad. Tenía el párpado izquierdo algo caído, lo que lo hacía parecer atento, como si estuviera evaluando constantemente el mundo. Llevaba el pelo más largo que ella, pero no mucho, y la barba y el bigote bien recortados. Se preocupaba de vestir bien, lo que en estos tiempos significa llevar vaqueros bien planchados, camisa blanca de cuello Mao y chaqueta gris. Su bufanda Nicole Farhi negra y morada estaba colgada en el perchero. Ella no se había fijado en nada de eso porque le importara, sino porque todo es información. No llevaba anillo de casado, aunque ya se sabe... Además, casi todo el mundo está divorciado o es desgraciado con su pareja.

—De acuerdo —le dijo—, pero si me la estás jugando es probable que acabes comprobando de la peor manera lo fuerte que golpeo.

Él levantó las manos en un gesto de rendición que no era del todo falso.

—Oye, sólo intento que tengamos una relación de trabajo. Ya sabes: tú y yo somos los que menos tiempo llevamos aquí.

—Tampoco es que los demás muestren un frente muy unido. Salvo Harper y Guy, tal vez.

—No les hace falta —repuso Marcus—: tienen estatus de residentes. —Tamborileó con los dedos rápidamente en el teclado, lo apartó y giró su silla hacia su compañera—. ¿Qué opinión tienes de ellos?

—¿Como grupo?

—O de uno en uno, tampoco necesito un seminario.

—¿Por dónde empezamos?

—Empecemos por Lamb —propuso Marcus Longridge.

Instalado en el asiento del autobús donde había muerto una persona, Jackson Lamb miraba el patio de cemento resquebrajado y las puertas de madera tras las cuales se extendía el centro de Reading. Como londinense de toda la vida, no podía contemplar ese panorama sin estremecerse.

Pero procuró concentrarse en hacer lo que se suponía que estaba haciendo; es decir, quedarse allí sentado en silencio, recordando al hombre del que había afirmado que era su hermano, aunque en realidad se trataba de Dickie Bow: un nombre demasiado simple para estar en clave, demasiado bonito para ser real. Dickie y Lamb habían coincidido en Berlín en la misma época, aunque hacía tanto tiempo de eso que a Lamb le costaba recordar su cara. La imagen que le venía a la cabeza era aerodinámica y puntiaguda como una rata, pero es que Dickie Bow había sido precisamente eso: una rata callejera proclive a reptar por agujeros demasiado pequeños para su cuerpo. Ése era su talento principal para la supervivencia... aunque no parecía que últimamente le hubiera sido de gran utilidad.

(Según la autopsia, había sufrido un infarto. No era especialmente sorprendente tratándose de un hombre que bebía y fumaba tanto, y que comía tanta fritanga como Dickie Bow, pero ésa era una verdad incómoda para Lamb, cuyos hábitos eran francamente muy parecidos.)

Alargó el brazo y pasó un dedo por el respaldo del asiento de delante. La superficie era más bien lisa, salvo por alguna quemadura evidentemente antigua; los rasguños en una esquina parecían deberse al roce, más que a la voluntad de grabar un último mensaje por parte de un moribundo... Hacía años que Bow no trabajaba en los servicios de inteligencia, e incluso en aquellos tiempos había formado parte del extenso ejército de los que nunca se comprometían del todo. «Siempre puedes fiarte de una rata callejera», decía el saber popular porque, si aceptaban dinero del otro lado, enseguida aparecían por tu puerta esperando que igualaras la oferta.

No había ningún código de hermandad: si Dickie Bow hubiera fallecido tras incendiarse su colchón, Lamb habría pasado sin que se le moviera un pelo por las cinco fases del duelo: negación, rabia, aceptación, indiferencia... desayuno. Pero Bow había muerto en el asiento trasero de un autobús en movimiento sin llevar un billete en el bolsillo, y la autopsia no podía explicar qué hacía Bow en medio del campo en vez de estar cumpliendo con su turno en la tienda porno del Soho en la que trabajaba.

Lamb se incorporó, palpó la bandeja de las maletas y no encontró nada. Y aunque hubiera encontrado algo: después de seis días difícilmente podría ser algo que hubiese dejado allí Dickie Bow. Así que volvió a sentarse y revisó la junta de goma que recorría la base de la ventanilla buscando algún rasguño; podía parecer ridículo, pero según las normas de Moscú había que dar por hecho que alguien leía tus correos electrónicos: si tenías que transmitir un mensaje, buscabas otros medios. Esta vez, sin embargo, el medio no había sido un arañazo en una junta de goma.

Una carraspera dubitativa y respetuosa sonó en la parte delantera del autobús.

Lamb miró con tristeza al gerente.

—No pretendo agobiarlo, pero... ¿va a estar mucho rato más?

—Sólo un minuto —contestó Lamb.

De hecho, le bastaba con menos porque, mientras hablaba, había metido la mano entre dos asientos y había encontrado un chicle viejo que se había endurecido hasta convertirse en una especie de tumor, unas cuantas migas de galleta, un clip, una moneda tan pequeña que no merecía la pena echársela al bolsillo... y el borde de algo duro que se escurrió con el contacto obligándolo a hundir más la mano, a empujar hasta que el puño del abrigo se le subió hasta medio brazo. Pero ahí estaba de nuevo: una carcasa de plástico liso. Se arañó la muñeca hasta hacerse un poco de sangre al liberar el tesoro, pero ni siquiera se dio cuenta; toda su atención estaba centrada en el premio: un viejo, grueso y más que básico teléfono móvil.

—Bueno, Lamb. Lamb es... exactamente lo que parece.

—Es decir...

—Una especie de gordo cabronazo.

—Con una larga historia.

—Un gordo cabronazo con una larga historia: la peor especie. Se sienta en su despacho, en la planta más alta, y luego nos caga encima. Es como si le diera placer dirigir un departamento lleno de...

—Fracasados.

—¿Me estás llamando «fracasada»?

—Los dos lo somos, ¿no?

El trabajo quedó relegado al olvido y, justo después de llamar «fracasada» a Shirley Dander, Marcus Longridge le dedicó una amplia sonrisa. Ella se quedó callada. ¿En dónde se estaría metiendo? «No te fíes de nadie», se había dicho al pisar ese lugar por primera vez. El corte de pelo tenía que ver con eso, con no fiarse de nadie, pero ahí estaba, a punto de abrirse con Marcus simplemente porque era la persona con la que le había tocado compartir despacho... ¿Y a qué venía esa sonrisa? ¿A él le parecía un gesto amistoso? «Respira hondo», se dijo. «Pero hazlo mentalmente, que él no se dé cuenta.»

Era la clave en Comunicaciones: averigua todo lo que puedas sin dar nada a cambio.

—Yo no lo tengo tan claro. En todo caso, ¿qué opinas tú de él?

—Bueno, es director de un departamento.

—Menudo departamento. Más bien parece una tienda de segunda mano. —Le dio un manotazo al ordenador—. De hecho, esta cosa tendría que estar en un museo. ¿De veras pretenden que pillemos a los malos con esta mierda? Tendríamos más posibilidades si nos plantáramos en Oxford Street con una carpetita y les preguntáramos a los transeúntes: «Perdone, señor, ¿es usted un terrorista?»

—Señor o señora —la corrigió Marcus, y añadió—: Nadie espera que pillemos a nadie, simplemente tendríamos que agobiarnos hasta el punto de dimitir e irnos a trabajar a alguna empresa de seguridad. Pero el caso es que, sea cual sea nuestro objetivo aquí, para Lamb no es un castigo; y si lo es, parece que lo está disfrutando.

—¿Qué quieres decir con eso?

—Que debe de saber dónde hay cadáveres enterrados. Incluso es probable que él mismo haya enterrado unos cuantos.

—¿Es una metáfora?

—Suspendí Literatura: no sé nada de metáforas.

—Entonces, ¿te parece que es un tipo hábil?

—Bueno, está gordo, bebe y fuma, y dudo que haga ejercicio, salvo levantar el teléfono para encargar algo que lleve curry. Pero sí; ahora que lo dices, creo que es un tipo hábil.

—Quizá lo fuera en otro tiempo —repuso Shirley—, pero no sirve de mucho ser hábil si después actúas con una lentitud insoportable.

Marcus no estaba de acuerdo: ser hábil era un estado mental. Lamb podía agotarte con sólo plantarse delante de ti, y para cuando te enteraras de que era una amenaza ya se habría ido y tú estarías preguntándote «¿quién apagó la luz?». Aunque era sólo su opinión, claro. Se había equivocado otras veces, así que se limitó a decir:

—Supongo que si nos quedamos aquí el tiempo suficiente lo averiguaremos.

Mientras bajaba del autobús, Lamb se frotó un ojo con un dedo, dando así la impresión de que estaba triste o al menos de que tenía el ojo irritado. El gerente de la empresa de autobuses parecía incómodo, cohibido ante el dolor de un desconocido; aunque quizá se había fijado en cómo metía el brazo entre los dos asientos y se estaba preguntando si sería apropiado sacar el tema.

Para cortocircuitar cualquier decisión, Lamb decidió hacer otra pregunta:

—¿El conductor está por aquí?

—¿Cómo? ¿El que conducía cuando...?

«Cuando la palmó mi hermano, sí», pensó Lamb, pero se limitó a asentir y volvió a frotarse el ojo.

El conductor no tenía muchas ganas de hablar de aquel pasajero tan poco cooperativo. Desde el punto de vista de un conductor de autobús común y corriente, el único pasajero bueno es el que ya se ha bajado de su vehículo. Sin embargo, después de que el gerente (tras una última muestra de condolencia) se dirigiera a su despacho arrastrando los pies, y después de sugerir Lamb por segunda vez aquella misma mañana que tenía en su poder un billete de veinte libras, el conductor se abrió de capa.

—¿Qué puedo decirle? Lamento su pérdida.

Parecía estar pensando en el dinero.

—¿Vio usted si hablaba con alguien?

—Se supone que tenemos que mirar sobre todo la carretera.

—Me refiero a antes de arrancar.

—¿Qué puedo decirle? —preguntó de nuevo el conductor—. Aquello era un circo, colega: dos mil personas que se habían quedado tiradas... Mi deber consistía simplemente en llevarlos de un sitio a otro, así que no, no me fijé, lo siento. Para mí sólo era un pasajero más hasta que... —Se dio cuenta de que se estaba metiendo en un berenjenal semántico y reculó de inmediato—: Bueno, ya sabe.

—Hasta que llegó a Oxford con un fiambre en el asiento trasero —añadió Lamb para sacarlo del aprieto.

—Debió de irse plácidamente —dijo el conductor—. Yo circulaba por debajo del límite.

Lamb volvió la mirada hacia el autobús. Los colores distintivos de aquella empresa eran el rojo y el azul, y el vehículo tenía la mitad inferior salpicada de barro. No era más que un vehículo normal y corriente en el que Dickie Bow había subido y del que ya no había vuelto a bajar.

—¿Ocurrió algo extraño en ese viaje? —preguntó.

El conductor lo miró fijamente.

—Aparte del muerto, quiero decir.

—Lo siento, colega. No fue más que, ya sabe... «Recógelos en la estación, suéltalos en Oxford...» Tampoco es que fuera la primera vez.

—¿Y qué pasó al llegar a Oxford?

—La mayoría iban dormidos como troncos. Un tren los esperaba para llevarlos a su destino. A esas alturas, debían de llevar una hora de retraso. Y llovía a mares. Así que nadie se entretuvo demasiado.

—Pero alguien encontró el cadáver. —El conductor le dedicó una mirada extraña y Lamb creyó entender la razón—. A Richard —se corrigió. Se suponía que eran hermanos, ¿no?—. Alguien se dio cuenta de que Dickie estaba muerto.

—Se formó un pequeño alboroto al fondo del autobús, pero ya no había nada que hacer. Otro pasajero, un médico, se quedó conmigo, pero los demás se fueron para subirse a su tren. —Hizo una pausa—. Parecía en paz...

—Habría elegido morir así —le aseguró Lamb—. Le gustaban los autobuses... En fin, y entonces usted qué hizo, ¿pedir una ambulancia?

—Ya no se podía hacer nada por él, pero sí, llamé a los servicios de emergencias. Perdí el resto de la noche. Sin ánimo de ofender. Tuve que hacer una declaración, etcétera —y añadió—: Pero eso ya lo sabe, ¿no? Siendo su hermano...

—Así es —concedió Lamb—. Eso ya lo sé porque soy su hermano. ¿Ocurrió algo más?

—Lo de siempre, colega. Cuando... ya sabe... cuando se lo llevaron, limpié el autobús y pude volver aquí.

—¿Limpió el autobús?

—No es que lo limpie a fondo. Sólo compruebo los asientos por si alguien se ha dejado algo. Carteras y cosas así.

—¿Y encontró algo?

—Esa noche no, colega. Bueno, sólo un sombrero.

—¿Un sombrero?

—En el portaequipajes, cerca de donde iba su hermano.

—¿Qué clase de sombrero?

—Uno negro.

—Negro, ¿pero de qué tipo? ¿Bombín? ¿De fieltro? ¿Cómo era?

El conductor se encogió de hombros.

—Un sombrero, con ala, ya sabe.

—¿Y dónde está?

—En objetos perdidos... si es que no lo ha reclamado nadie. Sólo era un sombrero. Mucha gente se deja el sombrero en el autobús.

«Menos cuando llueve a mares», pensó Lamb.

Pero reflexionó y se dio cuenta de que no era cierto: si llovía, más personas llevarían sombrero y habría habido más olvidos; una cuestión de estadística.

Pero el problema de la estadística, siguió reflexionando, era que se la traía floja.

—¿Y dónde queda objetos perdidos? —Señaló en dirección a las oficinas—. ¿Allí?

—Qué va, colega. En Oxford.

«Dónde si no», pensó Lamb.

—Y de Ho, ¿qué opinas?

—Ho es un monomaniaco.

—Vaya novedad: todos los adictos a internet son monomaniacos.

—Pero su caso es más grave. ¿Quieres saber qué fue lo primero que me dijo?

—¿Qué te dijo?

—Lo primero de todo, ¿eh? O sea, ni siquiera me había quitado el abrigo todavía —dijo Marcus—. Era mi primera mañana aquí y estaba convencido de que me habían mandado al equivalente de la Isla del Diablo en el mundo del espionaje. El caso es que tiene una taza con la foto de Clint Eastwood, ¿lo sabías? Pues lo primero que hizo al verme fue coger su taza, enseñármela y decirme: «Ésta es mi taza, ¿vale? Y no me gusta que nadie más la use.»

—De acuerdo: eso es ser monomaniaco y algo más.

—Es peor que anal-retentivo. Me juego algo a que tiene marcados los calcetines para el pie derecho y el izquierdo.

—¿Y qué pasa con Guy?

—Se folla a Harper.

—¿Y Harper?

—Se folla a Guy.

—No digo que no tengas razón, pero eso no dice mucho de sus personalidades.

Marcus se encogió de hombros.

—No hace mucho que se lo están montando, así que en este momento es el único dato significativo.

—Los que han salido hace un rato eran ellos. A saber adónde habrán ido.

—Entonces, seguimos siendo *persona non grata* en Regent's Park —dijo Harper.

Estaban en otro parque: el Saint James's Park, y se dirigían hacia la zona del palacio de Buckingham.

—¿Sabes una cosa? —respondió Louisa Guy—. No estoy del todo segura de que la cuestión sea ésa.

Una mujer con un chándal rosa de aspecto aterciopelado se acercaba por el sendero a unos tres kilómetros por hora. Su perrillo, peludo y con una cinta del mismo color y textura, iba dando saltitos a su lado. Esperaron a que pasaran antes de seguir.

—Explícate.

Y eso es lo que hizo Louisa: explicarse. Según ella, todo tenía que ver con Leonard Bradley. Hasta hacía relativamente poco, Bradley había dirigido el Departamento de Control Presupuestario, que controlaba los gastos de los servicios de inteligencia. Toda operación planeada por Ingrid Tearney, directora de Regent's Park, requería la aprobación de ese departamento si no quería sufrir problemas presupuestarios, que era como lo llamaban cuando te quedabas sin dinero. Lo que pasaba era que a Bradley (sir Leonard, si todavía no le habían retirado el título) lo habían pillado recientemente con las manos en la caja: una «casa segura» de Shropshire, con todo el personal necesario para la recuperación de agentes de baja por estrés, había resultado ser una casa de playa en las Maldivas, aunque había que reconocer que efectivamente tenía un montón de personal. Y el resultado de los pecadillos de Bradley eran...

—¿Cómo sabes todo eso? —la interrumpió Harper—. Yo creía que se había jubilado.

—¡Qué mono! En este negocio hay que mantener siempre una oreja pegada al suelo, amigo mío.

—¿Te lo dijo Catherine?

Ella asintió.

—¿Cotilleos de chicas? ¿Conspiraciones rápidas en el baño?

No alzó la voz, pero había un punto de enojo en sus palabras: se sentía excluido.

—¿Y qué esperabas, que Catherine convocara una rueda de prensa? —replicó ella—. Me lo contó cuando le dije que nos habían citado aquí. Parece que hay una investigación en curso.

—¿Y cómo se ha enterado ella?

—Tiene un contacto —dijo Louisa—: una de las Reinas.

Cuando uno necesitaba información, lo mejor era recurrir a las Reinas: las encargadas de la base de datos. Su puesto las volvía muy útiles como amigas y más aún como contactos.

—¿Y qué pasa con esa investigación?

... El resultado de los pecadillos de Bradley eran ciertas indagaciones que podían describirse como «investigación», pero que habría sido más exacto describir como «inquisición»: el nuevo director de Control, Roger Barrowby, estaba aprovechando la oportunidad para levantar las alfombras, lo que implicaba entrevistar a fondo a toda la plantilla para averiguar hasta el último detalle acerca de su historial económico, operativo, emocional, psicológico, sexual y médico, sólo para asegurarse de que todo estaba limpio como una patena: nadie quería otra situación bochornosa como la de Bradley.

—Menuda jeta —dijo Min—. O sea, el que estaba robando galletas era Leonard Bradley. El bochorno debería ser para los de Control, no para Regent's Park.

—Bienvenido al mundo real, chiquitín —repuso Louisa.

Aunque todo aquello también tenía su lado bueno.

—Seguro que Taverner está furiosa —musitó él.

Pero no tuvieron tiempo de especular sobre el estado de ánimo de Taverner porque en ese momento apareció James Webb, que era quien los había convocado a aquella reunión al aire libre.

Webb era uno de los trajeados, aunque ese día en particular no llevaba traje: se había puesto unos pantalones beige de algodón, un jersey de cuello alto azul oscuro y una gabardina negra; sin embargo, no engañaba a nadie: era un trajeado, y si le rajabas las entrañas seguro que sangraba a rayas diplomáticas. Probablemente se imaginaba que la ropa que llevaba aquel día era la que usaría un agente de servicio: lo que se ponían para pasear entre el follaje, pero lo cierto es que daba la impresión de haberse presentado ante su sastre, en Jermyn Street, y haberle explicado que tenía que dar un paseo por el parque y quería vestir en consonancia. Tenía tanto de paseante informal como la señora del chándal rosa de deportista.

A pesar de todo, él era de Regent's Park y ellos de la Casa de la Ciénaga. El simple hecho de que los llamara ya los había sorprendido.

Los saludó con una inclinación de cabeza que ellos le devolvieron. Después se pusieron uno a cada lado y los tres echaron a andar.

—¿Algún problema para salir?

Lo mismo podía haberles preguntado qué tal el tráfico.

—La puerta trasera se atasca. Hay que darle una patada y empujar el pomo al mismo tiempo. Pero una vez superada esa prueba, pan comido —contestó Louisa.

—Me refería a Lamb —dijo Webb.

—Lamb no estaba. —Esta vez fue Min quien respondió—. ¿Se supone que no debe enterarse?

—Bueno, tarde o temprano se enterará. Tampoco es nada del otro mundo: os voy a dar una comisión de servicios, eso es todo. Y no por mucho tiempo: unas tres semanas.

«Os voy a dar...» Como si él fuera un pez gordo. En Regent's Park, cuando Ingrid Tearney estaba en Washington, Lady Di Taverner estaba siempre en el punto de mira: era una de las muchas personas que ocupaban el segundo escalón, pero la primera en la lista para muchos cuando corrían rumores sobre golpes de Estado en palacio. En cuanto a Spider Webb, el escalón donde estaba ni siquiera tenía número. Por lo que Min y Louisa habían oído, se dedicaba básicamente a Recursos Humanos. También sabían que había tenido algo que ver con River Cartwright, aunque ninguno de los dos conocía más detalles, salvo que habían hecho juntos la formación y que más tarde Webb había jodido a River y por eso éste se había convertido en un caballo lento.

Tal vez algo de todo eso se filtró en el silencio de Min y Louisa, porque Webb añadió:

—Así que responderéis ante mí.

—¿En qué clase de trabajo?

—De niñeros. Tal vez algo de escrutinio.

—¿Escrutinio?

Lo del escrutinio era un trabajo casi administrativo, como correspondía a los caballos lentos, pero exigía recursos de los que la Casa de la Ciénaga no disponía. Además, eso solía tocarles a los de Antecedentes, el departamento de Regent's Park que se dedicaba a buscar esqueletos en los armarios, si era necesario con el apoyo de los Perros: la seguridad interna.

Webb respondió como si pensara que Min no conocía el término.

—Sí: chequeos personales, confirmaciones de identidad, limpieza de lugares..., cosas por el estilo.

—¡Ah, escrutinio! —dijo Min—. Creía que había dicho «cariño». Me preguntaba si se estaría poniendo seria la cosa.

—No es nada complicado —añadió Webb—. Si lo fuera, no se lo estaría pidiendo a un listillo como tú. Aunque si no estás disponible para el trabajo, sólo tienes que decirlo. —Se detuvo, pero Min y Louisa aún caminaron un par de pasos más antes de darse cuenta. Se volvieron hacia él—. Y luego os podéis largar de vuelta a la Casa de la Ciénaga y a todas esas tareas tan importantes de las que os ocupáis.

La boca de Min estaba a punto de replicar antes de que se pusiera en marcha su cerebro, pero su compañera se adelantó:

—No tenemos gran cosa que hacer. —Le clavó los ojos a Min—. Estamos disponibles.

—Sí. Parece un planazo —añadió él.

—¿Un planazo?

—Quiere decir que entra en el campo de nuestras competencias —aclaró Louisa—. Sólo estamos un poco desconcertados por el lugar que ha escogido para comunicárnoslo.

Webb miró a su alrededor como si acabara de darse cuenta de que estaban al aire libre y que había agua, árboles, pájaros... Los pocos coches que pasaban, conscientes de la presencia del palacio de Buckingham, ronroneaban educadamente más allá de las barandillas.

—Sí. Pero siempre está bien salir un poco, ¿no es cierto?

—Sobre todo cuando en casa se pone tan fea la cosa —dijo Min sin poder evitarlo.

Louisa negó con la cabeza. «¿Con éste tengo que trabajar?»

Webb, sin embargo, se limitó a apretar un poco los labios.

—Es cierto que Regent's Park está un poco enloquecido en estos momentos.

«Ya: estáis perdiendo el culo con los contables», pensó Min. «Seguro que eso provoca momentos de gran diversión en torno a la máquina de café.»

—Pero toda organización necesita una sacudida de vez en cuando —añadió Webb—. Ya veremos cómo quedan las cosas cuando se asiente el polvo.

En ese instante, tanto Louisa como Min se dieron cuenta de que Webb tenía la intención de aprovechar la sacudida para subir varios escalones de un tirón.

—Aun así, mientras tanto hay que poner parches y seguir adelante. Los de Antecedentes están muy ocupados, como os podréis imaginar: están investigando a fondo al personal de Regent's Park. Por eso nos hemos visto obligados a... en fin, a todo esto.

—¿Quiere decir a externalizar?

—Si lo queréis llamar así.

—Háblenos del trabajo de niñeros —sugirió Louisa.

—Esperamos visitantes —dijo Webb.

—¿De qué tipo?

—Del tipo ruso.

—Qué agradable. ¿No se supone que ahora son amigos nuestros?

Webb soltó una risita.

—¿Y a qué se debe su visita?

—Conversaciones sobre conversaciones.

—¿Armas, petróleo o dinero? —preguntó Min.

—El cinismo es una virtud sobrevalorada, ¿no os parece? —Webb reanudó el paso y ellos hicieron lo mismo flanqueándolo de nuevo—. El gobierno de Su Majestad percibe vientos de cambio por el Este. Nada inminente, pero hay que prepararse para el futuro. Siempre es una buena idea tender una mano amistosa a quienes algún día pueden, esto... tener cierta influencia.

—Entiendo: petróleo.

Min seguía a lo suyo.

—¿Y quién es el visitante? —preguntó Louisa.

—Responde al nombre de Pashkin.

—¿Cómo el poeta?

—Más o menos. Se llama Arkady Pashkin. Hace un siglo habría sido un señor de la guerra; hace veinte años, un mafioso... —Webb hizo una pausa—. Bueno, es probable que hace veinte años haya sido efectivamente de la mafia, pero hoy en día es más que nada un multimillonario.

—¿Y quiere que lo sometamos a un escrutinio?

—No, por Dios. Es el dueño de una compañía petrolífera: podría tener un cementerio entero en el armario y al gobierno de Su Majestad le daría igual. Pero traerá personal y habrá conversaciones de alto nivel, y todo eso tiene que ir como la seda. Si no... bueno... en Park obviamente necesitaremos alguien a quien culpar.

—Y ésos seríamos nosotros.

—Seríais vosotros. —Esbozó una breve sonrisa que podría indicar que estaba bromeando, pero ni Min ni Louisa quedaron muy convencidos de ello—. ¿Algún problema con eso?

—No parece nada con lo que no podamos apañarnos —dijo Min.

—Eso espero.

Webb se detuvo de nuevo y Min se acordó de cuando, tiempo atrás, paseaba con sus dos hijos pequeños. Llegar a cualquier lugar representaba todo un esfuerzo: cualquier cosa que se cruzara en el camino y despertara su interés, una ramita, una goma, un tíquet tirado en el suelo, representaba cinco minutos de retraso.

—Bueno, ¿qué tal todo por vuestro palacete? —Webb parecía cada vez más suelto.

«Nuestro palacete, claro», hubiera querido responder Min.

—Igual que siempre —contestó Louisa.

—¿Y Cartwright?

—Igual.

—Me sorprende que aguante. Sin ánimo de ofender, tengo que decir que siempre ha sido un engreído. Debe de odiar estar allí, alejado de la acción.

El comentario traslucía una satisfacción apenas disimulada.

A esas alturas, Min ya había decidido que Spider Webb no le caía nada bien. Tampoco es que le encantara River Cartwright, para el caso, pero había un detalle que inclinaba definitivamente la balanza: Cartwright era un caballo lento, como él mismo, como Louisa. En otros tiempos, eso sólo hubiera significado que estaban metidos en el mismo barrizal. Ahora, en cambio, aunque no se podía decir que estuvieran unidos, significaba que no iban a mearse unos a otros delante de un extraño. Y menos aún delante de un trajeado de Regent's Park.

—Lo saludaré de su parte —dijo Min—, sé que conserva buenos recuerdos de su último encuentro.

En el que River había dejado inconsciente a Webb de una paliza.

Louisa volvió a terciar.

—¿Y Lamb sabe que nos está... en fin, que nos está dando una comisión de servicios?

—Pronto lo sabrá. ¿Os parece que tal vez montará algún follón?

—Bueno —dijo Louisa—. Si le molesta, seguro que no dejará que se le note.

—Sí —la secundó Min—. Ya sabe cómo es Lamb: un diplomático nato.

—¡Oh, no! —dijo Lamb—. ¡Otra vez tú!

Había vuelto a la estación de Oxford (tras esperar el tren otra media hora) y estaba buscando a alguien que le dijera dónde se había perdido la oficina de objetos perdidos.

Y el primer rostro que vio fue el de la comadreja, con su pelo engominado y su bigote. Por supuesto, no parecía nada contento.

Intentó pasar de largo, pero a Lamb ya no le interesaba pasar por un mero ciudadano y lo cogió por el antebrazo.

—¿Hablamos un momento?

La comadreja bajó la mirada hacia la mano que Lamb había puesto en su antebrazo, luego lo miró a la cara y finalmente, de modo lento y deliberado, volvió los ojos hacia un policía que, a escasos metros de allí, le estaba mostrando a una hermosa rubia cómo se leen los mapas.

Lamb lo soltó.

—Por si le interesa —dijo—, todavía tengo ese billete de veinte libras. —«Para desilusión de un conductor de autobús de Reading», podría haber añadido—. Así que no veo ninguna razón para que no podamos charlar amistosamente.

Sonrió para ilustrar la palabra «amistosamente», aunque el resultado, con bastantes manchas amarillas, también hubiera podido interpretarse como «maliciosamente».

La mención del dinero funcionó, lo otro puede que no tanto.

—¿De qué se trata esta vez? —preguntó la comadreja.

—Los objetos perdidos, ¿dónde están?

—En la oficina de objetos perdidos.

—Empezamos bien —señaló Lamb—. ¿Y eso dónde queda?

La comadreja apretó los labios y miró directamente al lugar donde sabía que Lamb guardaba la cartera: el bolsillo interior de su chaqueta. Estaba claro que las meras promesas ya no despejaban el camino.

Terminada su lección de cartografía, el policía miró hacia ellos. Lamb lo saludó con una inclinación de cabeza.

Luego volvió a mirar a la comadreja.

—¿Hace mucho que trabaja aquí?

—Diecinueve años —contestó. Su bigote se estremeció de orgullo.

—Pues si quiere que sean diecinueve años y un día, empiece a ser más amable. Porque yo llevo un poquito más de diecinueve años averiguando cosas que la gente no quería que supiese, de modo que no debería costarme mucho que un mierdoso uniformado me dé una información disponible para el público en general. ¿No le parece?

La comadreja miró a su alrededor en busca del policía, que en ese momento caminaba lentamente hacia una máquina de café.

—¿En serio? —dijo Lamb—. ¿Crees que podrá llegar aquí antes de que yo te rompa la nariz?

Nada en la apariencia física de Lamb invitaba a pensar que pudiera moverse deprisa, pero había algo en su actitud que sugería que descartar esa posibilidad podía ser un error. La comadreja pareció reflexionar un momento y él soltó un bostezo. Los leones no bostezan cuando están a punto de dormir, sino cuando se están despertando.

Así que la comadreja contestó:

—Andén dos.

—Llévame hacia allí —ordenó Lamb—. Estoy buscando un sombrero.

En Saint James's Park, Webb les había entregado a Louisa y Min una carpeta rosa de cartón con una etiqueta pegajosa sellando la solapa y se había largado. Tenían que ir a la City y decidieron tomar el camino que daba la vuelta al lago, aunque no tenían muy claro si era un atajo.

—Si llega a mencionar al gobierno de Su Majestad una vez más, me hubiera dado un ataque de risa —dijo Louisa.

Min parecía distraído.

—Mmm. ¿Qué? Ah, sí. Muy buena.

Sonaba como si estuviera a kilómetros de allí.

—La rueda gira... —comentó ella—, pero el hámster está muerto.

Min asintió con un gruñido.

Ella se cogió de su brazo (siempre podían alegar que fingían porque estaban en una misión encubierta). Sobre una roca en medio del lago, un pelícano estiraba las alas: era como ver a un paraguas de golf haciendo aeróbic.

—Sigues tomando aquellas vitaminas, ¿verdad?

—¿A qué te refieres?

—Parecía que ibas a retar a Webb a un combate de lucha libre.

Min esbozó una sonrisita de vergüenza.

—Ya, bueno..., me estaba tocando las pelotas.

Louisa sonrió, pero sólo para sí. Min había cambiado mucho durante los últimos meses y ella sabía bien que la culpa era suya; aunque, en realidad, cualquier mujer habría valido: Min estaba acostándose con alguien de nuevo y eso espabilaba a cualquiera. Igual que a ella, la vida se

51

le había ido a Min por el desagüe unos años atrás, cuando se había dejado un disco con información clasificada en un vagón del metro. (El fracaso de su matrimonio había sido sólo un daño colateral.) En cuanto a Louisa, se había equivocado al rastrear un cargamento de armas que, en consecuencia, habían acabado en la calle. Sólo hacía unos meses que ambos habían salido de su letargo, tras iniciar una relación cuyo principio, además, coincidió con un momento en que la Casa de la Ciénaga experimentaba un breve renacimiento. Desde entonces las cosas más o menos habían vuelto a su cauce, pero el optimismo no había muerto del todo. Sospechaban que Jackson Lamb tenía información sensible sobre Diana Taverner; quizá no la suficiente para manejarla a su antojo, pero sí como para que ella estuviera en deuda con él.

Y esa deuda implicaba poder.

—Este Webb es el que River dejó tumbado en el suelo, ¿verdad?

—Exactamente.

—Me sorprende que se volviera a levantar.

—¿Tan duro te parece River? —preguntó Min.

—¿A ti no?

—No especialmente.

Ella dejó escapar una risita.

—¿Qué pasa?

—Nada, nada, sólo el modo en que has movido los hombros cuando has dicho eso. —Hizo una imitación exagerada—. Como si dijeras: «No tan duro como yo.»

—Yo no he hecho eso.

—Claro que sí. —Lo volvió a imitar—. Así. Como si concursaras en *El hombre más fuerte del mundo* o algo parecido.

—No es verdad. Sólo quería decir que River es evidentemente capaz de defenderse, pero no me parece probable que pudiera cargarse al perrito faldero de Lady Di.

—Todo depende de lo que le hiciera el perrito faldero.

Siguieron rodeando el lago mientras dos irritantes pájaros de grandes patas (ninguno de los dos supo identificarlos) caminaban por la hierba. Más allá, un cisne negro se deslizaba cerca de la orilla. Parecía enfadado.

—¿Qué opinas de lo que nos ha encargado?

Louisa se encogió de hombros.

—Hacer de niñeros... no es que sea muy emocionante.

—Al menos podremos salir de la oficina.

—No lo creas, también habrá papeleo. Me pregunto qué dirá Lamb.

Min se detuvo y Louisa, que iba de su brazo, tuvo que detenerse también. Se quedaron allí, contemplando las maniobras del cisne, que parecía patrullar por las rizadas aguas del lago hasta que se decidió a lanzarle un picotazo a algo que iba por debajo de la superficie. Durante un instante, su cuello se convirtió en un tubo de luz negra bajo el agua.

—Cisnes negros... —dijo Louisa—. El otro día estuve leyendo sobre ellos.

—¡No me digas que los ofrecen en algún menú de comida para llevar? ¡Qué perversidad!

—No seas malo: fue en uno de los suplementos del domingo. Parece que existe una «teoría del cisne negro» que se refiere a determinados sucesos totalmente inesperados e impactantes que, sin embargo, a posteriori parece que hubieran sido perfectamente previsibles sólo porque se piensan en retrospectiva.

—Mmm.

Siguieron caminando por la orilla y, unos pasos más allá, Louisa preguntó:

—Bueno, ¿en qué ibas pensando antes? Parecías estar lejísimos de aquí.

Min contestó enseguida:

—Estaba pensando en que la última vez que nos metieron en una operación desde Regent's Park era porque alguien intentaba jodernos.

El cisne negro alargó el cuello una vez más y enseguida volvió a sumergir la cabeza en el agua.

• • •

Shirley Dander se llevó a la boca el café para llevar. Lo encontró frío, pero se lo bebió de todos modos. Luego dijo:

—¿Standish, de veras?

—A lady Catherine... —Marcus imitó el gesto de beber con la mano derecha— le va la priva.

Aquello no encajaba del todo: Catherine Standish tenía pinta de ser incapaz de relajarse. Para colmo, se vestía de un modo peculiarísimo y anticuado: parecía una Alicia en el país de las maravillas un poco pasadita de años y decepcionada con el mundo. Pero Marcus sonaba bastante seguro:

—Ya lo ha dejado. Hace años, probablemente. Pero si sé algo de borrachos, y he conocido a unos cuantos, estoy convencido de que en otros tiempos habría podido contigo y conmigo en una noche de copas: nos habría tumbado a los dos, uno detrás del otro.

—Ni que fuera boxeadora.

—Los alcohólicos de verdad beben como si estuvieran en medio de una pelea de bar. Ya sabes, de esas en las que sólo uno acaba de pie. Y el borracho siempre cree que será él. Ella, en este caso.

—Pero dices que ahora ya ha vuelto al buen camino.

—Bueno, todos creen que han vuelto.

—¿Y Cartwright? Por lo visto, provocó una explosión en King's Cross.

—Lo sé. Vi la película.

Las imágenes del desastroso ejercicio de evaluación de River Cartwright, que había provocado el pánico en hora punta en una de las principales estaciones de tren londinenses, se usaban a veces en las sesiones de formación, para vergüenza del propio Cartwright.

—Su abuelo es una especie de leyenda. Se llama David Cartwright, ¿te suena?

—Es anterior a mi época.

—Es el abuelo de Cartwright, y por tanto anterior a todos nosotros, pero era un espía de la Edad Oscura. Y sigue vivo, no lo olvides.

—Menos mal —dijo Shirley—. De lo contrario, se revolvería en su tumba al saber que Cartwright es un caballo lento.

Marcus Longridge se apartó de su escritorio con un empujón y abrió los brazos para desperezarse. «Él solo podría bloquear el paso por una puerta», pensó Shirley. Probablemente lo había hecho cuando era un agente operativo: había participado en varias redadas, incluyendo una, hacía un año más o menos, que había acabado con una célula terrorista activa. Aquello era lo que se contaba, por lo menos, aunque seguro que la historia no terminaba ahí; de lo contrario, no estaría en la Casa de la Ciénaga.

La estaba mirando fijamente. «Tiene los ojos aún más negros que la piel», pensó ella.

—¿Qué? —preguntó.

—¿Que cuál era tu baza?

—Mi baza...

—Para que no pudieran echarte.

—Ya te había entendido. —En algún lugar del piso superior, una silla rascó el suelo y unos pasos se acercaron a una ventana—. Les dije que era gay —contestó Shirley finalmente.

—¿En serio?

—No había ninguna posibilidad de que despidieran a una lesbiana por darle un puñetazo a un gilipollas que intentaba toquetearla en el comedor.

—¿Por eso te cortas el pelo?

—No —dijo ella—, me corto el pelo porque me da la gana.

—¿Estamos en el mismo bando?

—Yo no tengo otro bando más que el mío.

Él asintió.

—Como prefieras —dijo.

—Sólo faltaría.

Shirley se volvió hacia su monitor, que había entrado en reposo. Movió el ratón y apareció la imagen de dos medios rostros emparejados. Eran tan evidentemente distintos que sólo cabía interpretar que el programa estaba bromeando.

—Entonces... ¿de veras eres homosexual o sólo se lo dijiste para sacártelos de encima?

Shirley no respondió.

Jackson Lamb estaba sentado en un banco de la estación de Oxford con el abrigo colgándole a ambos lados. Un peludo atisbo de su barriga asomaba a través de un botón de la camisa abierto. Se la rascó distraídamente, luego se puso a juguetear con el botón hasta que se cansó y finalmente colocó encima del montículo el sombrero de fieltro negro y se puso a mirarlo como si contuviera el secreto del Santo Grial.

Un sombrero negro... abandonado en un autobús: el autobús en que había muerto Dickie Bow...

No es que nada de eso significara gran cosa por sí mismo, pero Lamb no dejaba de hacerse preguntas.

Cuando el autobús llegó a Oxford llovía a mares, y lo primero que uno haría al bajarse de un autobús en plena lluvia sería ponerse el sombrero... en caso de llevarlo, claro. Si no, volvería al asiento a recogerlo... salvo que no quisiera llamar la atención, desde luego. Salvo que no quisiera quedarse atrás, apartarse de la multitud que se dirigía al andén, montaba en el tren y se alejaba de la escena lo más deprisa posible...

Una mujer demasiado atractiva para fijarse en él porque sí estaba mirándolo fijamente sin el menor disimulo. No a él, en realidad, notó, sino al cigarrillo que sostenía entre los dedos de la mano izquierda, con la que estaba dándole golpecitos al sombrero. La derecha ya andaba rebuscando el encendedor: un movimiento bastante parecido al de rascarse las pelotas. Le dedicó su mejor sonrisa sucia, que incluía el ensanchamiento de una sola fosa nasal, y ella respondió ensanchando las dos y desviando la mirada. Aun así, Lamb se encajó el cigarrillo detrás de la oreja.

Su mano abandonó la búsqueda del encendedor y localizó el teléfono móvil que había recogido en el autobús.

Era un aparato viejo, un Nokia blanco y gris con tantas funciones como un abrebotellas. Tomar una foto con aquel cacharro era tan factible como mandar un correo electrónico con una grapadora. Sin embargo, cuando apretó el botón la pantalla cobró vida y le permitió recorrer la lista de contactos. Cinco números: Tienda, Papeo, Star (que sonaba como el local habitual de Bow) y dos nombres de verdad, un tal Dave y una tal Lisa. Lamb los llamó a los dos. En el número de Dave le saltó directamente el buzón de voz. En el de Lisa no sucedió nada: era un limbo, la puerta de entrada a un vacío susurrante en el que jamás se contestaría ninguna llamada. Entró en Mensajes y sólo encontró uno de la compañía telefónica en el que se informaba a Bow de que tenía 82 peniques en la cuenta. Lamb se preguntó qué fracción de los bienes mundanos de Bow representaban esos 82 peniques. A lo mejor podía mandarle un talón a Lisa. Recorrió la lista de Enviados. También estaba vacía.

Sin embargo, Dickie Bow había sacado el móvil poco antes de morir y lo había encajado entre los cojines del asiento como si quisiera asegurarse de que alguien que lo buscara pudiera encontrarlo: alguien para quien tenía un mensaje.

Resultó ser un mensaje sin enviar.

Llegó un tren, pero Lamb no se movió del banco. No bajó mucha gente; tampoco embarcó demasiada. Cuando el tren se alejaba ya, Lamb vio a la joven atractiva fulminándolo con la mirada desde una ventanilla y él respondió tirándose un pedo silencioso: una victoria privada, pero satisfactoria. Luego volvió a examinar el teléfono. Borradores: había una carpeta de borradores de mensajes de texto. La abrió y la única palabra del título del único mensaje guardado lo miró fijamente desde la diminuta pantalla.

Junto a los pies de Lamb, una paloma rascaba el suelo con el pico como si las palomas de verdad pudieran hacer algún esfuerzo; pero él no se dio ni cuenta: estaba absorto en esa única palabra tecleada en el teléfono, pero nunca enviada, encerrada para siempre en una caja negra y gris junto con los 82 peniques de saldo que quedaban en la tarjeta, como si uno pudiera encerrar sus últimas palabras en una botella, taparla con un corcho y luego, cuando el lúgubre asunto de disponer del cadáver ya estuviera resuelto, soltarlas allí, en un andén del tren de Oxford-shire, con el sol de finales de marzo luchando por hacerse sentir y una paloma holgazaneando junto a los pies. Una palabra.

—«Cigarras» —leyó Jackson Lamb en voz alta—: «Cigarras» —repitió. —Y luego añadió—: Me cago en todo.

3

Shirley Dander y Marcus Longridge habían regresado a sus respectivas ocupaciones sin que su conversación alterara apenas el ambiente en la Casa de la Ciénaga. En aquel viejo edificio, los sonidos se filtraban con facilidad: de haber tenido un mínimo interés, a Roderick Ho le habría bastado con pegar la oreja al tabique que separaba sus respectivos despachos para oír mejor lo que decían, pero él sólo había percibido el murmullo sin sentido que producen los demás cuando se relacionan entre sí. De todas formas, estaba muy ocupado actualizando sus perfiles en la red: había publicado un texto en Facebook sobre su fin de semana en Chamonix, había colgado en Twitter un enlace a su última playlist de música dance... Para tales propósitos, Ho había adoptado el nombre de Roddy Hunt; sacaba las listas de música de oscuros sitios web cuyas direcciones se aseguraba de ocultar; sus fotos eran retratos retocados de un joven Montgomery Clift. A esas alturas, seguía asombrándolo que se pudiera construir una personalidad con enlaces y capturas de pantalla, lanzarla al mundo como si fuera un barco de papel y que a partir de ahí siguiera navegando y creciendo por sí sola. Todos los detalles que conformaban la identidad de una persona podían ser reales; lo único falso era la persona. Su mayor logro aquel año había sido construir una rutina de trabajo ficticia para su identidad de usuario en la red del servicio secreto: cualquiera que monitorizase su actividad en el ordenador hubiera pensado que trabajaba sin descanso alimentando un archivo de Operaciones.

De modo que a Ho no le interesaba nada la charla de Shirley y Marcus, y el despacho situado encima del de ellos estaba vacío porque Harper y Guy aún no habían vuelto; de lo contrario, probablemente uno de los dos hubiera pegado la oreja al suelo para contarle al otro cada palabra que oyera. Y si River Cartwright hubiera estado en el despacho de Ho, en vez de en el que quedaba directamente encima, habría pegado la oreja a la pared: era una de las pocas opciones que tenía de sacudirse un aburrimiento al que ya debería haberse acostumbrado y que, sin embargo, seguía incordiándolo como una picadura de mosquito que sigue dando comezón después de una semana. Aunque para que esa analogía realmente funcionara, pensó en ese momento River, tendría que haber llevado también guantes: incapaz de rascarse, sólo podría frotar y frotar sin notar ningún alivio.

Hasta hacía relativamente poco, apenas unos meses atrás, había estado compartiendo ese despacho; ahora era sólo suyo, aunque seguía habiendo un segundo escritorio que, por cierto, estaba equipado con un ordenador más nuevo, más rápido y menos vapuleado que el de River. Podría haberlo requisado, pero los ordenadores del servicio secreto eran específicos para cada usuario, lo que obligaba, en caso de querer quedárselo, a elevar una instancia para que los de informática se lo reasignaran, una tarea que tomaba treinta minutos, pero que podía tardar ocho meses. También hubiera podido pedirle el favor a Ho, pero eso implicaba pedirle algo a Ho, y tan desesperado no estaba.

Miró al techo y tamborileó (fuera de ritmo) con los dedos: exactamente el tipo de ruido que podía provocar una reacción en forma de golpetazo por parte de Jackson Lamb, extremo que podía significar a un tiempo «cállate» y «sube a verme». El hecho de que no hubiera demasiado que hacer no impedía que Lamb siguiera inventándose tareas para él: la semana pasada lo había enviado a recoger envases de comida para llevar que había tenido que rescatar de papeleras, alcantarillas y capós. También había encontrado un buen botín en los parterres del Barbican Centre, mordisqueados por ratas y zorros. Luego Lamb lo había hecho compararlos con los de su propia colección, fruto de seis meses de almuerzos y meriendas: estaba convencido de que Sam Yu, el encargado del Nuevo Imperio Chino, contiguo a la Casa de la Ciénaga, le daba envases más pequeños que a los demás y estaba «reuniendo las pruebas». Tal vez lo dijera en serio, tal vez se estuviera burlando de él: Lamb estaba siempre al límite. Fuera como fuese, el que terminaba metiendo los brazos hasta los codos en las papeleras era River.

Por un tiempo, unos meses atrás, había parecido que las cosas cambiaban. Tras años de atrincherarse ahí arriba, encantado de cagarse en los pobres mamones de abajo, había dado la sensación de que Lamb se interesaba por algo o que, como mínimo, disfrutaba apretándole los tornillos a Lady Di Taverner. Pero el moho volvía a asomar: por lo visto, se había hartado de tanta emoción y había acabado rindiéndose de nuevo a los días cómodamente rutinarios que tanto le gustaban, de manera que River seguía como siempre, la Casa de la Ciénaga seguía siendo la Casa de la Ciénaga y el trabajo había vuelto a la acostumbrada monotonía.

Aquel día era un buen ejemplo: aquel día, River era un simple mecanógrafo. El día anterior había ejercido de escaneador, pero el escáner se había estropeado y no le quedaba otra que hacer de mecanógrafo y dedicarse a introducir registros de fallecimientos previos a la era digital en la base de datos. Todos los fallecidos tenían seis meses o menos en el momento de la muerte y todos habían muerto en tiempos del racionamiento; es decir, antes de 1954: eran víctimas ideales del robo de identidad. En otros tiempos, para robar una identidad había que ir al cementerio y copiar el nombre de uno de estos niños tal como estaba grabado en su lápida (una forma menos inocente de entregarse al pasatiempo típicamente británico de calcar las elaboradas placas mortuorias de las iglesias); después, uno se presentaba en el registro civil pretendiendo que ese niño no era otro que uno mismo y pedía una copia de la partida de nacimiento. A partir de ahí, había que imaginar la vida que uno hubiera podido llevar de haber sido otro y falsificar el papeleo correspondiente: número de seguridad social, cuenta bancaria, carnet de conducir... Todo eso podía falsificarse; lo único real era la persona. La cuestión es que cualquiera que hubiese hecho algo así ya estaría cobrando la jubilación: cualquiera que hubiese usado alguno de los nombres que había encontrado River también podría haberse hecho llamar Rip van Winkle; de modo que aquel trabajito era perfecto para los caballos lentos: rellenar agujeros en un libro de historia.

«Pero ¿dónde se habrá metido Jackson Lamb?», pensó River.

Quedándose ahí sentado no iba a encontrar la respuesta. Por puro automatismo se levantó de su silla, salió de su despacho y subió la escalera.

El piso de arriba estaba siempre a oscuras. Lamb podía tener la puerta abierta, pero nunca abría las persianas. En cuanto al despacho de Catherine, el edificio de oficinas del otro lado del callejón le tapaba el sol a lo largo de todo el día, y Catherine prefería, antes que iluminación cenital, las lámparas de mesa (era el único rasgo que compartía con Lamb), que en vez de disipar la penumbra la acentuaban proyectando charcos de luz amarilla entre los que se apretaba la oscuridad. Cuando River entró en el despacho, la pantalla del ordenador le confería un brillo grisáceo que la hacía parecer salida de un cuento de hadas: una dama pálida haciendo acopio de sabiduría.

River se desplomó en una silla junto a una pila de carpetas multicolores. Mientras el resto del mundo abrazaba la agenda digital, Lamb insistía en las copias impresas. En algún momento había jugado con la idea de crear un premio al empleado del mes basado exclusivamente en el peso de su producción y a River no le cabía duda de que, si hubiese tenido a mano un par de básculas y una mínima capacidad de mantener su interés por algo, habría acabado implementando aquel premio.

—A ver si lo adivino —dijo Catherine—: has terminado lo que estabas haciendo y quieres más trabajo.

—Ja, ja. ¿Qué está tramando Lamb, Catherine?

—A mí no me lo cuenta. —La mera idea de que River creyese que sí le parecía divertida—. Hace lo que le da la gana, no me pide permiso.

—Pero tú eres la que está más cerca de él.

Catherine lo miró petrificada.

—En un sentido geográfico, quiero decir. Coges sus llamadas, manejas su agenda...

—Su agenda está vacía, River: se dedica a mirar el techo y a tirarse pedos.

—Qué bella imagen.

—Y a fumar en su despacho; en un edificio del Estado.

—Podríamos arrestarlo: una detención ciudadana.

—Quizá nos convenga practicar antes con alguien menos robusto.

—No sé cómo aguantas esta situación, la verdad.

—Bueno, pues se lo ofrezco a Nuestro Señor como un sacrificio. —Esta última frase le dio un buen susto a River: se le notó en los ojos—. ¡Es broma! —lo tranquilizó Catherine—. Aunque no hay duda de que ése haría suicidarse a un santo. En fin, que no sé a qué se dedica, pero me alegro de que no esté en su despacho.

—Tampoco está en Regent's Park —dijo River. Cuando Lamb planeaba visitar el cuartel general, se aseguraba de que todos se enterasen, probablemente con la esperanza de que alguien se ofreciera a acompañarlo—. Pero algo pasa: se está comportando de una manera extraña incluso para alguien como él.

Las «rarezas» de Lamb habrían pasado por un hecho absolutamente normal en otras personas: su teléfono había sonado y él lo había cogido; el buscador de su ordenador se había quedado colgado y él le había pedido a Ho que se lo arreglara (lo cual quería decir que había estado navegando por internet). De hecho, cualquiera habría dicho que estaba trabajando.

—Y no ha abierto la boca —dijo River.

—Efectivamente.

—Entonces, no tienes ni idea de qué lo ha echado a la calle...

—Bueno, yo no he dicho eso —aclaró Catherine.

River se la quedó mirando: era como una criatura de otra época. Su palidez remitía a una vida que transcurría en el encierro. La ropa la cubría desde las muñecas hasta los tobillos. Incluso solía ponerse sombrero, ¡por el amor de Dios! River suponía que tendría unos cincuenta años. No le había prestado atención hasta los sucesos del año anterior: ¿por qué iba a interesarle una mujer de esa edad y con nulas habilidades sociales a un hombre de la edad de River, nervioso y activo? Pero cuando las cosas se habían puesto feas, ella no había sucumbido al pánico. Incluso había apuntado a Spider Webb con un arma, igual que River. Aquella experiencia compartida los convertía en miembros de un selecto club.

Catherine estaba esperando su reacción.

—¿Me lo cuentas? —preguntó River.

—¿A quién recurre Lamb cuando necesita algo?

—A Ho —contestó él.

—Exacto, y ya sabes cómo viaja el sonido por aquí.

—¿Los has oído hablar?

—No —dijo Catherine—, y eso es lo interesante.

Interesante porque Lamb no tenía por costumbre moderar el volumen de su voz.

—Así que, sea lo que sea, se supone que no deberíamos enterarnos...

—Pero Roddy lo sabe.

También era interesante que Catherine llamara «Roddy» a Ho: nadie más lo llamaba por su nombre de pila. Digamos que no era la clase de persona con quien uno conversa por los pasillos: sólo le interesaba lo que llevaba banda ancha de serie.

Por otro lado, en ese momento Ho poseía una información que River quería conocer.

—Pues vayamos a hablar con Roddy, ¿no?

—Vaya sitio —dijo Min.

—¿Eso es todo lo que se te ocurre?

—Vaya sitio espectacular de cojones. ¿Te parece mejor?

—Mucho mejor.

Estaban en la planta setenta y siete de uno de los edificios más nuevos de la City: una gran aguja de cristal que se elevaba ochenta pisos hasta rascar el cielo de Londres. Y la sala en la que se encontraban era enorme, gigantesca, de unos «¡haaala!» metros de largo por «¡hooosti!» de ancho, con vistas de suelo a techo del norte y el este de la capital y, más allá, donde la ciudad se rendía, del cielo inabarcable. Louisa pensó que podría pasarse días enteros allí, sin comer ni beber, simplemente absorbiendo todo lo que pudiera de aquellas vistas sin importar el clima y la hora. «Espectacular de cojones» se quedaba muy corto.

Incluso el trayecto en ascensor había sido emocionante: silencioso, suave y rapidísimo.

—Cojonudo, ¿no? —dijo Min.

—¿El ascensor?

—No, lo de la recepción.

Se refería a los vigilantes de la recepción, que, a sus ojos, habían mirado las identificaciones del servicio secreto con asombro y envidia. Para Louisa, en cambio, se trataba de la clásica mirada que los chicos de instituto público dedican a los de las escuelas privadas, testimonio de la eterna enemistad entre gamberros y pijos. Y como ella misma era una gamberra de toda la vida, había disfrutado de la paradoja.

Apoyó las manos y la frente en el enorme ventanal y experimentó una deliciosa sensación de vértigo sin riesgo mientras Min permanecía a su lado con las manos en los bolsillos.

—¿Es lo más alto que has estado? —preguntó ella.

Después de un momento, él se volvió para mirarla.

—¿Y los aviones?

—Claro, pero me refiero a un edificio.

—He estado en el Empire State.

—Yo también.

—¿Y en las torres gemelas?

Louisa negó con la cabeza.

—Cuando estuve en Nueva York ya no existían.

—Igual que yo —dijo él.

Guardaron silencio durante un rato, viendo Londres discurrir muchas plantas más abajo y pensando en aquella ciudad donde, años atrás, otros como ellos también miraban por la ventana sin sospechar que nunca volverían a pisar la tierra, sin saber que alguien había cortado con un cúter los hilos de sus destinos.

Min señaló algo y Louisa, siguiendo la dirección de su dedo, distinguió una mancha en la lejanía. Era un avión, pero no uno de esos grandes aparatos que despegan desde Heathrow, sino uno pequeño y zumbón que iba arando un surco por el cielo.

—Me pregunto hasta dónde puede acercarse —dijo Min.

—¿Crees que esta minicumbre es tan importante? —preguntó Louisa—. Quiero decir, ¿tanto como para que... se repita?

No tuvo que explicar a qué se refería, pero Min tardó unos segundos en responder:

—No, creo que no.

De lo contrario, no se la habrían encargado a ellos, por muchas auditorías que se estuvieran celebrando en Regent's Park.

—Pero habrá que hacer las cosas bien.

—Prever todas las posibilidades —confirmó ella.

—Si no, saldremos mal parados... incluso si nada sale mal.

—¿Tú crees que es una especie de prueba?

—De qué.

—Para nosotros —dijo ella—: para averiguar si estamos capacitados para este trabajo.

—¿Y que si la aprobamos regresaremos a Regent's Park?

—Qué sé yo —dijo ella encogiéndose de hombros.

El número de agentes que había emprendido el camino de regreso de la Casa de la Ciénaga a Regent's Park era... ni uno solo. Los dos lo sabían, pero, como todos los caballos lentos, albergaban secretas esperanzas de que su caso fuera distinto.

Louisa se dio la vuelta y volvió a examinar la sala de «¡haaala!» metros de largo por «¡hooosti!» de ancho. Ocupaba más o menos la mitad de la planta; la suite del otro lado, también vacía en ese momento, disfrutaba de vistas al sur y al este. Entre ambos espacios había un vestíbulo común al que llegaban dos ascensores inteligentes; un tercer ascensor, el de servicio, quedaba detrás del hueco de la escalera, que a su vez era una versión del descenso eterno. Planta tras planta, el edificio estaba destinado a oficinas de empresas punteras, aunque sólo algunas estaban ocupadas en ese momento. La lista que Webb les había dado en la carpeta roja incluía bancos, fondos de inversión, vendedores de yates y de diamantes, un contratista de defensa... La sección inferior de la torre era un hotel cuya gran inauguración estaba programada para el mes siguiente. Según había leído Louisa, todas las habitaciones estaban reservadas para los cinco años siguientes.

Spider Webb debía de haberse cobrado algún favor o abierto alguna carpeta con información clasificada para conseguir ese espacio que habría inspirado respeto en cualquier parte de la ciudad, pero que, justo en ese edificio y a aquella altura, movía directamente al asombro.

Dejando aparte la cocina y los baños, era una única sala, pensada para hacer grandes negocios, cuyo elemento central era una preciosa mesa ovalada de caoba con espacio para dieciséis sillas. A Louisa le hubiera encantado tenerla, de no ser porque era más grande que todo su piso. Al igual que las vistas, aquella mesa era sólo para ricos.

Tampoco es que eso tuviera que condicionarla, pero en fin: ahí estaban ellos dos, listos para garantizar la seguridad de algún pez gordo que llevaría en el bolsillo calderilla equivalente al doble del sueldo de ambos.

«Olvídate de eso», pensó Louisa. «No es relevante.» Pero no pudo evitar decir:

—Un poquitín llamativo para una reunión discreta.

—Ya, bueno —dijo Min—. Se supone que no habrá nadie mirando por las ventanas.

—¿Cómo crees que las limpiarán?

—Quizá con un montacargas. Será mejor que lo averigüemos.

Sólo era el principio. Necesitaban un itinerario: ver dónde se alojaba el ruso y comprobar cuál era la mejor ruta desde allí; averiguar quién se encargaría del servicio de *catering*, quiénes serían los conductores... Necesitaban estudiar las notas de Webb y averiguar varias cosas por su cuenta porque Webb era tan digno de confianza como una serpiente. Necesitaban detectores para comprobar si había algún micrófono; necesitaban un aparato para provocar interferencias (aunque a Louisa no le parecía probable que a esas alturas se pudieran emplear escuchas parabólicas: el más alto de los edificios cercanos era enano en comparación con aquél).

Min le puso una mano en el hombro.

—Nos irá bien: no es más que un oligarca ruso en la cresta de la ola. Probablemente sólo viene a comprar un equipo de fútbol. Como dijo Webb: es trabajo de niñeros.

Podía ser. Pero los oligarcas rusos no eran precisamente la raza más apreciada del planeta y siempre cabía la posibilidad de que algo saliera mal... y de que saliera bien, aunque fuera una posibilidad muy remota.

Volvió a pensar en que quizá se tratara de una prueba y entonces se le ocurrió una idea aún más espeluznante que la del fracaso: ¿y si un resultado positivo implicaba un solo billete de vuelta, un lugar en Regent's Park para uno de los dos, pero no para el otro? Si era para ella, ¿lo aceptaría? ¿Y si fuera para Min? A lo mejor sí...

Y Louisa no lo culparía. Probablemente ella también lo aceptara.

En cualquier caso, se sacudió su mano del hombro.

—¿Qué pasa?

—Nada, pero estamos trabajando, ¿no?

—Claro... Perdón —dijo Min sin el menor sarcasmo.

Caminó hacia la puerta que los separaba de los ascensores, hacia la otra suite, la escalera... Louisa, que iba detrás de él, se desvió hacia la cocina. Estaba inmaculada, intacta, brillante, bien equipada, con una nevera de tamaño restaurante, aunque vacía. En la pared había un extintor de un rojo amable; a su lado, tras una tapa de cristal, una manta antiincendios y un hacha pequeña. Abrió armarios vacíos y volvió a cerrarlos. Regresó a la gran sala con sus enormes ventanales y vio a lo lejos una ambulancia aérea aparentemente suspendida sobre el distrito central de Londres, aunque era probable que, desde el punto de vista de quienes iban en su interior, se columpiara como un divorciado libidinoso. Y volvió a pensar en los cisnes negros y en los sucesos inesperados e impactantes a los que habían prestado su nombre. Sólo a posteriori sabías que te hallabas ante uno de ellos. El helicóptero seguía flotando en el aire cuando Louisa se fue a buscar a Min.

A Ho no le gustaba que invadieran su espacio, y menos aún alguien como River Cartwright, que era precisamente uno de esos tipos que desprecian a los que son como Roderick Ho salvo cuando necesitan algo que sólo ellos pueden proporcionarles. Eficiencia tecnológica, por ejemplo. La eficiencia, en general, era algo completamente ajeno para River Cartwright. Durante un tiempo, Ho había usado una de las imágenes del desastre de la estación de King's Cross como salvapantallas, hasta que Louisa Guy le insinuó que si River se enteraba le podía partir las piernas.

Ahora, sin embargo, River se había presentado con Catherine Standish en su despacho y, aunque tampoco era que ella le cayera de maravilla, no había encontrado aún una razón para tenerle manía. Eso la situaba en una categoría selecta, así que decidió averiguar qué querían antes de decirles que estaba muy ocupado.

River despejó un poco el escritorio que estaba libre y se sentó encima. Catherine acercó una silla.

—¿Qué tal te va hoy, Roddy?

Él entrecerró los ojos con suspicacia: ya lo había llamado así alguna que otra vez. Se dirigió a River:

—No muevas mis cosas.

—No he movido nada.

—Las cosas que tengo en ese escritorio: las acabas de recolocar. Lo tengo todo meticulosamente ordenado; si lo desordenas, luego no encontraré nada.

River abrió la boca para dar una serie de razones, pero Catherine lo interrumpió con una mirada, así que River cambió de dirección.

—Lo siento.

—Roddy —dijo Catherine—, queríamos saber si podías hacernos un favor.

—¿Qué clase de favor?

—Tiene que ver con tu área de especialidad.

—Si lo que quieres es banda ancha —dijo Ho—, tal vez deberías pensar simplemente en pagarla.

—No, no: eso sería como pedirle a un cirujano plástico que me extirpara un sabañón —repuso Catherine.

—Sí —intervino River—, como pedirle a un arquitecto que te limpie las ventanas.

Ho lo miró con suspicacia.

—O a un domador de leones que se pase por tu casa a darle de comer a tu gato —añadió River.

Catherine le indicó con una mirada que no estaba ayudando en absoluto.

—El otro día, en el despacho de Lamb... —empezó, pero Ho no quiso saber nada.

—Ni hablar.

—No había terminado.

—Ni falta que hace. Quieres saber qué quería Lamb, ¿verdad?

—Sólo alguna pista.

—Me mataría. Y es bien capaz de hacerlo: ya ha despachado a dos o tres.

—Es lo que él quiere que pienses —dijo River.

—¿Me estás diciendo que no es verdad?

—Digo que no tiene licencia para matar al personal: por algo hay un reglamento de riesgos, salud y seguridad laboral.

—Ya, vale. Pero no hablo de matar matar. —Se volvió hacia Catherine—. Me iría matando día a día, ya sabes lo que es eso.

—No tiene por qué enterarse.

—Siempre se entera.

—¿Roddy? —dijo River.

—No me llames así.

—Como quieras. Hace unos meses hicimos algo muy bien juntos, ¿verdad que sí?

—Tal vez —dijo Ho desconfiado—. ¿Y qué?

—Eso fue un trabajo en equipo.

—Algo así —admitió Ho.

—Entonces...

—Un equipo en el que todas las ideas eran mías. Recuerdo que tú te limitaste a corretear de aquí para allá.

River se tragó su primera respuesta.

—Cada uno aporta sus fortalezas —dijo—. Lo que quiero decir es que, al menos por un tiempo, la Casa de la Ciénaga funcionó bien. ¿Entiendes a qué me refiero? Actuamos como un equipo y funcionó.

—Y ahora deberíamos hacerlo de nuevo... —concluyó Ho.

—Estaría bien, sí.

—Sólo que, esta vez, en lugar de corretear te quedarás ahí sentado mientras yo vuelvo a ocuparme de todo. —Se volvió hacia Catherine—. Y luego Lamb lo descubrirá y me matará.

—Vale, a ver qué te parece esto —propuso River—. Tú no nos dices nada, pero nosotros lo averiguamos igualmente y le decimos que nos lo has contado tú. Y entonces va y te mata.

—River... —intervino Catherine.

—No, en serio. Lamb nunca bloquea su ordenador y todos sabemos cuál es su contraseña.

La contraseña de Lamb era «contraseña».

—Si estuvierais dispuestos a hacer algo así, ya lo habríais hecho en vez de venir aquí a molestarme.

—Bueno, es que no se nos había ocurrido hasta ahora... —River miró a Catherine—. ¿Qué es lo contrario del trabajo en equipo?

—No vamos a hacer nada parecido, Roddy: lo dice en broma.

—Pues no suena a broma.

—Pues lo es. —Miró a River—. ¿Verdad que sí?

—Como queráis —se rindió River.

Catherine volvió a dirigirse a Ho:

—No tienes que decirnos nada que no quieras.

Como técnica de interrogatorio, pensó River, le faltaba un poco de mordiente.

Ho se mordió el labio y miró su monitor. Estaba colocado de tal manera que River no alcanzaba a verlo, pero era muy probable que pudiera distinguir, reflejadas en sus gafas, una telaraña de líneas finas y unas luces verdes que parpadeaban sobre un fondo negro. ¿Qué pensaría? Quizá que estaba intentando abrirse paso por un firewall MOD o que estaba jugando a una batalla naval en la red; pero no, no: tenía cara de estar considerando algo totalmente distinto.

—De acuerdo —dijo al fin.

—Vale —contestó River—. No ha sido tan difícil, ¿verdad?

—No hablaba contigo: se lo voy a contar a ella.

—Joder, Ho, si me lo va a decir en cuanto...

—¿Quién es «ella», la vecina? —interrumpió Catherine enfadada—. ¡«Ella» tiene un nombre, tonto!

La perplejidad hermanó a los dos hombres por un instante.

—Da igual —añadió Catherine y le señaló la puerta a River—. Fuera, sin discutir.

Hubiera querido discutir, pero se guardó sus argumentos.

Volvió al piso superior y echó un vistazo en el despacho de Harper y Guy: aún no habían vuelto. «Reunión», había contestado Harper a las preguntas de River, lo cual podía significar que tenían una reunión o que estaban aprovechando la ausencia de Lamb para hacer lo que fuera que hicieran esos días: pasear por el parque, ir al cine, follar en el coche de Louisa... Hablando de parques, tal vez habían ido a Regent's Park. ¿Era posible? Se detuvo un momento a pensarlo, pero enseguida decidió que no era probable.

Ya en su despacho, dedicó cinco minutos a la base de datos de los niños muertos y diez a mirar ensimismado por la ventana, más allá de las gastadas letras doradas: W. W. HENDERSON, NOTARIO Y FEDATARIO PÚBLICO. Había tres personas en la parada de autobús de la otra acera y, mientras River miraba, llegó el bus y se las llevó. Entonces apareció una mujer y se puso a esperar al siguiente. River se preguntó cómo reaccionaría si supiera que un miembro de los servicios de inteligencia la estaba observando, y también si se enteraba de que, con toda probabilidad, tenía un trabajo mucho más emocionante que el de él.

Regresó a su ordenador e introdujo un nombre y unos datos ficticios en la base de datos, pero se lo pensó un poco y los borró.

Catherine llamó a la puerta.

—¿Estás ocupado? —preguntó—. Lo mío puede esperar.

—Ja, ja, qué graciosa.

—Lamb quería acceder a un archivo del Departamento de Personal del servicio.

—Ho no tiene acceso a esa información.

—Qué chiste tan bueno. El archivo pertenecía a un miembro ocasional: un tipo llamado Dickie Bow que trabajó para nosotros en los años ochenta.

—Es nombre es falso, ¿no?

—De hecho, se apellidaba Bough, pero lo de Richard si puede achacarse a la idiotez de sus padres. ¿Te suena de algo?

—Déjame pensar... —dijo River.

Se recostó en el asiento y se acordó de su abuelo: del Viejo Cabrón, como lo llamaba su madre. Ese hombre, que había dedicado su larga vida a los servicios de inteligencia, había consagrado la mayor parte de su larga jubilación a revelarle detalles de su oficio a su único nieto. River Cartwright era espía porque su abuelo lo había sido... No, no lo había sido: lo era. Hay oficios a los que nunca se renuncia, ni siquiera mucho después de haber dejado de ejercerlos. Por eso River seguía llamándolo a veces D.O.: Director Operativo. Puede que David Cartwright fuera ya una leyenda en los servicios secretos, pero no por eso había dejado de ser un espía: uno podía cambiar de lado, vender sus secretos, ofrecer sus memorias al mejor postor, pero si era un espía nunca dejaba de serlo. De modo que el simpático viejecito que cuidaba de su pequeño jardín con un sombrero ridículo seguía siendo, en el fondo, el estratega que había contribuido a fijar el rumbo del servicio secreto durante la Guerra Fría, y River se había criado escuchando los pormenores.

Que eran muy importantes: eso se lo había machacado su abuelo desde antes de los diez años. Los pormenores eran muy importantes. River pestañeó. ¿Dickie Bow? Un nombre ridículo, pero que no había oído mentar jamás.

—Lo siento —contestó—: no me suena.

—Pues apareció muerto hace unos días —dijo ella.

—¿En circunstancias sospechosas?

—En un autobús.

River entrelazó los dedos en la nuca.

—Sigue.

—Bow iba a Worcester en un tren que no pudo pasar de Reading por problemas con los semáforos. Se habilitaron autobuses para llevar a los pasajeros a Oxford, donde sí funcionaban los trenes. Una vez allí, bajaron todos menos Bow..., que había muerto por el camino.

—¿Por causas naturales?

—Eso dice la autopsia, y Bow hacía tiempo que ya no trabajaba para el servicio, de modo que no podría considerarse un candidato obvio para un asesinato, ni siquiera si hubiese participado en alguna misión importante.

—Algo que, según has averiguado ya, no hizo jamás.

—Aunque ya sabes cómo son los archivos de personal: se edita todo lo que «comprometa la seguridad», lo que implica casi cualquier cosa que no sea un rifirrafe rutinario. De todas formas, parece que hacía mucho trabajo inútil: información a cambio de dinero, cotilleos... Como trabajaba en un club nocturno, se enteraba de muchos chismes.

—Que luego podían usarse para algún chantaje.

—Por supuesto.

—Así que no se puede descartar una venganza.

—Pero de todo eso hace mucho tiempo. Y, como te decía, murió por causas naturales.

—¿Y entonces por qué le interesa a Lamb? —musitó River.

—Ni idea. A lo mejor habían trabajado juntos... —Se detuvo—. Una nota decía que tenía «mucho talento para hacer la calle», pero no creo que signifique lo que parece, ¿verdad?

—Por suerte, no: significa que se le daba bien hacer de sombra. Seguir a gente.

—Bueno, quizá Lamb se enteró de que había muerto y se puso sentimental.

—Hablemos en serio.

—Bow no llevaba billete para ese viaje en tren —apuntó Catherine—, y se suponía que a esa hora debería estar en el trabajo. ¿Adónde iría?

—Hasta hace dos minutos ni siquiera había oído su nombre, no creo que mis especulaciones sirvan de mucho.

—Tampoco las mías. Pero este asunto ha hecho que Lamb mueva el culo, así que alguna importancia debe de tener.

Se quedó callada y a River le pareció que su mirada se volvía hacia adentro, como si buscara algo en el fondo de su mente. Y por primera vez se fijó en que no tenía el cabello completamente gris: con la luz adecuada, incluso podía pasar por rubia. Pero su nariz era larga y puntiaguda, y llevaba sombreros, y todo eso sumado le daba una especie de grisura que siempre te venía a la cabeza cuando no estaba delante y que, al cabo de un tiempo, aparecía también cuando la tenías ante ti: un aire de bruja que incluso podía llegar a ser sexy en las circunstancias adecuadas.

River habló para romper el hechizo:

—A saber de qué se trata.

—Da por hecho lo peor —le advirtió Catherine.

—Quizá deberíamos preguntarle.

—No estoy segura de que sea una buena idea —concluyó ella.

No era una buena idea.

Unas horas después, River oyó a Lamb subir la escalera como un oso sin aliento. Esperó un poco mirando sin ver su monitor. «Quizá deberíamos preguntárselo...» Parecía muy fácil mientras Lamb estaba fuera, pero la cosa cambiaba radicalmente cuando estaba en el edificio. La alternativa, sin embargo, era quedarse sentado contemplando toneladas de información indigerible. Y, además, si se echaba atrás Catherine pensaría que era un gallina.

Ella lo esperaba en el rellano con una ceja levantada: «¿Estás seguro?»

Pues no, no estaba seguro.

La puerta estaba abierta. Catherine llamó y los dos entraron en el despacho. Lamb estaba intentando poner en marcha su ordenador. No se había quitado el abrigo y tenía un cigarrillo apagado colgando de los labios. Los miró como si fueran mormones.

—¿Qué es esto? ¿Una de esas intervenciones para borrachines que luego echan en la tele?

—Teníamos curiosidad por saber qué está pasando.

Lamb miró perplejo a River. El cigarro que tenía en los labios amenazaba con caérsele.

—¡¿Qué?!

—Que teníamos...

—Sí, sí, ya te he oído. Quizá debería haber dicho: «¡Pero qué coño!» —Miró a Catherine—. Tú eres alcohólica, así que entiendo que te sientas extraviada varias veces al día, pero ¿éste? —dijo refiriéndose a River.

—Estamos hablando de Dickie Bow —dijo Catherine.

La ofensa de Lamb no parecía haberla afectado, pero llevaba mucho tiempo en el negocio y debía de haber aprendido a disimular. Había sido la secretaria personal de Charles Partner, director del servicio secreto, hasta que se lo encontró muerto en la bañera. Y sí: su carrera se había interrumpido porque era alcohólica.

—El tal Bow estuvo en Berlín al mismo tiempo que tú y murió la semana pasada en un autobús en las afueras de Oxford. Eso es lo que has estado haciendo, ¿no? Seguir el rastro de ese viaje.

Lamb negó con la cabeza: no podía creer lo que estaba oyendo.

—Pero ¿qué ha pasado? ¿Ha venido alguien y os ha vuelto a coser las pelotas? Creía que os había dicho que no abrierais la puerta a los desconocidos.

—Nos gustaría estar en el ajo.

—Nunca estáis en el ajo: el ajo está a kilómetros de distancia. Lo más cerca que vais a estar del ajo será cuando hagan un documental sobre el asunto y lo pasen por el canal de Historia. Creía que erais conscientes de eso... Ay, Dios, ¡ahí viene otro!

Marcus Longridge acababa de aparecer detrás de ellos con un sobre marrón en las manos.

—Se supone que debo darle esto a...

—No recuerdo cómo te llamas —dijo Lamb.

—Longridge —contestó Marcus.

—No me importa: era una simple constatación.

Lamb sacó una taza sucia de entre el caos de su escritorio y se la tiró a Catherine, pero River la atrapó antes de que le diera en la cabeza.

—Bueno, me alegro de que hayamos tenido esta pequeña charla. Ahora, a tomar por saco. Cartwright, dale eso a Standish. Standish, llénala de té. Y tú, he vuelto a olvidar tu nombre, ve aquí al lado y tráeme algo de comer. Dile a Sam que quiero lo de todos los martes.

—Pero... hoy es lunes.

—Ya sé que es lunes: si quisiera lo de todos los lunes no me haría falta especificarlo, ¿no crees? —Miró a Catherine y parpadeó ostensiblemente—. ¿Sigues ahí?

Catherine le sostuvo la mirada y River se dio cuenta de que se había convertido en una cuestión entre ellos dos, como si él no estuviera allí. Por un momento creyó que Lamb desviaría la mirada antes que ella, pero no fue así; Catherine acabó encogiéndose de hombros (un gesto con el que parecía abandonar su cuerpo) y luego dio media vuelta, cogió la carpeta de manos de Longridge y se fue a su despacho. Los otros dos bajaron la escalera.

«Pues sí que ha ido bien», pensó River.

A pesar de todo, cuando aún no llevaba ni veinte minutos en su despacho le llegó un sonido horrendo desde arriba: un estruendo parecido al que se produciría si lanzaras un monitor desde un escritorio con la altura suficiente para que la pantalla se hiciera añicos al llegar al suelo. Le siguió el crujido de los fragmentos de plástico y cristal al esparcirse por el espacio disponible. River no fue el único que dio un respingo y, a continuación, se oyó una maldición:

—¡Me cago en la hostia!

Después, la Casa de la Ciénaga quedó en silencio durante un buen rato.

• • •

En el vídeo en blanco y negro, entrecortado y borroso, se veía un tren en el andén, probablemente a última hora de la tarde. Llovía; era un andén cubierto, pero el agua goteaba por alguna canaleta desalineada o rota. Durante los primeros segundos no ocurría nada, luego se producía una embestida repentina, como si fuera de cuadro hubieran abierto una puerta y soltado a un enjambre de viajeros ansiosos. Era obvio que la grabación no era continua, una situación que volvía a hacerse evidente en la repentina aparición de manos fuera de los bolsillos o en paraguas que se veían abiertos y sólo un instante después cerrados, sin transición. Hasta donde alcanzaban a distinguirse, los rostros delataban irritación, ansiedad, deseos de estar en otra parte. River, que era buen fisonomista, no reconoció a nadie.

Estaban en el despacho de Ho porque era el mejor equipado. Lamb, después de tirar su ordenador mientras intentaba insertar un CD (espectáculo circense que River habría pagado por presenciar) se había quedado media hora echando humo en su despacho y luego se había dirigido allí como si ése hubiese sido su plan desde el principio. Catherine Standish había bajado las escaleras tras él, seguida poco a poco por el resto de los caballos lentos, y Lamb no había protestado, quizá por vergüenza (aunque River lo dudaba: en su opinión, Jackson Lamb se habría puesto a sudar si alguien le hubiera pedido que definiera la palabra «vergüenza», cuyo significado evidentemente desconocía). Le había entregado el CD a Ho y poco después, cuando las imágenes empezaron a desfilar, quedó claro que esperaba que lo vieran todos: Lamb tenía intención de hacerles preguntas.

No había sonido, ni nada que indicara dónde estaba ocurriendo lo que veían. El andén se despejó y el tren, después de una sacudida, empezó a moverse y desapareció de la vista. Lo que quedó a continuación fue un andén vacío y unas vías de tren en las que la lluvia caía a mares. Al cabo de cuatro o cinco segundos, que en tiempo real podían representar quince o veinte, la pantalla se oscureció: toda la secuencia duraba menos de tres minutos.

—Ponlo una vez más —dijo Lamb.

Ho pulsó algunas teclas y la grabación volvió a empezar.

Al terminar, Lamb preguntó:

—¿Y bien?

—Es la grabación de un circuito cerrado —dijo Min.

—Maravilloso; ¿alguien tiene algo un poquillo más inteligente que añadir?

Marcus Longridge tenía algo que añadir:

—Ese tren va hacia el oeste. Los convoyes salen de Paddington hacia Gales, Somerset, los Cotswolds... ¿Dónde se grabó esto? ¿En Oxford?

—Sí, pero sigo sin recordar cómo te llamas.

—Ya le haré una placa —dijo River—. Mientras tanto, ¿qué pasa con el calvo?

—¿Qué calvo?

—Más o menos al minuto y medio de empezar la grabación: todo el mundo se apretuja para entrar en el tren, pero él sigue andando por el andén y pasa por delante de la cámara. Supongo que subiría un poco más adelante.

—¿Y por qué íbamos a fijarnos en él? —preguntó Lamb.

—Porque llueve a mares. Si todos los demás suben al tren delante de la cámara, se entiende que el resto del andén no está cubierto: todos intentan resguardarse de la lluvia, pero él no. Y no es que lleve paraguas.

—Ni siquiera un sombrero... —apuntó Lamb.

—Como el que has traído hoy.

Lamb esperó unos segundos y después contestó:

—Como el que he traído hoy, sí.

—Si eso es Oxford —dijo Catherine—, esa gente es la que salió del autobús en el que murió Dickie Bow, ¿verdad?

Lamb se dirigió a Ho:

—Has estado muy ocupado, ¿eh? ¿Has hecho público algo más? ¿Mi historial dental? ¿Mi cuenta bancaria?

Ho estaba que echaba chispas porque lo habían degradado a operador de vídeo. «Eso sería como pedirle a un cirujano plástico que me extirpara un sabañón...»

—No creerás que pretendo insultarte —dijo Lamb en tono amable.

—Es que...

—Porque cuando sea ésa sea mi intención, te vas a enterar, ojos de persiana. —Se volvió hacia los demás—. Vale —dijo—. Cartwright no se equivoca, y no es algo que yo pueda decir muchas veces. Nuestro amigo calvo, digamos el Señor B, subió a un tren en Oxford el martes pasado al anochecer. El tren se dirigía a Worcester, pero tenía varias paradas en el camino. ¿Dónde se bajó el Señor B?

—¿Se supone que tenemos que adivinarlo? —preguntó Min.

—Sí: me interesan mucho las especulaciones inútiles.

—La grabación es de la estación de Oxford, ¿verdad?

—Efectivamente.

—Pues las otras estaciones también tendrán su circuito cerrado, ¿no?

—¿Y hoy en día no hay cámaras también en los trenes? —sugirió Louisa.

Lamb aplaudió.

—Esto es fantástico —dijo—: es como si tuviera a unos duendecillos que piensan por mí. Bueno, ahora que habéis establecido esos hechos en tiempo récord, algo que a un idiota le habría costado la mitad de tiempo, pasemos a la siguiente fase, en la que yo le ordeno a uno de vosotros que salga a buscar esas grabaciones y me traiga una respuesta.

—Yo puedo hacerlo —se adelantó River, pero Lamb no le hizo ni caso.

—Harper —dijo—. Esto podría ser para ti. No hace falta llevar nada, así que no tienes que preocuparte por si lo pierdes.

Min miró a Louisa.

—¡Uau! —exclamó Lamb, mirando a Ho—. ¿Has visto eso?

—¿El qué?

—Harper acaba de intercambiar una miradita con su novia. Me pregunto qué significará. —Recostó la espalda en el asiento de Ho y se rascó la barbilla—. ¿Me vas a decir que no puedes?

—Nos han asignado una tarea —dijo Harper.

—¿Nos?

—A Louisa y...

—Llámala Guy: no estamos en la disco.

Lo mejor que podían hacer, según concluyeron todos independiente e inmediatamente, era no perder el tiempo preguntando qué tenía que ver llamar a alguien por su nombre de pila con una disco.

—En fin —siguió Lamb—, ¿«una tarea», has dicho?

—Nos han dado una comisión de servicios. Webb dijo que te informaría a su debido tiempo.

—¿Webb? ¿Te refieres al famoso Spider? ¿No se dedica a contar clips?

—También hace otras cosas —apuntó Louisa.

—Por ejemplo, a... ¿dar comisiones de servicios a mi personal? ¿Y en qué consiste exactamente esa «tarea»? Y, por favor, no me digas que no puedes contarme los detalles.

—Tenemos que hacer de niñeros de un ruso que viene de visita.

—Creía que ese tipo de cosas se las encargaban a profesionales —dijo Lamb—. Ya me entendéis: gente que sabe lo que hace. Salvo que... ¡No me digas que forma parte de la herencia de sir Len! Menudo circo. Si tanto nos preocupa que manipulara los libros de cuentas, ¿por qué no lo impedimos hace años?

—¿Porque no lo sabíamos? —sugirió Catherine.

—Se supone que somos el puto servicio de inteligencia, ¿no? —señaló Lamb—. De acuerdo, os han dado una comisión de servicios. Y yo no tengo nada que decir al respecto, ¿verdad? —La sonrisa lobuna que acompañó al comentario contenía una promesa de tiempos mejores, cuando sí tendría algo que decir y lo diría bien alto y claro—. O sea, que ésta es la panda que me queda.

—Ya lo haré yo —volvió a decir River.

—Por el amor de Dios, esto es el MI5, no un parque infantil: las decisiones operativas no dependen de quién levante primero la patita. Yo decido quién va. —Lamb los contó empezando por la derecha—. Pito, pito, colorito, dónde vas tu tan... —Al llegar a ese «tan» estaba apuntando a River. Volvió atrás para señalar a Shirley—: Bonito... Te ha tocado.

—¡Yo era el bonito! —protestó River.

—Pero yo no tomo las decisiones operativas en función de ningún juego infantil, ¿está claro?

Apretó la tecla para expulsar el CD y la bandeja se abrió. Lamb cogió el disco y se lo tiró a Shirley, pero salió volando por la puerta.

—Manos de mantequilla. Recógelo, échale otro vistazo y luego vete a buscar al Señor B.

—¿Ahora?

—No, en tus ratos de ocio. ¡Claro que ahora! —Miró a su alrededor—. Habría jurado que todos los demás ya tenéis una tarea encomendada.

Catherine miró a River con las cejas arqueadas y se fue. Los demás la imitaron, visiblemente aliviados. Sólo se quedaron Ho y River.

Lamb se dirigió a Ho:

—Habría apostado a que Cartwright querría seguir con la conversación, pero me sorprende que tú sigas aquí.

—Es que... es mi despacho —explicó Ho.

Lamb se quedó esperando.

Ho suspiró y se marchó.

—Nunca dejarás de hacerlo, ¿verdad? —dijo River.

—¿Hacer qué?

—Todo ese rollo de hacer que te preparen el té y vayan a buscarte la comida. Es una broma, claro, pero igualmente nos necesitas: alguien tiene que encargarse del trabajo sucio...

—Hablando de suciedad —lo interrumpió Lamb, que levantó las dos piernas hasta que quedaron en horizontal—. Esto tampoco pienso dejar de hacerlo... —Se tiró un pedo y luego volvió a bajar los pies—. Así es mucho más eficaz. —Cada uno podía pensar lo que quisiera sobre el comportamiento de Lamb, pero nadie podía acusarlo de no ser auténtico a la hora de tirarse pedos—. En fin —siguió, sin dejarse perturbar por el perfume tóxico que acababa de expeler—. Si no llega a ser por la Standish no habríamos tenido que andarnos por las ramas. «Nos gustaría estar en el ajo», ¡por el amor de Dios! A su edad, no podemos culpar a la bruja, salvo que todo el alcohol en el que se sumergió durante tantos años tuviera un efecto conservante. ¿Qué opinas?

—Opino que es bastante extraño que estés tan seguro de que a Bow se lo cargaron, cuando la autopsia dice claramente que le falló el corazón.

—Eso no responde a mi pregunta, pero lo dejaré pasar. Ahí va otra —Lamb cruzó la pierna derecha sobre la izquierda—: si quisieras envenenar a alguien sin que nadie se enterase, ¿qué usarías?

—La verdad es que los venenos no son lo mío.

—Aleluya, algo en lo que no eres un experto.

Lamb tenía un truco: podía sacar un cigarrillo prácticamente de la nada; le bastaba una brevísima incursión en el bolsillo más cercano. Y en el movimiento siguiente hacía aparecer un mechero. River protestó, pero el humo de aquel cigarrillo no podía hacer más que mejorar el ambiente y el propio Lamb debía de ser consciente.

—Longridge no me ha traído el almuerzo todavía. Espero que el muy cabrón no se haya olvidado.

—O sea, que sí sabes cómo se llama —dijo Cartwright, pero enseguida se arrepintió.

—Joder, Cartwright —protestó Lamb—. ¿Cuál de los dos tiene que avergonzarse más de ese comentario? —Dio una profunda calada al cigarrillo y la brasa, de más de un centímetro, emitió un brillo anaranjado—. Mañana llegaré tarde —siguió—: tengo cosas que hacer. Ya sabes cómo va todo esto. —Una fina nube de humo convirtió sus ojos en meras ranuras—. No te partas el cuello al bajar la escalera.

—Querrás decir al subirla: estamos en el despacho de Ho, ¿recuerdas? —River ya se dirigía hacia la puerta.

—Cartwright...

Éste se detuvo en el umbral.

—¿No quieres saber cómo murió Dickie Bow?

—¿En serio vas a decírmelo?

—Si lo piensas bien, es obvio —contestó Lamb—: quienquiera que lo matase usó un veneno que no deja huella.

4

«Un veneno que no deja huella», pensó River Cartwright. ¡Hostia puta!

En el metro, una morenita atractiva se sentó a su lado y, al hacerlo, se le subió un poco la falda. Se pusieron a conversar casi de inmediato y, como bajaban en la misma parada, se detuvieron junto a la escalera mecánica para intercambiar sus números de teléfono. Lo demás fue llegando como dados echados a rodar: vino, pizza, cama, unas vacaciones... Primer piso, primer aniversario, primer hijo. Cincuenta años después, mirando hacia atrás contemplaban una vida bendecida. Luego llegó la muerte. River se frotó los ojos. El asiento de delante se vació y lo ocupó otra mujer, que enseguida tomó la mano del hombre que iba a su lado.

Desde el Puente de Londres, siguió hacia Tonbridge. Su abuelo, el Viejo Cabrón, vivía allí como si se tratara de un territorio anexionado tras una batalla de toda la vida: podía ir de tiendas paseando, comprar papel, leche y comida, guiñarle un ojo al carnicero, al panadero y a la señora de Correos sin que a ninguno de ellos se le ocurriera pensar en ningún momento que por aquellas manos habían pasado cientos de vidas, que aquel tipo había tomado decisiones y dado órdenes que, en ocasiones, habían alterado el curso de los acontecimientos, y en otras (más significativamente, en su opinión) habían garantizado que nada cambiara. Por lo general, la gente suponía que había tenido algún cargo en el Ministerio de Transporte y él, con su característica bonhomía, aceptaba ser el responsable de las deficiencias en el servicio local de autobuses.

Qué cosas tan cruciales tenían que haber ocurrido, pensaba a veces River, para garantizar que nada cambiara.

Después de cenar, se sentaron en el estudio y se sirvieron un whisky. La chimenea ya estaba encendida. Con los años, el sillón de su abuelo se había moldeado para acogerlo como una hamaca. Un segundo sillón ya empezaba a tomar la forma de River: por lo que él sabía, nadie más lo usaba.

—Tienes algo rondándote por la cabeza —adivinó su abuelo.

—No he venido a verte sólo por eso.

Esto último se soslayó por irrelevante.

—Se trata de Lamb.

—Jackson Lamb. ¿Qué pasa con él?

—Creo que se ha vuelto loco.

El Viejo Cabrón se animó enseguida: le gustaba cualquier cosa que le brindara la oportunidad de practicar la espeleología psicológica. El caso que River le ofrecía, además, era previsiblemente simple.

—Una afirmación sin duda basada en tu rigurosa formación médica.

—Está paranoico.

—Si no fuera algo paranoico no habría sobrevivido tanto tiempo. Pero entiendo que dices que se ha superado esta vez. ¿En qué se manifiesta esta paranoia en concreto?

—Está convencido de que hay una brigada del KGB en activo correteando por ahí.

—Bueno, para empezar —dijo el Viejo Cabrón—, el KGB ya no existe. Y la Guerra Fría se terminó hace tiempo; por si no te habías dado cuenta, la ganamos nosotros.

—Ya lo sé: lo he visto en Google.

—Por otro lado, el actual presidente de Rusia dirigió el KGB, que, dicho sea de paso, ahora se llama FSB, aunque sigue siendo más o menos el mismo tinglado. Total, que el KGB tenía la «Oficina Especial», que se dedicaba precisamente a los venenos que no dejan rastro. En los años treinta, un tipo llamado Mairovsky o Mairanovsky llegó a ser tan bueno formulándolos que tuvieron que cargárselo.

River bajó la mirada hacia su vaso. Sólo bebía whisky cuando estaba con su abuelo; quizá fuera una especie de ritual.

—Estás diciendo que es posible.

—Estoy diciendo que yo prestaría atención cada vez que a Jackson Lamb le preocupe la posibilidad de que se esté llevando a cabo una operación al viejo estilo de Moscú. ¿No te dice nada el apellido Litvinenko?

—No porque lo envenenaran sin dejar rastro.

—Claro: porque ésa era una operación de bandera negra. ¿Crees que no podrían haberlo hecho pasar por un accidente si hubieran querido? —Era el truco favorito del Viejo Cabrón: volver tus propios argumentos en tu contra; otro consistía en no darte tiempo a reagrupar tus fuerzas—. ¿Cómo se llamaba la víctima?

—Bough, Richard Bough.

—Vaya por Dios. ¿Dickie Bow vivía aún?

—¿Lo conociste?

—Sabía que trabajaba en Berlín. —El Viejo Cabrón posó el vaso en la mesita y adoptó su pose de sabio pensador: codos en los brazos de la butaca, dedos juntos como si sostuvieran una pelota invisible—. ¿Cómo murió?

River le dio los detalles.

—Nunca fue lo que se dice un tipo rápido —comentó su abuelo, como si la lentitud del difunto Dickie Bow lo hubiera predestinado a morir en un autobús—, por eso nunca jugó en primera división.

—Premier League —sugirió River.

Su abuelo sacudió una mano para descartar esa abominación moderna.

—Era uno de esos tipos que se pasan la vida haciendo la calle. Y creo que tenía algo que ver con un club nocturno. En todo caso, solía venir a vernos de vez en cuando con algún que otro chisme sobre un funcionario menor que se la estaba pegando a su mujer o a su novio..., ya sabes, ese tipo de cosas.

—Y todo eso pasaba a los archivos.

—¿Conoces el viejo dicho sobre las leyes y las salchichas? —preguntó el Viejo Cabrón—. ¿El que reza que es mejor no ver cómo se hacen? Pues lo mismo vale para los trabajos de espionaje. —Soltó la pelota invisible para coger el vaso y agitarlo metódicamente de manera que el líquido ambarino giró bañando las paredes del vaso—. El caso es que un día Dickie Bow desapareció sin informar a nadie. Ése fue su momento de gloria: se fue de paseo por el lado salvaje de la vida y provocó que se iluminaran las centralitas desde Berlín hasta la bendita... Battersea. Perdón por la aliteración: es una mala costumbre. De Berlín a Whitehall, mejor. Porque puede que fuera lo contrario de un pez gordo, pero lo último que deseábamos en esa época era que un agente británico apareciera en la tele de los rojos afirmando vete a saber qué.

—¿Y de qué época estamos hablando? —preguntó River.

—De septiembre del ochenta y nueve.

—Ah.

—Exacto: «Ah.» Todos los que participaban en la partida, o al menos todos los que estaban en Berlín, sabían muy bien lo que estaba a punto de ocurrir. Puede que no lo dijeran en voz alta para no atraer la mala suerte, pero lo pensaban cada vez que veían el muro. Y créeme que nadie quería que ocurriese nada que cambiara el curso de la historia.

Volvió a agitar el vaso, pero lo hizo con más fuerza y salpicó algo de whisky. Depositó el vaso en la mesita que tenía al lado, se llevó la mano a la boca y lamió las gotas.

—¿Y cuando dices «nadie»...?

—Bueno, no lo digo en sentido literal: quiero decir nadie de nuestro lado. —Se miró la mano como si hubiera olvidado para qué servía y la dejó caer en el regazo—. Y no era difícil que todo saliera mal: el propio Dickie Bow podía haberse convertido en la piedrecita en la vía que hiciera descarrilar la locomotora, así que teníamos mucho interés en recuperarlo, como puedes imaginar.

—Y evidentemente lo conseguisteis.

—Sí, por supuesto, lo encontramos. O, mejor dicho: él mismo apareció, tan fresco, justo cuando estábamos a punto de colgar una cinta negra en toda operación en la que él hubiera participado de algún modo. Bueno, «tan fresco» he dicho: la verdad es que apenas podía caminar.

—¿Lo habían torturado?

El Viejo Cabrón resopló.

—Iba ciego perdido. Según él, lo habían retenido y obligado a tragar un montón de alcohol contra su voluntad. Estaba convencido de que querían ahogarlo, pero ¿por qué iban a hacer algo así? Si ahogas en alcohol a un tipo como Dickie Bow, lo único que haces es acelerar un poco las cosas.

—Y, en ese contexto, ¿quiénes eran «ellos»? ¿Los alemanes del Este?

—No, nada tan provinciano... —Su abuelo dio un sorbo a su whisky—. No, la historia de Dickie Bow era que lo habían secuestrado espías de verdad: de la variedad moscovita, y ni siquiera los de infantería de a pie.

Se detuvo, regocijándose en el momento. A veces, River se preguntaba cómo podía aguantar su ronda diaria (carnicero, panadero, señora de Correos...) sin caer en la tentación de hacer su número delante de todos ellos. Porque si algo le gustaba al Viejo Cabrón era tener público.

—No —continuó—: Dickie Bow afirmaba que lo había secuestrado Alexander Popov en persona.

Aquella revelación habría podido resultar más impactante si el nombre hubiera significado algo para River.

«Ése haría suicidarse a un santo», pensó Catherine Standish. «¡Dios mío! Estoy hablando como mi madre.»

Se refería a lo que le había dicho hacía un rato a River a propósito de Jackson Lamb: que «haría suicidarse a un santo». Nunca habría imaginado que usaría una frase como aquélla, pero así son las cosas: te conviertes en tu madre... salvo que te conviertas en tu padre. Es lo que ocurre cuando permites que la vida te aplane, que lime las aristas que te hacen distinto.

Catherine había tenido sus aristas, pero durante años había vivido una vida cuyos límites no eran precisamente sólidos, sino más bien con la textura del pelo y el vello corporal masculinos. Muchas mañanas no estaba segura de qué había ocurrido la noche anterior, salvo por algunas pistas que apuntaban al sexo o al vómito, magulladuras en brazos y muslos, la sensación de haber sido repudiada... Su relación con el alcohol había sido la más duradera de su vida, pero, como todo compañero que abusa de ti, hacia el final le había mostrado su verdadero rostro. Así que las aristas de Catherine estaban bien limadas mientras, sola en la cocina de su piso del norte de Londres, se preparaba una infusión de menta y pensaba en hombres calvos.

No había hombres calvos en su vida; de hecho, no había hombres en su vida, o al menos ninguno que contara: había presencias masculinas en el trabajo, y le había tomado cariño a River Cartwright, pero hombres de verdad en su vida no había ninguno; menos que ninguno, si el hombre en quien se pensaba era Jackson Lamb. Aun así, estaba pensando en hombres calvos. En uno en particular, que lanzaba una rápida mirada de reojo a la cámara antes de echar a andar hacia la lluvia en vez de subir al tren bajo cubierto o en vez de volver al autobús del que acababa de bajar para buscar su sombrero.

Y también pensaba, porque lo hacía a menudo, en lo fácil que sería salir a comprar una botella de vino y beberse una copita sólo para demostrar que no la necesitaba. Una copita, y el resto por el fregadero. Un Chablis bien frío. O a temperatura ambiente, si en la licorería no lo tenían en la nevera. Y, si no había Chablis, pues un sauvignon blanc, o un chardonnay, o una cerveza fuerte, o una botella de dos litros de sidra...

Respiró hondo. «Mi nombre es Catherine y soy alcohólica.» Su ejemplar del *Libro Grande con los Doce Pasos* descansaba entre un diccionario y las obras completas de Sylvia Plath en la sala de estar; nada le impedía ir allí y ponerse a leerlo abrazando su infusión de menta mientras pasaba el momento álgido. «El momento álgido»..., ése era el término con que su madre se refería en clave a los sofocos. Su madre solía usar muchas palabras en clave, lo cual resultaba cuando menos curioso, teniendo en cuenta lo que hacía Catherine para ganarse la vida.

¿Qué pensaría su madre de ella si estuviera viva? Si pudiera ver la Casa de la Ciénaga, con su pintura desconchada y sus residentes aún más desconchados... La respuesta era cegadoramente clara: con sólo echar un vistazo a los muebles viejos, a la pintura descascarada, a las bombillas llenas de polvo, a las telarañas de los rincones... reconocería aquel lugar como el más apropiado para su hija: un sitio libre de toda ambición. Era mejor construir tu vida con un perfil bajo, era mejor no darse aires.

Mejor, a la larga, no pensar en lo que una se perdía.

Así que Catherine tomó su infusión de menta, se la llevó a la sala de estar y, una vez más, consiguió no salir en busca de una botella. Ni siquiera tuvo que hojear el *Libro Grande* (ni mucho menos a la pobre Sylvia Plath). En vez de eso, se sentó a pensar en el hombre calvo y en su actitud en aquel lluvioso andén de la estación mientras procuraba no pensar ni en su madre ni en las aristas que alguna vez la hicieron distinta y ahora estaban tan limadas que permitían ver un porvenir que no tenía nada de personal.

Porque, ocurriera lo que ocurriese, era mejor dar por hecho lo peor.

«Del piso setenta y siete a esta mierda», se dijo Louisa Guy.

La columna «Casa bonita» del periódico explicaba que, con un poco de imaginación y una pequeña cantidad de dinero, hasta el más diminuto apartamento podía transformarse en una residencia de ensueño compacta y bien distribuida. Por desgracia, la «pequeña cantidad» era tan grande que, si llegara a caer en sus manos, en vez de reformar su casa se mudaría.

Aquella noche, como otras muchas, su principal misión había sido lavar algo de ropa. Tenía un tendedero plegable, diseñado para esconderlo por ahí cuando no se usaba, pero lo usaba todo el tiempo y, además, tampoco tenía dónde guardarlo, así que estaba apoyado en una estantería, lleno de ropa interior (una colección que había experimentado una mejora considerable desde que Min Harper había entrado en su vida). Había blusas húmedas por todas partes y, encima de la mesa, un suéter todavía empapado con las mangas colgando a ambos lados. Louisa había tenido que sentarse en la cocina con el portátil en las rodillas.

Lo primero que tenía que hacer, por más tonto que pareciera, era buscar en Google el día de la minicumbre de Spider Webb. Así descubrió que ese día se celebrarían un Simposio Internacional de Procesos Metalúrgicos Avanzados en la Escuela de Economía de Londres, una conferencia sobre Estudios Asiáticos en la Escuela de Estudios Orientales y Africanos de la Universidad de Londres y un concierto del regreso de ABBA (se daba por hecho que las entradas se agotarían en dos minutos); además, estaba convocada una manifestación que recorrería Oxford Street bajo el lema PARAD A LOS BANCOS: se esperaba a un cuarto de millón de personas, lo que auguraba un día más que propicio para los lunáticos en el distrito central de Londres. Sin duda, el tráfico, el metro y la vida se verían interrumpidos.

Nada de eso parecía tener la menor relación con la visita de los rusos: se trataba simplemente del telón de fondo. Pero el telón de fondo era importante y, después de lo que había ocurrido la última vez que los caballos lentos se habían mezclado en los asuntos de Regent's Park, Louisa no pensaba confiar en la información que le había suministrado Webb. La cuestión era que le costaba concentrarse: no dejaba de pensar en la inmensa suite de «la Aguja» (recordaba haber estado en espacios de ese tamaño, pero sólo en exteriores) y, por extensión, en su diminuto estudio de alquiler en el lado equivocado del río.

Y últimamente, para colmo, Min pasaba allí dos o tres noches por semana. Eso tenía un lado bueno, desde luego, pero también un lado malo. Sin ser desordenado, Min ocupaba espacio. Le gustaba estar limpio y fresco al meterse en la cama, lo que implicaba que ella tuviera que cederle unos preciosos centímetros de la repisa del baño; le gustaba ponerse una camisa limpia por la mañana, lo que exigía algo de espacio en el armario. Habían aparecido DVDs, libros, CDs, lo cual implicaba más objetos físicos en un espacio que era el que era. Y luego estaba el propio Min, claro, que no iba precisamente de aquí para allá sin parar, pero ni falta que hacía: su mera presencia hacía el estudio más estrecho. Era agradable estar con él, aunque lo sería aún más si el espacio les permitiera alejarse un poco a ratos.

En algún lugar del edificio sonó un portazo. La corriente resultante silbó por los pasillos y susurró bajo las puertas hasta que, con un ruido parecido al de la nieve al desprenderse y caer de un tejado, una blusa se soltó de la percha y cayó al suelo. Louisa la contempló durante uno o dos segundos como si la situación pudiera corregirse sin su intervención y, al ver que eso no ocurría, cerró los ojos y deseó estar en otra parte, algo que tampoco había sucedido cuando volvió a abrirlos.

Un estudio de alquiler con corrientes de aire; y con una terrible característica añadida: que, pese a todos sus defectos, era mil veces mejor que el estudio de Min.

Si querían encontrar algo bonito para los dos, iban a necesitar dinero.

Las once treinta: faltaban seis horas y media.

¡Aquello era un infierno!

Si le hubieran pedido que dibujara lo que esperaba de un trabajo para una empresa de seguridad privada, Cal Fenton habría hecho un dibujo bien grande con entrenamientos de combate, cinturones multiusos, chalecos antibalas, pistolas paralizantes... y también vehículos: algunos arrancando con una derrapada de las que dejan marcas de goma en el asfalto, otros tomando una curva sin frenar; se habría puesto uno de esos auriculares con micrófono incorporado, algo imprescindible en el mundo de la seguridad: un mundo cargado de adrenalina y en el que nunca se sabe qué puede ocurrir el segundo siguiente. Eso es lo que tenía en mente Cal Fenton: peligro, emoción y una absoluta confianza en su capacidad física.

Pero en vez de esas cosas le habían dado un uniforme demasiado pequeño (su predecesor debía de haber sido un enano) y una linterna con el mango de goma y la batería medio gastada. Y, en vez de viajar con su arma de fuego junto al chófer de una limusina blindada, tenía que rondar por las noches arriba y abajo por media docena de pasillos y hacer una llamada de control cada hora en punto, no tanto para confirmar a la dirección que la instalación seguía en pie como para demostrar que estaba despierto y se ganaba el sueldo. Un sueldo que estaba tan poco por encima del salario mínimo que si dividías con alguien la diferencia te quedaba calderilla para dar cambio de una libra. «Un trabajo es un trabajo», le repetía su madre, pero Cal Fenton (con la sabiduría de quien lleva ya diecinueve años en este planeta) había encontrado un error en ese razonamiento: a veces un trabajo era un grano en el culo, sobre todo si eran las once treinta y uno y te quedaban seis horas y veintinueve minutos para poder salir por la puerta.

Hablando de lo cual...

Cal estaba en la planta baja, recorriendo el pasillo del lado este, y la puerta del fondo estaba abierta; no abierta de par en par, pero tampoco cerrada del todo: o la había abierto alguien después de que Cal pasara por última vez o él no la había cerrado bien tras fumarse un cigarrillo.

Tenía que haber sido él mismo, y nadie más, porque en el turno de noche sólo había un vigilante.

Llegó a la puerta y la empujó con suavidad. Se abrió con un leve crujido. Fuera había un aparcamiento vacío rodeado por una valla tras la cual podía verse una calle llena de baches que desaparecía bajo las sombras de la Westway. El edificio de enfrente había sido un pub, y tal vez albergara la esperanza de volver a serlo, pero por el momento tenía que conformarse con ser una monstruosidad. En las ventanas tapiadas podían verse carteles medio despegados de djs locales. Cal escudriñó las sombras durante unos segundos y luego volvió a entrar y cerró la puerta. En el silencio del pasillo podía oír los latidos de su corazón. El caso es que no había nadie fuera, ni tampoco dentro, aparte de él mismo. Once treinta y cuatro. Se alejó de la puerta y se dirigió a la oficina.

«Oficina», «edificio»... sólo quien no estuviera expuesto a la realidad podía usar esos términos sin sonreír.

Porque aquella «oficina» no era más que un armario trastero con pretensiones, y «edificio» era una denominación demasiado arrogante para aquella construcción: una planta de ladrillo visto, sin ventanas, y encima otra de madera, como si se les hubieran acabado los ladrillos en mitad de la obra. Era más nuevo que el engendro que se alzaba anteriormente en el mismo lugar, pero dicho eso se acababan los cumplidos. Igual que el antiguo y tal vez futuro pub de la otra acera, aquel lugar se pasaba la vida contando el tiempo que faltaba para que toda la zona se gentrificara, algo que no parecía que fuera a suceder pronto. En cuanto a DataLok, era una empresa de medio pelo que tenía aún menos valor del que aparentaba, y para comprobarlo sólo había que echar un vistazo al catálogo.

Cal hizo un barrido general con la linterna: no había un alma en la oficina y, sobre todo, no había ni rastro del perro guardián que, según el cartel de la puerta principal, patrullaba la instalación todos los días a todas horas. El cartel costaba cuatro libras con noventa y nueve, mucho menos que un perro guardián que patrullara veinticuatro horas al día todos los días.

Pero entonces oyó algo en el pasillo del lado norte. Como si un tacón hubiera golpeado el suelo.

El corazón de Cal lo alertó alto y claro *tum tum, tum tum*: un latido absolutamente normal, sólo que el doble de fuerte y cuatro veces más rápido.

Faltaban veinticuatro minutos para la siguiente llamada de control. Aunque podía hacerla antes de tiempo, claro, sobre todo si estaba cagado de miedo.

He aquí cómo procedería la conversación:

«—Creo que he oído un ruido.

»—Crees que has oído un ruido...

»—Sí, en el pasillo. Como si hubiera alguien. Pero no he ido a mirar. Ah, y la puerta estaba abierta, aunque es posible que me la haya dejado yo cuando he salido a fumarme un cigarrillo. ¿Podéis enviar refuerzos? (Entrenados para el combate, con cinturones multiusos y chalecos antibalas.)»

Sin embargo, incluso un trabajo igualito que un grano en el culo era mejor que el paro, y en realidad Cal no quería quedarse sin empleo sólo porque se había colado una ardilla. Sopesó la linterna en la palma de la mano; parecía bastante sólida: podría usarla como una porra.

Menos nervioso, salió de la pequeña oficina y se dirigió al pasillo del lado norte, al fondo del cual estaba la escalera que conducía al piso superior.

Los pasillos estaban en los extremos laterales del edificio. Los guardias de seguridad (él mismo y un ex policía llamado Brian que ya se acercaba a los setenta) guardaban sus cosas en la pequeña oficina de la planta baja. En la planta superior había una sala destinada a los técnicos que supervisaban las entradas al sistema y todo un laberinto de salas de almacenaje que, salvo por el número que las identificaba, eran idénticas entre sí y emitían el mismo zumbido constante: el ruido que hacía la información mientras esperaba que alguien la usara. Eso, al menos, le había oído decir a uno de los técnicos.

Estaba en el medio del pasillo cuando, de pronto, se apagó la luz.

—Jamás me habías hablado de él.

—¡Bah! ¡Tonterías!

Aquello no era propio del viejo: quizá se debiera a que ya iba por el tercer vaso de whisky.

—De verdad —insistió River—. En todos los años que llevas contándome historias de espías, nunca habías mencionado a Alexander Popov.

Se ganó una dura mirada de reproche.

—Yo no te he contado historias, River: te he formado. O al menos ésa era mi intención.

—Eso quería decir —concedió River: si su abuelo se daba cuenta de que se había convertido en un viejo que contaba batallitas, se le partiría el corazón—. Pero Popov nunca formó parte de mi formación. Supongo que era de la Central de Moscú, ¿no? ¿Uno de los magos secretos que accionaban las palancas?

—«¡No le prestéis atención al hombre detrás de la cortina!» —dijo el Viejo Cabrón, citando *El mago de Oz*—. La comparación era interesante, pero no, en realidad era más como el hombre del saco: humo y susurros, nada más. Si la información fuera una moneda, de Popov sólo habríamos tenido un pagaré: nadie le puso nunca un dedo encima, y eso es porque nunca existió.

—¿Y entonces...? —empezó a preguntar River, pero se detuvo de inmediato.

«Está bien hacer preguntas», le había dicho en una lección anterior. «Si no sabes algo, pregúntalo. Pero antes de preguntar, intenta deducirlo por tu cuenta.»

—... entonces —River se respondió a sí mismo—, el humo y los susurros eran deliberados: se lo inventaron para que nos pusiéramos a perseguir a alguien que no existía.

Su abuelo asintió con la cabeza.

—Era un jefe de espías ficticio y dirigía una red ficticia: la idea era que le diéramos tantas vueltas al asunto que acabáramos hechos un lío. Nosotros habíamos intentado algo parecido en la guerra: la operación Carne de Ratón, y una de las lecciones de esa experiencia fue que puedes descubrir un montón de cosas en aquello que se te quiere hacer creer. Ya sabes cómo funciona el servicio secreto, River: los chicos y chicas de Antecedentes prefieren las leyendas a la realidad; les gusta dar la vuelta a las esquinas, pero la verdad suele caminar en línea recta.

River estaba acostumbrado a planchar las arrugas de la conversación de su abuelo.

—Es decir, que, aunque los detalles que te suministraban eran falsos, se podían deducir cosas a partir de ellos.

—Si la Central de Moscú decía «miren esto», lo razonable era mirar hacia el lado contrario —convino el Viejo Cabrón. Y luego añadió—: Todo era un juego. —Por su tono, cualquiera habría pensado que acababa de dar con un secreto largo tiempo escondido—. Y ellos siguieron jugándolo cuando todo lo demás que poseían quedó a disposición de que pudiera tomarlo.

Las llamas crepitaron y su abuelo centró su atención en la chimenea. Mientras lo miraba con cariño, River pensó lo que solía pensar cuando hablaban de esos asuntos: ojalá hubiera podido vivir en esa época. Ojalá hubiese tenido un papel en todo aquello. Ese deseo hacía que se mantuviera en la Casa de la Ciénaga mientras Jackson Lamb lo hacía pasar por el aro.

—Entonces debería haber un archivo sobre Alexander Popov, ¿no? Aunque estuviera lleno de cuentos chinos —preguntó—. ¿Qué contenía?

—Madre mía, River —dijo su abuelo—. Hacía décadas que no pensaba en eso. Déjame ver... —Se concentró de nuevo en la chimenea, como si esperara que alguna imagen emergiera de las llamas—. Eran retales: una colcha de retales cosida por una vieja. Pero teníamos su lugar de nacimiento... o lo que nos habían hecho creer que era su lugar de nacimiento... Pero no nos andemos por las ramas otra vez: según el cuento, era de una ciudad cerrada. ¿Sabes lo que son?

Vagamente.

—Eran estaciones de investigación militar atendidas por población civil. La suya estaba en Georgia. No tenía nombre, sólo un número: ZT/53235 o algo por el estilo, y unos treinta o treinta y un mil habitantes. La *crème* era el personal científico, apoyado en la industria de servicios y con los militares manteniéndolo todo bajo control. Como muchas ciudades cerradas, la habían fundado en los años de la posguerra, cuando el programa nuclear soviético funcionaba a toda máquina. Digamos que era... lo contrario de una ciudad orgánica: se había construido con un propósito, nada menos que la fabricación de plutonio.

—¿ZT/53235? —preguntó River. Le gustaba mantener la memoria en forma.

Su abuelo lo miró.

—O algo por el estilo... —Volvió a dirigir su atención hacia las llamas—. Todas tenían nombres como ése...

Se enderezó de pronto y, finalmente, se levantó.

—¿Abuelo?

—Sólo es que... está bien, no pasa nada. —El anciano metió la mano en la cesta de la leña que estaba junto a la chimenea, sacó un manojo de palitos para encender y, entre ellos, escogió una ramita larga y seca—. Bueno, venga —murmuró—. Deberías irte ya...

River se dio cuenta de que su abuelo había visto una cochinilla que caminaba a ciegas por el leño más alto de la pirámide ardiente. Pese al calor, la mano de su abuelo permaneció firme mientras se echaba hacia delante y colocaba la punta de la ramita de tal modo que la cochinilla, al borde de la muerte, pudiera lanzarse hacia ella como si le hubieran tirado una cuerda desde un helicóptero. ¿Cómo llamarían las cochinillas al *deus ex machina*? No, no: las cochinillas no hablan, ni en latín ni en ningún otro idioma, y aquélla además rechazó la salvación que se le ofrecía y prefirió seguir su camino hasta el punto más alto del leño, donde se balanceó por un instante antes de abrasarse. Su abuelo no hizo ningún comentario: se limitó a soltar la ramita en el fuego y a instalarse de nuevo en su sillón.

River iba a decir algo, pero convirtió sus palabras en un mero carraspeo.

—Todo eso sucedía en los tiempos de Charles —dijo el anciano—, que al final se hartó: decía que la gente perdía el tiempo con esos jueguecitos mientras la guerra seguía adelante sin que nadie pareciera darse cuenta.

La voz del Viejo Cabrón cambió al pronunciar esas palabras porque cedió a la inocua costumbre de imitar a alguien a quien la otra persona nunca había oído pronunciar una sola palabra.

Charles Partner había sido el director de los servicios secretos en otra época.

—Y Dickie Bow afirmaba que ese tal Popov era quien lo había secuestrado —insistió River.

—Sí. Aunque, para ser justos con Dickie, cuando se presentó con esa historia todavía no se había establecido con firmeza la idea de que Popov no existía. Debió de parecerle una buena coartada para lo que estaba tramando, fuera lo que fuese. Beber e ir de putas, probablemente. Cuando se dio cuenta de que su ausencia había hecho sonar algunas alarmas, se inventó esa historia de que lo habían secuestrado.

—¿Y dijo qué quería de él Popov? Porque secuestrar a uno que hace la calle...

—Le dijo a quien quiso escucharlo, e incluso a unos cuantos que no querían, que lo habían torturado. Aunque, al plantear que la tortura había consistido en emborracharlo a la fuerza, le costó bastante ganarse la compasión de los demás. Hablando de lo cual...

River negó con la cabeza: si se tomaba otro whisky, lo iba a notar por la mañana. Además, tenía que irse pronto a casa.

Para su sorpresa, el Viejo Cabrón volvió a llenarse el vaso y luego dijo:

—Esa ciudad cerrada donde se suponía que había nacido Popov...

River esperó en silencio.

—Desapareció del mapa en el año cincuenta y cinco. O habría desaparecido, suponiendo que alguna vez haya estado en el mapa. —Miró a su nieto—. Las ciudades cerradas no existían oficialmente, así que la cosa no implicaba demasiada burocracia: no había que manipular fotografías ni sustituir páginas de enciclopedias.

—¿Y qué se supone que pasó?

—Un accidente en la fábrica de plutonio. Creemos que hubo algunos supervivientes. No había datos oficiales, por supuesto, porque oficialmente nunca ocurrió.

—¿Treinta mil personas? —dijo River.

—Ya te lo he dicho, hubo algunos supervivientes.

—Y quisieron haceros creer que Popov era uno de ellos —señaló River.

Su mente estaba evocando una historia de cómic: un vengador que resurge de las llamas, pero... ¿de qué hay que vengarse después de un accidente industrial?

—Tal vez lo hubieran hecho —concedió su abuelo—, pero no les dio tiempo. Nuestra red intentó conseguir la información en cuanto cayó el muro. Si Popov hubiera sido de carne y hueso, alguno de los peces gordos nos lo habría ofrecido: habríamos conseguido la biografía entera, hasta la última sílaba. Pero nunca dejó de ser un conjunto de retales, como un espantapájaros sin terminar. Un reptil dejó caer su nombre en una reunión informativa, pero a esas alturas no era más que una admisión de ignorancia porque ya no había nadie que creyera en su existencia.

El Viejo Cabrón se volvió hacia la chimenea en cuanto terminó de hablar. La luz de las llamas subrayaba las arrugas de su rostro (parecía un viejo jefe tribal) y River sintió una punzada al comprender que ya no habría muchas más veladas como aquélla. Debería haber algún modo de dosificarlas para que duraran más. Pero no lo había. Aprender era una cosa; vivir según lo aprendido, otra muy distinta.

Procurando que no se le notara lo que estaba pensando, preguntó:

—¿Cómo «dejó caer su nombre»?

—Utilizó una palabra en clave, no recuerdo cuál... —El anciano se quedó mirando el vaso de nuevo—. A veces me pregunto cuánto habré olvidado. Aunque supongo que eso ya no tiene mucha importancia.

Admitir una debilidad no solía figurar en su agenda.

River dejó el vaso en la mesita.

—Se está haciendo tarde.

—Espero que no te dejes llevar por mi estado de ánimo.

—No sin chaleco salvavidas.

—Ten cuidado, River.

Eso provocó una pausa.

—¿Por qué lo dices?

—La farola del final de la calle se ha estropeado: desde allí hasta la estación hay un tramo a oscuras.

Resultó que era cierto, aunque River no creía que fuese lo que su abuelo tenía en mente cuando le hizo aquella advertencia.

Cal Fenton estaba encantado de que no hubiera nadie cerca para oírle exclamar como una niña en la oscuridad:

—¡Ay, Dios!

Aunque, en realidad, le preocupaba muchísimo que sí hubiera alguien cerca.

El generador no se había apagado: las torres de los ordenadores seguían zumbando; la información estaba a salvo, cómoda y calentita en sus capullos electrónicos. «Las luces del pasillo están conectadas a la red eléctrica», pensó. «Puede que sea un simple apagón.» Pero, mientras su mente se aferraba a esa idea, sus tripas admitían que, si se tratara de un apagón, difícilmente habría ocurrido tan sólo dos minutos después de descubrir que la puerta estaba abierta y de haber oído un ruido de pasos.

Frente a él en el pasillo no había más que sombras. Sombras más grandes y fluidas de lo normal. La escalera ascendía hacia una oscuridad aún mayor. Al contemplarla, su respiración se aceleró; apretó con más fuerza la linterna. Quién sabe cuánto rato estuvo ahí plantado: quince segundos, dos minutos... Fuera el tiempo que fuese, se interrumpió cuando se le escapó un hipo: un hipo inesperado que nació en su diafragma y emergió como un gemido. Lo último que deseaba Cal era enfrentarse a un enemigo que acababa de oírle hacer ese ruido. Se dio la vuelta. Por detrás de él, el pasillo también estaba vacío. Empezó a recorrerlo y adoptó un trote tan involuntario como involuntaria había sido la parálisis anterior: así, en definitiva, era como reaccionaba Cal ante una situación de emergencia. Hacía lo que fuera que le pidiese el cuerpo: quedarse quieto, apretar la linterna, correr...

«Peligro, emoción y una absoluta confianza en su capacidad física...»

Al llegar a la pequeña oficina, accionó el interruptor, pero la luz no se encendió. El teléfono fijo estaba colgado un poco más allá en la pared. Su mano derecha le pasó la linterna a la izquierda y se tendió para alcanzar el auricular, que se adaptó a su palma con la plástica lisura de un biberón. Pero el consuelo apenas duró un instante. En su oído, sólo la nada: ni siquiera el lejano ruido marino de una conexión cortada. Se quedó ahí plantado, con la linterna apuntando hacia ningún lugar. La puerta, el posible ruido, las luces... y ahora, el teléfono. Si lo sumaba todo, no cabía la menor posibilidad de que estuviera solo en el edificio.

Colgó el auricular con cuidado. Su abrigo estaba colgado en la cara interior de la puerta; buscó el móvil en uno de los bolsillos... pero no estaba allí.

Volvió a revisar los bolsillos otra vez, algo más deprisa, y otra vez, más despacio. Mientras tanto, su mente corría a toda velocidad en distintos niveles. En uno, repasaba sus movimientos durante el trayecto desde su casa al trabajo por si acaso le revelaban dónde había dejado el móvil. En otro, repasaba todo lo que sabía sobre aquella empresa y el edificio donde se encontraba, un edificio que los informáticos describían como un «vertedero de información». Según había oído, aquel vertedero se usaba para guardar una cantidad casi infinita de información digital que nadie iba a querer consultar jamás, salvo que se produjeran ciertas circunstancias bastante improbables y relacionadas con abogados. De no ser por eso, aquellos archivos digitales se habrían borrado hacía mucho... aunque no habían dicho «borrar», sino «liberar»: lo recordaba porque al oírlo le había venido a la cabeza la imagen de una bandada de palomas que se alzaba hacia el cielo entre los aplausos de los congregados...

Su móvil no estaba ahí: alguien había entrado en el edificio durante su turno de guardia, había cortado la luz, desconectado el teléfono fijo y robado su móvil. Y no parecía probable que, después de hacer todo eso, fuera a marcharse sin más.

La linterna parpadeó como si le llegara el turno de fallar. Cal tenía la garganta seca y el corazón acelerado. Su deber era salir de aquella pequeña oficina e inspeccionar los pasillos; subir al piso de arriba y revisar aquel laberinto oscuro con toda su información almacenada... y todo esto mientras en su mente un coro repetía una horrible verdad:

Que a veces se puede incluso matar para obtener cierta información.

Desde el pasillo en el que se habían agazapado las sombras le llegó el leve chirrido de un zapato con suela de goma sobre el linóleo.

Y si la información lo valía, pensó Cal Fenton, por lo general alguien acababa muriendo.

«Una noche tranquila», pensó entonces Min Harper. «¡Menuda mierda!»

Se sirvió una copa y observó su pequeño estudio.

No le llevó mucho tiempo.

Luego se sentó en su sofá, que también era su cama (aunque, para ser exactos, en realidad el sofá no era suyo:

venía con el apartamento). Su apartamento (más bien un estudio de alquiler) consistía en una única estancia en forma de «L» con la cocina en la pared corta (un fregadero, una nevera con un microondas encima, un estante con un hervidor de agua) y, en la pared larga, un par de ventanas con vistas a un edificio situado en la acera de enfrente. Desde que se había mudado allí, había vuelto a fumar. No lo hacía en público, pero por las noches se asomaba a una de las ventanas y se fumaba un pitillo. En uno de los apartamentos del edificio en la acera de enfrente había un chico que a menudo hacía lo mismo y solían saludarse con la mano. Aparentaba unos trece años, que eran los que tenía el hijo mayor de Min. Sólo pensar que Lucas pudiera fumar le provocaba un pinchazo en el pulmón izquierdo; sin embargo, ver fumar a aquel chico no le provocaba nada... Si Min aún estuviera viviendo en su casa, junto a su familia, probablemente se habría dejado llevar por su sentido de la responsabilidad y les habría dicho algo a los padres..., aunque, si aún estuviera viviendo en su casa y junto a su familia, no estaría asomándose a la ventana para fumar por las noches, de modo que la oportunidad no se habría presentado. Durante el rato que le había llevado pensar todo aquello se había terminado la bebida, así que volvió a llenarse el vaso y luego sacó el torso por la ventana y se fumó un cigarrillo. Era una noche fría y olía a lluvia. El chico no estaba.

Cuando acabó de fumar, regresó al sofá. No era particularmente cómodo, pero una vez desplegado daba lugar a una cama que... tampoco lo era, así que al menos no le faltaba consistencia. En todo caso, esa desagradable estrechez no era la razón por la que Min no había llevado aún a Louisa a su casa; también pesaba el hecho de que los olores de la cocina flotaran toda la noche en el aire, y el maltrecho suelo del baño, al fondo del pasillo, y el psicópata del piso de abajo...

Min tenía claro que necesitaba mudarse: recuperar la normalidad de su vida. Ya habían pasado dos años desde que todo se fuera al traste, proceso que había empezado después de olvidar un disco con información clasificada en el metro, y que había llegado a su clímax cuando, al despertarse a la mañana siguiente, se dio cuenta de que estaban comentando su contenido en Radio 4. En menos de un mes lo mandaron a la Casa de la Ciénaga. Su vida doméstica se derrumbó poco después. A menudo se repetía a sí mismo que, si su relación con Clare hubiera sido más fuerte, probablemente su matrimonio habría sobrevivido a la humillación profesional, pero la verdad, como él mismo había llegado a entender, iba un poco más allá: si él mismo hubiera sido más fuerte, habría podido garantizar la supervivencia de su matrimonio. Tal como estaban las cosas, su matrimonio era ya un asunto del pasado, sobre todo habiendo entrado Louisa en escena. Estaba bastante seguro de que Clare no toleraría la presencia de otra mujer y, si bien no le había contado nada, tampoco tenía claro que ella no lo supiera ya: las mujeres son espías natas, capaces de oler la traición antes de que se produzca.

El vaso volvía a estar vacío. Mientras alargaba el brazo para servirse otra copa, tuvo una visión repentina de un futuro en el que ya nada cambiaba, en el que siempre estaba en aquel triste apartamento y en la infame Casa de la Ciénaga. Min sabía que no podía permitir que eso ocurriera: los fracasos de su pasado ya estaban expiados. Porque todos tenemos derecho a equivocarnos alguna vez, ¿no? Aquella rama de olivo en forma de minicumbre que Spider Webb les había llevado de Regent's Park era su salida, sólo tenía que agarrarse a ella para salir a flote. Si era una prueba, tenía la intención de superarla. «Nada es lo que parece»: ése debía ser su mantra. Daría por hecho que todo tenía algún significado oculto y no dejaría de rascar hasta dar con él.

Y «no te fíes de nadie». Sí, eso también era importante: no fiarse de nadie.

Salvo de Louisa, claro: de Louisa se fiaba por completo.

Lo cual no significaba necesariamente mantenerla siempre informada.

•••

En cuanto River se fue, el silencio le permitió a David Cartwright repasar la conversación.

«¡Maldita sea!»

Había dicho «zt/53235» y River lo había memorizado al vuelo. Y, para colmo, no era de los que olvidaban ese tipo de cosas: siempre había sido bueno para recordar números de teléfono, matrículas de coches, resultados deportivos, incluso meses después de leerlos. Él mismo lo había animado a cultivar esa habilidad que él también presumía de tener (lo que, por otra parte, sin duda lo haría pensar que el dato era exacto, por más que él se hubiera esforzado en fingir que se le escapaba algún detalle por aquí o por allá).

Pero nadie llega a viejo sin aceptar que hay cosas que no puede cambiar, de modo que David Cartwright archivó aquel desliz en un cajón de su memoria y decidió no permitir que lo importunara más.

El fuego se estaba apagando. El miedo había llevado a aquella cochinilla a escapar de su tabla de salvación y a lanzarse a las llamas como si la muerte fuera preferible a la incertidumbre. Sólo era una cochinilla, pero era bien sabido que con los seres humanos ocurría lo mismo. David Cartwright lo tenía claro, desde luego, aunque prefería no darle demasiadas vueltas: su memoria estaba llena de cajones que mantenía bien cerrados.

Por ejemplo, el cajón donde estaba oculto Alexander Popov. Si nunca se lo había mencionado a su nieto era, tal como le había dicho, porque llevaba más de una década sin siquiera pensar en él y, además, porque era simplemente una leyenda. En cuanto a Dickie Bow, estaba claro que era un borrachín que de pronto se había percatado de que estaba a punto de dejar de ser útil para los servicios secretos: la historia de su secuestro había sido su último intento de conseguir una pensión. Que hubiera muerto en un autobús sin llevar siquiera un billete válido para el viaje no le parecía un final imprevisto: al contrario, era algo que cabía esperar desde los créditos iniciales.

Sin embargo, parecía que Jackson Lamb opinaba lo contrario, y el problema con aquel viejo espía no era que se pasara la vida pensando en distintas maneras de atormentar a sus caballos lentos, sino que, como ocurría con casi todos los viejos espías, cuando se le metía algo en la cabeza y empezaba a tirar de un hilo no paraba hasta que deshilachaba la tapicería entera. Y David Cartwright había visto tantas tapicerías que le costaba saber dónde empezaba una y terminaba la siguiente.

Cogió el vaso de nuevo, pero al verlo vacío volvió a dejarlo en la mesita. Si se tomaba una copa más, dormiría una hora como si hubiera muerto y luego se quedaría tumbado con los ojos abiertos hasta el amanecer. Si había algo que echara de menos de su juventud era aquella desenfadada capacidad de sumirse en el olvido del sueño como el cubo que baja al pozo para luego subir poco a poco, lleno de nuevo. Aquél era uno de los muchos talentos que se poseen sin saber que se van a perder en algún momento.

Aun así, además de acostumbrarse a que hay cosas que no pueden cambiarse, los viejos también aprenden que algunas cosas cambian sin que uno llegue siquiera a enterarse.

Según creía, Alexander Popov era una leyenda: no había existido nunca.

Pero, se preguntaba, ¿continuaría siendo así?

Siguió mirando un rato el fuego, que ya iba muriendo. En lo que toca a las cosas que mueren, eso no le reveló nada que no supiera ya.

5

La Academia Wentworth de inglés tenía dos sedes. La principal, que aparecía en sus folletos (impresos en cuché brillante), era una hermosa casa de campo que resultaba subliminalmente familiar para cualquiera que hubiera visto la BBC un domingo por la noche: una maravilla de cuatro plantas y treinta y seis habitaciones rodeada de extensos jardines, con un estanque lleno de carpas y un bosque lleno de ciervos, pistas de tenis y de cróquet. En cuanto a la otra (cuya única ventaja era que allí sí residía de verdad la Academia Wentworth de inglés), consistía en un par de despachos dos plantas por encima de una papelería cerca de High Holborn Street. Cualquier descripción fidedigna de ese local tendría que mencionar el techo lleno de manchas de humedad, la ventana con el cristal rajado, un radiador eléctrico (que puesto a su máxima capacidad había chamuscado el yeso de la pared) y a un ruso dormido.

El fuego estaba apagado cuando Lamb apareció en el umbral y observó la escena en silencio: estantes llenos de decenas de copias del mismo folleto; tres diplomas enmarcados en la pared, encima de la repisa de la chimenea; una hermosa vista de una pared de ladrillo tras el cristal rajado y, en el escritorio sobre el que dormía a pierna suelta el ruso, dos teléfonos de disco, uno negro y el otro de color crema, que apenas se entreveían bajo las pilas de lo que educadamente se describiría como «papeles», pero que sería más adecuado llamar «basura»: facturas y volantes de la pizzería del barrio, una central de taxis y un local destinado a recién llegados que necesitaran una chica fuerte que los corrigiera con mano firme. Encajadas bajo la mesa, aunque no del todo ocultas, acechaban una cama plegable y una almohada.

Después de asegurarse de que el tipo no fingía dormir, Lamb tiró un montón de folletos al suelo.

«¡La hostia!»

El ruso (Nikolai Katinsky, se llamaba) dio un salto en la silla como quien ha tenido unas cuantas pesadillas en su vida. Agitó los brazos buscando algo a que agarrarse, pero sólo encontró el estuche de sus gafas, que estaba sobre el escritorio (ni mucho menos un pilar), así que cayó hacia atrás y aterrizó de nuevo en la silla, que crujió peligrosamente. Un instante después estaba ya completamente despierto. Volvió a poner el estuche sobre el escritorio, carraspeó y preguntó con voz ronca:

—¡Pero ¿quién eres tú?!

—Vengo por el dinero —dijo Lamb.

Era razonable suponer que Katinsky debía dinero y que en algún momento alguien pasaría a cobrárselo.

El ruso asintió, pensativo. Era calvo, o casi (un rastrojo blanco le adornaba las orejas), y todo en él transmitía una sensación de energía acumulada y emociones reprimidas: la misma sensación que había tenido Lamb al verlo en aquel vídeo grabado dieciocho años atrás a través de un espejo espía en una de aquellas «salas de lujo» de Regent's Park. Lo del lujo era broma, claro: esas salas estaban en los sótanos y en ellas tenían lugar las «sesiones informativas» más serias del servicio secreto, aquellas cuya existencia misma podía resultar conveniente negar más adelante.

Aquel hombre, sin embargo, parecía haber menguado durante esos años, como si hubiera pasado por una dieta tremendamente rigurosa sin renovar su vestuario. La carne se le había pegado al mentón y, paradójicamente, parecía colgarle en el resto del cuerpo. Tras asentir, preguntó:

—¿El dinero de Jamal o el de Demetrio?

Lamb lanzó mentalmente una moneda al aire y respondió:

—El de Demetrio.

—Ya me lo imaginaba. Dile a ese sucio griego que se vaya a tomar por saco con su dinero. El acuerdo era a principio de mes.

Lamb buscó sus cigarrillos.

—Tal vez no mencione lo de «tomar por saco» —dijo.

Tiró de una silla con un pie y quitó lo que había encima: un sombrero, unos guantes y una pila de ejemplares del *Guardian*. Tras dejarse caer en ella, se desabrochó los botones del abrigo y rebuscó el mechero.

—¿La tapadera de la academia engaña a alguien?

—¿Ahora vamos a tener una conversación?

—Tengo que quedarme el rato suficiente para que Demetrio se convenza de que hemos aclarado los detalles del financiamiento.

—¿Está ahí fuera?

—En el coche. Entre tú y yo, puede que acepte lo de principios de mes. —Encontró el mechero y encendió el cigarrillo—. Tú no estabas en la lista de hoy: sólo pasábamos por aquí...

Él mismo se sorprendía de lo fácil que estaba resultando inventarse una historia sobre la marcha. Seguro que en unos pocos minutos los detalles de la nueva vida de Katinsky estarían servidos en la mesa como comida para llevar. Y en cuanto Lamb hubiera apartado los huesos, podría centrarse en la carne del asunto.

La «sesión informativa» de Katinsky tampoco había sido tan seria. De hecho, Katinsky formaba parte de la hojarasca arrastrada por los vientos de cambio de la Unión Soviética: espías menores desesperados por convertir calderilla informativa en moneda fuerte. Pese a todo, había que interrogarlos, separar el grano de la paja e incluso devolver a alguno para demostrar que el viaje no salía gratis.

A los que se les permitía quedarse se les daba una pequeña cantidad de dinero y un pasaporte válido por tres años que luego tenían que renovar con el sudor de su frente. Como solía decir Charles Partner, el mentor de Lamb: siempre resultaba útil tener una provisión de rusos desechables, entre otras cosas porque no podía descartarse que la rueda se echara a girar y llevara al mundo otra vez al punto de partida. De hecho, la Guerra Fría era el estado natural de las cosas.

El caso es que Katinsky, por menor que fuera como espía, había sido uno de esos afortunados, y los resultados estaban a la vista: dirigía su propia «academia».

Debía de tener casi setenta años, calculó Lamb, aunque su piel flácida estaba oculta bajo varias capas de ropa. Llevaba una camiseta blanca a todas luces bastante raída, un jersey gris de cuello de pico y una chaqueta de lana sin duda sacada de un rastro de beneficencia. Ahora bien, con independencia del atuendo de segunda mano, todo en él transmitía una sensación de estar viviendo tiempos extra, como si se hallara en el intervalo entre la fecha de caducidad y el momento en que la leche se estropea.

—Nosotros tenemos más trabajo de lo que parece —dijo en respuesta a la pregunta de Lamb sobre la academia—. Hay mucha gente interesada; estudiantes extranjeros, sobre todo. Nuestra web tiene bastante tráfico... Te sorprenderías.

—A ti te sorprendería saber lo poco que me sorprendo. ¿Por qué has hablado en plural? ¿A quiénes te refieres con ese «nosotros»?

—Es una manera de hablar. —Katinsky sonrió apenas, mostrando sus dientes manchados—. Lo importante es que la academia tiene todas las plazas presenciales ocupadas en este momento, y además ofrecemos un plan de aprendizaje a distancia.

Lamb pasó el pulgar por una pila de papel seco y tieso que había en el estante más cercano y sacó la primera hoja del montón. Un diploma: «Estudios avanzados», decía, «en la especialidad de...», y a continuación tres líneas de puntos por debajo. «Certificado por la junta», aseguraba un logo con forma de escarapela, sin entrar en detalles sobre la identidad de esa «junta» o la clase de certificación que ofrecía.

—De vez en cuando tenemos algún estudiante insatisfecho, claro —dijo Katinsky—, pero hay que ver de dónde salen, ¿eh? El otro día llegó una carta de un cabrón estúpido que no era capaz de escribir correctamente la palabra «cabrón», imagínate si era estúpido el muy cabrón. ¿Y se supone que debo preocuparme por su opinión?

—Yo habría dicho que enseñar a escribir a los cabrones entraba en vuestras funciones —dijo Lamb.

—Siempre y cuando firmen su talón —puntualizó Katinsky—. ¿No estará Demetrio preguntándose dónde te has metido?

—Estará leyendo el periódico. Hurgándose la nariz. Ya conoces a Demetrio.

—Pero no tan bien como tú.

—Es probable que no.

—Lo cual es extraño, porque me lo he inventado yo. ¿Has terminado ya con tus jueguecitos, Jackson Lamb? Y si es así, ¿te importaría decirme qué quieres?

Horas antes, el azul claro del cielo estaba lleno de estelas de aviones y Shirley Dander, rodeada de campos, ovejas, pastos y un olor a mierda que no había manera de ignorar: la Inglaterra rural. De vez en cuando, una hilera de granjas aparecía junto a la carretera; frente a una de ellas distinguió un pavo real. Lo vio cruzar la calzada y rodear un seto. Gallinas, vale, pero... ¿un pavo real? ¡Por el amor de Dios! Era como estar en una película de Richard Curtis.

Por suerte, tenía claro adónde iba: el Señor B (el calvo de Jackson Lamb) se había bajado de aquel tren retrasado a Worcester en Moreton-in-Marsh, que resultó ser un lugar más grande de lo que su nombre sugería. Tenía, por ejemplo, un centro comercial de un tamaño considerable con algunos outlets a los que habría querido echar un vistazo. Pero no estaban abiertos: apenas pasaban de las siete. Había estado toda la noche despierta.

En la estación había un aparcamiento con una parada de taxis, vacía en ese momento. Se sentó bajo un alero mientras observaba la actividad matinal: los que iban a la ciudad llegaban en todoterrenos conducidos por estresadas esposas en chándal; otros, más atrevidos, arribaban en bicicletas que luego dejaban atadas a los anclajes correspondientes o bien plegaban en complejas formas cuadriláteras para subirlas al tren. Algún que otro tristón llegaba a pie. Apareció un taxi y descargó a una rubia bastante notable. Shirley la miró sonreír y darle una propina al conductor, y volver a sonreír y bajarse, después de lo cual ella se deslizó en el asiento trasero sin apenas dar tiempo a que el conductor se diera cuenta.

—¿Ha perdido el tren?

—Para nada —respondió—. ¿Sólo trabaja por las mañanas o también hace el turno de noche? —Vio brotar una expresión de sufrimiento en la rústica faz del taxista y respondió haciendo aparecer, con la habilidad de un mago, un billete de diez libras que llevaba escondido en la correa del reloj: era un truco que solía practicar con los camareros cuando la situación lo exigía—. La semana pasada, por ejemplo. ¿Estuvo recogiendo gente al anochecer, cuando llegó el tren?

—Problemas con el novio, ¿no?

—¿Tengo pinta de que los novios me den problemas?

El taxista extendió una mano y ella le dio el billete. Arrancó, dejándole su lugar a otro taxi, y a continuación le ofreció a Shirley Dander un breve paseo por el pueblo mientras ella le iba sonsacando información sobre los servicios de taxi locales.

Una mujer gordísima avanzó con pasos pesados delante de ellos. Aparentaba veintipocos años, pero todo indicaba que había ido ganando cinco o seis kilos por año de vida. Enseguida atrajo la atención de Louisa, tal vez por la fuerza de la gravedad.

—¿Qué se sentirá?

Estaban sentados en el plinto de una columna tomándose sus cafés para llevar. En torno a ellos, un fluir constante de personas que entraban y salían de la estación de Liverpool Street, desaparecían al doblar la esquina, se metían en tiendas y edificios de oficinas...

—No sólo el esfuerzo de moverse —siguió—, sino también todo lo demás: ¿quién va a querer estar contigo si tienes ese cuerpo?

—Ya sabes lo que dicen —apuntó Min—: cualquiera que tenga un par de ésas puede conseguir uno como éste.

Señaló a qué partes del cuerpo se refería con sendas inclinaciones de cabeza.

—Yo no estaría tan segura: conozco a muchas chicas que están solas.

—Bueno, si vamos a entrar en casos particulares...

Ninguna de las personas que pasaban por allí daba muestras de interesarse por ellos. Alguien lo haría, antes o después: Spider Webb había convocado una reunión.

—Serán dos —les había dicho—: Kyril y Piotr.

—¿Dos rusos? —había preguntado Min.

—¿Cómo los reconoceremos? —se apresuró a intervenir Louisa.

—Los reconoceréis —dijo Webb—. Pashkin no vendrá hasta dentro de un par de semanas: podéis repasar el itinerario con esos dos. Les han dicho que sois del Departamento de Energía, por si acaso. Advertidles que no pueden poner los pies en los muebles, pero tampoco les pongáis una correa: nunca es bueno poner nerviosos a los gorilas.

—¿Gorilas? —preguntó Min.

—Son más bien grandotes —admitió Webb—. Son guardaespaldas, ¿esperabas que fueran un par de alfeñiques?

—¿Cómo es que han llegado con tanta anticipación? —quiso saber Louisa.

Pero Webb no sabía más.

—Él es rico. Pero no de los que llevan un Rolls Royce, sino de los que tienen nave espacial: si quiere que le ahuequen las almohadas con semanas de antelación, perfectamente puede darse el gusto.

Aunque Webb no hubiera usado la palabra «gorilas», ésta se le habría ocurrido igualmente a Min a la vista de los dos espaldas plateadas que se aproximaban a ellos. Eran francamente robustos y caminaban de tal forma que parecía que el traje les apretara. El más alto, que luego resultó ser Piotr, llevaba un peinado que recordaba a una pelota de tenis, sólo que gris. Kyril tenía el pelo más oscuro y peor recortado.

—Deben de ser ellos —dijo Louisa.

«¿Tú crees?», pensó Min. Aunque no era tan estúpido como para decirlo en voz alta. Simplemente se puso en pie, metió barriga y esperó.

La pareja se acercó a ellos y el que respondía al nombre de Piotr dijo:

—Os envía el señor Webb, ¿verdad?

Su voz era grave y, aunque hablaba inglés con soltura, su acento apuntaba sin lugar a dudas a algún país de Europa Oriental. Hechas las presentaciones, se sentaron. Louisa pidió un par de cafés más en un chiringuito cercano. Podría haber sido agradable: cuatro personas hablando de negocios a media mañana en una gran capital, el café a punto de llegar, tal vez unos sándwiches más adelante: si tirabas una piedra desde allí, seguro que acertabas a alguien que se dirigía a una reunión parecida. Min confiaba, sin embargo, en que fuera menos probable que en alguna de esas reuniones el cincuenta por ciento de los asistentes estuviera armado.

—Entiendo que el señor Pashkin llegará dentro de dos semanas —dijo Louisa.

—Exactamente —convino Piotr—. Ahora está en Moscú. Vendrá en avión.

Por lo visto, Kyril no hablaba mucho.

—Quizá deberíamos repasar algunas normas básicas antes de que llegue; sólo para que todos sepamos a qué atenernos.

Piotr la miró muy serio.

—Somos profesionales —le dijo—. Sabemos que es vuestro territorio. Decidnos cuáles son esas normas y las cumpliremos lo mejor que podamos.

Tras unos segundos que empleó en preguntarse si alguna vez hablaría un idioma extranjero con la fluidez suficiente para decir «que os jodan» de una manera tan educada, Min decidió intervenir:

—Ya, bueno, si hay alguna norma de la que no estéis seguros, decídnoslo: haré que os la traduzcan enseguida.

Louisa levantó una ceja para hacerle una seña equivalente a una patada en la espinilla.

—En fin, se trata de normas sencillas —dijo—. Como has dicho, es nuestro territorio, y no podemos permitir que vayáis armados por ahí. Estoy segura de que lo entendéis.

Piotr era la educación personificada.

—¿Armas?

—Como las que lleváis encima ahora mismo.

Kyril miró a Piotr, y éste le dijo algo en una lengua que Min dio por hecho que sería ruso. Kyril le respondió y a continuación Piotr volvió a dirigirse a ellos:

—¿Para qué íbamos a llevar armas?

—Es vuestra seguridad lo que me preocupa —aseguró Louisa—. Londres ha cambiado mucho: está mucho más espabilada de lo que solía. Basta una llamada telefónica para desatar una respuesta armada.

—Ah, una respuesta armada... sí, sí: Londres tiene cierta reputación en ese sentido.

«Ya estamos», pensó Min. «Por un perro que maté...»

—Pero te aseguro —continuó Piotr— que nadie nos va a tomar por terroristas.

—Por desgracia, si eso ocurriera —contestó Louisa— nos tocaría al señor Harper y a mí recoger los destrozos. Vosotros no tendréis ningún problema: estaréis muertos, pero nosotros estaremos hasta el cuello de mierda.

Piotr le dedicó una mirada azul, intensa y desprovista por completo de cualquier rastro de cordialidad. Pero las nubes se desplegaron de pronto y sonrió mostrando una dentadura blanca, más estadounidense que rusa.

—No queremos que eso ocurra —soltó.

Se volvió hacia Kyril y parloteó un poco. Min contó tres frases bien apretadas. Entonces, Kyril también se rió, emitiendo un ruido como el que haría una bolsa de canicas. Enseguida sacó un paquete de cigarrillos sin marca: gordos, sin filtro, letales. Haberles puesto uno de esos avisos de salud pública habría sido como subtitular una peli porno: del todo innecesario.

Le ofreció uno a Min, que lo rechazó educadamente y se bebió el último trago de café. No hacía calor, pero era un día luminoso y despejado. De hecho, al llegar al trabajo en bicicleta le había parecido que hacía fresco. (Lo de la bici era nuevo: lo usaba para compensar el tabaco. Aceptarle un cigarrillo a Kyril delante de Louisa habría equivalido a confesar que no tenía planes para el futuro más allá de lo inmediato.)

—Entonces estamos de acuerdo —dijo Louisa.

Piotr se encogió de hombros en un gesto que abarcaba no sólo la pregunta de Louisa, sino también todo cuanto los rodeaba: el cielo en lo alto, la jodida ciudad de Londres al completo.

—Sin armas —aceptó.

—¿Podemos hablar del trabajo, entonces?

Piotr asintió con elegancia.

Nadie tomó notas. Hablaron de fechas y lugares: a qué hora llegaría Pashkin, qué transporte usaría («coche», dijo Kyril en ese momento, y fue la única palabra que no dijo en ruso en toda la reunión). También hablaron de la Aguja, donde tendría lugar la reunión.

—Ya la habéis visto, claro —dijo Louisa.

—Por supuesto.

De hecho, la punta del edificio asomaba por encima del hombro de Louisa.

—Es... impresionante.

—Sin duda.

Al sonreír, se le formaban arrugas alrededor de los ojos.

«Joder», pensó Min. «¡Está ligando con ella!»

—¿Dónde os alojáis? —preguntó.

Piotr se volvió educadamente hacia él.

—¿Disculpa?

—Que dónde os alojáis.

—En el Ambassador de Hyde Park.

—¿Desde ahora?

Piotr pareció desconcertado.

—Me imaginaba que vuestro jefe querría alojarse allí —aclaró Min—, pero me sorprende que vosotros dos os hayáis instalado en ese lugar quince días antes.

Kyril lo miraba con cara de interés.

«Entiende todo lo que digo», pensó Min.

—Eso es un buen jefe —dijo Louisa—: no me imagino al nuestro haciendo algo así.

—No está mal —contestó Piotr—. Pero en realidad no nos hemos instalado allí todavía. —Se dirigió a Min—. Te he entendido mal: creía que me preguntabas dónde estaríamos luego, cuando llegue el señor Pashkin.

«Por supuesto», pensó Min.

—Entonces... ¿dónde os alojáis?

—Cerca de Piccadilly y Shaftesbury Avenue; en el hotel... ¿Cómo se llamaba?

Le lanzó un par de ladridos en ruso a Kyril, que se limitó a gruñir como respuesta.

—Excelsior... ¿o era Excalibur? —dijo Piotr—. Algo así. Perdón, soy malo para los nombres. —Su gesto de contrición parecía dedicado exclusivamente a Louisa—. Tal vez debería llamarte luego para confirmar el nombre.

—Buena idea —dijo ella—: no nos gustaría nada que os perdierais.

Rebuscó en el bolso para darle una tarjeta.

Los rusos dieron por terminada la reunión. Se levantaron y les tendieron la mano. Piotr sujetó la de Louisa mientras decía:

—Esto podría desembocar en algo muy bueno: un acuerdo petrolífero entre nuestras dos naciones. Bueno para nosotros y bueno para vosotros...

—Y bueno para el medio ambiente —añadió Min.

Piotr se echó a reír sin soltar la mano de Louisa.

—Oye —dijo—. Me caes bien: eres muy gracioso.

Louisa retiró su mano.

—Ya nos diréis el nombre de vuestro hotel.

—Por supuesto. ¿Dónde podemos coger un taxi?

—Por allí.

Kyril, muy serio, se despidió de Min con una inclinación de cabeza y los dos gorilas se largaron. Min se dio cuenta de que la gente que se cruzaba con ellos trazaba una curva para evitarlos. Louisa dijo algo, pero él no se enteró.

—Aguántame esto. —Se quitó la chaqueta y se la tiró.

—¿Min?

—Luego —contestó él.

Pero lo más probable es que ella no lo oyera porque ya estaba a veinte metros de allí.

Le costó otro billete de diez, pero hacia las 7.15 h de la mañana Shirley Dander tenía ya todos los números de los taxistas que recogían viajeros en la estación; a las 7.30 h había interrogado a fondo a tres de ellos y hacia las 7.40 h estaba hablando con el cuarto, que había empezado su turno el martes anterior al anochecer y, por tanto, estaba de servicio la noche en que los trenes que se dirigían al oeste iban con retraso. Y sí, había recogido a un calvo que no, no era un viajero habitual. Pero ¿de qué iba todo eso? ¿Era una broma?

Shirley le dijo que era una oportunidad y lo invitó a desayunar.

Todavía estaba agotada por la incursión de la noche anterior en el pequeño edificio de DataLok, donde se almacenaban las filmaciones del circuito cerrado del interior de los trenes. Reducir al crío que se ocupaba de la seguridad había acabado siendo más complicado de lo que esperaba porque el pobre muchacho estaba convencido de que iba a matarlo (probablemente a esas horas el del turno de la mañana ya lo habría desatado), y ni que decir tiene la localización de los archivos, a pesar de que el sistema no era precisamente un libro cerrado, menos aún para ella, que se había pasado cuatro años en el Cuartel General de Comunicaciones. El caso es que finalmente había podido subirlo todo a una web que había creado horas antes y luego se había ido a casa, había despertado a su amante y prácticamente lo había violado. Poco después, tras dejarlo tirado en la cama, exhausto, se había metido una raya de coca y se había puesto a hurgar en los datos. Pocos minutos después ya había logrado descodificar el sistema de archivos: fecha, hora, número de tren, destino, vagón... Según sus cálculos, la grabación funcionaba por intervalos de siete segundos..., aunque tal vez fuera cosa de la coca. Ante la duda, había decidido meterse una segunda raya: si iba a tener que estar despierta toda la noche, cualquier ayuda le vendría bien.

Revisar todas las grabaciones le había tomado poco más de dos horas.

Bueno, dos horas según el reloj, porque, a esas alturas, Shirley ya estaba en otra dimensión. Era la coca, sí, pero también el subidón de adrenalina tras la incursión nocturna. Los saltos de la grabación parecían replicar los latidos de su corazón. Distinguió a un montón de hombres calvos, pues la calvicie en estos tiempos ya no es una tragedia masculina tanto como una posibilidad más que ofrece la moda, pero no tuvo la menor duda cuando encontró al único Señor B: ahí estaba, totalmente ajeno a la cámara del fondo del vagón y, sin embargo, tan perfectamente encuadrado que sólo le faltaba decir «patata». Iba sentado solo, muy serio, mirando hacia delante. Ni siquiera pestañeaba. «Aunque quizá sí», se corrigió Shirley Dander, encocada como estaba: quizá pestañeaba en los seis segundos que faltaban de cada siete. De todos modos, resultaba extraño que se lo viera tan quieto como un muñeco de cartón piedra mientras a su alrededor parecía haber una convención de magos, de tantas cosas que aparecían y desaparecían. Por lo visto, había permanecido así de quieto hasta que llegaron a Moreton-in-Marsh, en los Cotswolds, lugar que, entre otros atractivos, tenía un pequeño café abierto a primera hora.

Kenny Muldoon, el taxista, resultó ser algo así como el monstruo del desayuno: devoró salchichas, beicon, huevos, judías estofadas, el equivalente a varios cubos de té y una cantidad de tostadas suficiente para enmoquetar un granero... Shirley, que no tenía apetito, aún notaba un montón de energía pura corriendo por sus venas, pero ya hacía horas de la última raya de coca y se había autoimpuesto la norma de jamás llevar encima cuando salía de casa, así que dio por hecho que se iba a desmayar en cualquier momento, ¡y aún tenía que conducir todo el camino de vuelta a casa!... Mordisqueó un trozo de tostada y se bebió de un trago una taza de té entera. Volvió a servirse y dijo:

—Así que usted recogió a un caballero calvo en la estación el martes pasado...

—No sé si era un caballero, más bien me pareció un matón.

—No discutamos por los detalles. ¿Adónde lo llevó?

—¿Esto es parte de alguna disputa amorosa? —Pronunció la palabra «disputa» como si aún tuviera el último trozo de salchicha en la boca—. ¿Su *sugar daddy* ha echado una cana al aire?

En un instante, Shirley le arrebató el tenedor y le clavó la mano a la mesa. La sangre brotó como si fuera kétchup y fue a caer sobre los restos del desayuno inglés...

—Ja, ja —rió Kenny.

Shirley pestañeó, pero el tenedor siguió clavado en la mano del taxista.

—Algo así —contestó finalmente—. ¿Recuerda adónde lo llevó?

Lo máximo que Kenny Muldoon estaba preparado para ofrecer como respuesta a esas alturas era una caída de párpados. «Cómo son los taxistas», pensó Shirley. «Podrías meterlos en una caja con todos los banqueros de Londres y a nadie le importaría que la dejaras caer por un acantilado.» El dinero que llevaba en la correa del reloj se le había agotado ya, así que tuvo que sacar otro billete del bolsillo.

—No sabía que la vida en el campo fuera tan cara.

—Los de ciudad no saben ni dónde han nacido —respondió él. Soltó el cuchillo, cogió el dinero, se lo metió en el bolsillo y volvió a coger el cubierto—. Claro que me acuerdo —dijo como si todo lo ocurrido entre la pregunta y la respuesta no hubiera existido nunca—. Cómo no me iba a acordar, con el lío que montó.

—¿Qué clase de lío?

—No sabía adónde iba. Al principio dijo que quería ir a Bourton-on-the-Water, pero a medio camino se puso a gritar como si lo hubiera secuestrado. Por poco caigo en una zanja, ¿sabe? Ponerse así no es buena idea en una noche lluviosa.

Por su tono, quedaba claro que el incidente aún lo exasperaba.

—¿Qué problema tenía?

—Resulta que no quería decir «Bourton-on-the-Water», sino «Upshott», ¿vale? Y pretendía hacerme creer que lo había dicho desde el principio y que yo era un idiota por no haberlo oído bien. —Hizo una pausa—. ¿Cuánto tiempo diría que llevo en este trabajo?

Como si le importara un pito.

—¿Quince años?

—Veinticuatro. Y no confundo los nombres de los sitios, eso se lo digo gratis.

En ese caso, ¿no debería devolverle parte de las diez libras?

—¿Y qué hizo entonces?

—¿Qué podía hacer? Di media vuelta y lo llevé a Upshott. Me hizo poner a cero el taxímetro con la excusa de que no pensaba pagar un viaje a un lugar al que nunca había querido ir. —Kenny Muldoon negó con la cabeza ante la evidente injusticia de un mundo en el que podían ocurrir esa clase de atrocidades—. Y ya se puede imaginar la propina que me dio.

Shirley formó un cero con el índice y el pulgar y el hombre asintió con gesto lúgubre.

—Bueno, ¿y qué hay en Upshott?

—¿En Upshott? Prácticamente nada: cien casas y un pub.

—O sea, que no hay estación de tren.

Muldoon la miró como si acabara de caer de otro planeta. Para ser justos, habría que reconocer que ella misma se sentía un poco así.

—En Upshott no hay prácticamente nada, pero ahí lo dejé. Un viaje de doce libras, y ni un penique de propina. A veces me pregunto por qué me dedico a esto.

Clavó el tenedor en el último trozo de salchicha y rebañó la poca yema de huevo que quedaba en el plato. A juzgar por la cara que puso cuando se lo llevó a la boca, comer suponía un pequeño consuelo frente a su triste destino.

—¿Y luego?

—Arranqué y me fui sin mirar atrás —dijo Kenny Muldoon.

En Londres, el código de circulación no se aplica por igual a todo el mundo: para los motoristas, es una norma estricta; para los taxis, una guía; para los ciclistas, una pequeña molestia. Min dobló la esquina en City Road sin detenerse y un camión frenó de golpe. No estuvo ni cerca de atropellarlo, pero el conductor le dedicó unos buenos bocinazos. Ignorándolo por completo, Min se coló entre la manada de turistas que cruzaban la calle con sus mochilitas rojas y demás, obligándolos a correr en busca de la seguridad de la acera.

Había recogido la bicicleta encadenada en Broadgate Square y ahora, pedaleando sin americana y con el casco puesto, iba más disfrazado que nunca en su vida. Los rusos podían volverse a mirar todo lo que quisieran por la luna trasera del taxi, no lo reconocerían: era otro ciclista loco.

«¿Por qué haces esto?»

«Porque no me fío de ellos.»

«Ya, ya, pero desconfiar es parte del juego.»

Era un poco extraño que la voz del sentido común se pareciera tanto a la de Louisa.

El taxi se dirigía a la rotonda de Old Street, lo que implicaba que podía tomar una variedad de direcciones... y desaparecer. De momento, sin embargo, estaba detenido en un semáforo que estaba unos cien metros por delante. Min ya iba pedaleando más rápido que nunca, pero intentó acelerar un poco más, cambió de carril para adelantar a un autobús que frenaba y se colocó a su lado al tiempo que el semáforo, ahora a unos cincuenta metros, se ponía en verde. El autobús arrancó y él intentó ganarle el paso, pero un taxi se detuvo a recoger pasaje y él no tuvo más remedio que frenar en seco. Dejó una marca de goma en el pavimento y apretó tanto los dientes que casi se le soldaron.

«Esto es por cómo me ha mirado, ¿verdad?»

«No seas tonta. Es porque no ha querido decirnos dónde se alojan.»

«¿Así que piensas seguirlos en bicicleta hasta su hotel?»

El autobús cambió de carril y siguió adelante. Min giró el manillar como quien tira las riendas de un caballo desobediente para rodear al taxi aparcado y, al pasar junto a la ventanilla del conductor, le gritó un par de buenas ideas. Por un momento sintió las piernas como un par de espaguetis hervidos y la bicicleta como un instrumento de tortura, pero enseguida, con un clic inaudible, hombre y bici volvieron a ser un solo ser, y Min se encontró fluyendo hacia la rotonda de Old Street, que hacía gala de varios semáforos en verde. Podía ver un taxi cuatro coches por delante, y estaba casi seguro de que las dos cabezas que conversaban en el asiento trasero pertenecían a Piotr y Kyril. Sus piernas iban más rápido, el suelo discurría bajo sus ruedas y quedaba un largo tramo de Old Street, unos cuatrocientos metros todavía, antes de llegar al paso cebra. Nunca se había fijado en la cantidad de obstáculos a la libre circulación del tráfico que había en la ciudad: se habría alegrado mucho de que existieran de no ser porque el taxi se pasó el semáforo en ámbar y siguió circulando hacia Clerkenwell.

«Desde luego, si hay algo peor que comportarse como un mamón es comportarse como un mamón y volver con las manos vacías...»

No frenó: pasó como una cuchilla entre los peatones, el manillar se enganchó en una bolsa de plástico y la compra se derramó por el suelo: manzanas, frascos, paquetes de pasta. Alguien gritó. El taxi le llevaba ya mucha delantera y ni siquiera estaba seguro de que fuera el taxi correcto. La Louisa que llevaba en la cabeza preparaba un nuevo embate verbal («Y matándote, ¿qué demostrarías exactamente?») al tiempo que una gran furgoneta blanca aparecía por su izquierda justo delante de él. Sintió que se le paraba el corazón.

El ruso abrió un cajón y sacó papel de fumar y un paquete de tabaco con un rótulo marrón de lujosas letras cursivas. Mientras liaba un cigarrillo fino con un pellizco de tabaco, le preguntó a Lamb:

—¿Has venido a matarme?

—No se me había ocurrido —contestó Lamb—. ¿Te lo mereces?

Katinsky se lo pensó unos segundos.

—Últimamente, no tanto —dijo al fin; luego añadió—: Hay una tienda en Brewer Street: allí se consigue tabaco ruso, chicles polacos, rapé lituano... —Encendió el cigarrillo con una cerilla—. En otro tiempo, la mitad de sus clientes eran espías. Me hablaron de ti en muchas ocasiones, incluso me dieron tu descripción. —Metió la cerilla apagada en la caja—. En fin, ¿qué quieres de mí, Jackson Lamb?

—Conversar un poco sobre los viejos tiempos, Nicky.

—Los viejos tiempos ya no existen. ¿No te habías enterado? Han asfaltado el callejón de la memoria y le han construido un centro comercial encima.

—No importa cuánto tiempo pase un ruso fuera de Rusia —observó Lamb—, en el fondo seguirá creyéndose un puto poeta trágico.

—Ríete —dijo Katinsky—, pero hace no muchos años en Inglaterra nadie sabía siquiera lo que era un centro comercial, y ahora los hay dondequiera que mires, con sus tiendas de dónuts y sus hamburgueserías. Así que te voy a decir lo que tiene gracia de verdad. —Katinsky dio una larga calada—. Lo que tiene gracia de verdad es que todavía creéis que los americanos sólo vencieron a la Unión Soviética. —Escupió en la papelera; no quedó claro si era un comentario adicional o una necesidad relacionada con el acto de fumar—. Así que, si quieres, llévame de paseo por el callejón de la memoria —siguió—, pero será a la fuerza, ¿me entiendes?

—Tengo la sensación de que lo más difícil será hacerte callar.

Esperó mientras Katinsky cerraba la puerta y luego lo siguió por las escaleras hasta la calle. Se asomaron al menos a seis pubs hasta que Katinsky encontró uno que mereciera su aprobación. Una vez dentro, repasó el local con la mirada antes de dirigirse a un rincón, en un gesto que podía significar que nunca había estado allí o que quería hacer creer a Lamb que nunca había estado allí. Dijo que quería vino tinto, lo que habría sorprendido a Lamb en caso de que algo así pudiera sorprenderlo.

Lamb fue a la barra y se pidió un whisky doble porque quería dar la impresión de que podía permitírselo, pero también porque le apetecía un whisky doble. El callejón de la memoria se extendía en ambas direcciones: se merecía una buena copa. Su whisky llegó antes que el vino, así que se lo liquidó en dos tragos y se pidió otro. Luego llevó el nuevo whisky y el vino de Katinsky a la mesa.

—«Cigarras» —dijo mientras le ponía el vino delante.

Katinsky tardó un instante en reaccionar. Alzó la copa, la hizo girar como si fuera un tinto digno de paladearse, en vez de un cutre tinto de la casa, y dio un sorbo. Luego dijo:

—¿Qué?

—«Cigarras»: una palabra que mencionaste en tu interrogatorio en Regent's Park.

—¿Ah, sí?

—La mencionaste: he vuelto a ver la grabación.

Katinsky se encogió de hombros.

—¿Y? ¿Crees que recuerdo todo lo que dije en un interrogatorio de hace casi veinte años? Me he pasado casi toda la vida intentando olvidar cosas, Jackson Lamb. Y esto... esto es historia antigua. El oso está bien dormido, ¿por qué intentar despertarlo con un palito?

—Tienes razón. Bueno, ¿cuándo te toca renovar el pasaporte?

Katinsky lo miró con hastío.

—Ya veo. No basta dejar a un hombre seco por completo: tenéis que volver para machacar los huesos... —Buscó rehidratarse con otro trago de vino; fue un buen trago, un trago de bebedor, de los que te obligan luego a secarte la barbilla—. ¿Alguna vez te han interrogado, Jackson Lamb?

Era una pregunta tan estúpida que ni siquiera se tomó la molestia de contestarla.

—Pero interrogarte en serio, como a un elemento hostil. Pues así me trataron a mí: querían saber todo lo que había oído, visto o hecho, y unas horas después yo ya no sabía si buscaban razones para echarme o para que me quedara. Lo que te digo: te dejan seco.

—¿Estás intentando decirme que te inventaste cosas?

—No, estoy intentando decirte que allí solté hasta la última pizca de información que tenía, todo lo que me pareció que podía ser útil y lo que no, lo que sabía y aquello de lo que no tenía ni idea. Hasta la última gota. Si has visto la grabación, sabes tanto como yo. A lo mejor incluso más porque, créeme, he olvidado hasta lo que nunca supe.

—Incluidas las cigarras.

—A lo mejor no —dijo Katinsky.

• • •

Durante un instante, la distancia entre Min y el final de su vida fue imperceptible. La furgoneta dio un frenazo para no atropellarlo y el aire desplazado lo besó por todo el cuerpo y luego desapareció dando paso al caos. A sus espaldas sonó una bocina, pero qué diablos: en las calles de la ciudad, las experiencias cercanas a la muerte se vendían a dos peniques; al cabo de unos minutos ya nadie se acordaría.

A esas alturas la velocidad se había convertido en su único propósito. Sus piernas bombeaban con facilidad, sus manos se fundían con el manillar... La calzada transcurría velozmente bajo sus ruedas y el goce de vivir lo inundó como si se hubiera bebido un lingotazo de tequila. Al pedalear dejaba escapar un sonido que no parecía humano, a medio camino entre la risa y el gemido. Los peatones lo miraban: pocos habían visto alguna vez a un ciclista ir tan rápido.

Más adelante estaba el cruce de Clerkenwell Road, con más semáforos todavía, y entre el tráfico detenido se veían al menos tres taxis. Min, inmortal a esas alturas, dejó de pedalear y avanzó por inercia hacia los vehículos detenidos.

«—De manera que lo has alcanzado... posiblemente. ¿Y ahora qué?

»—Kyril entendía todo lo que decíamos.

»—Pues claro, ¿y?»

Circuló por el carril bici, se puso a la altura del primer taxi y se atrevió a mirar de reojo: llevaba un único pasajero que iba hablando por el móvil. El segundo parecía una imagen en el espejo: un hombre con el teléfono en la otra oreja. Se detuvo junto a un autobús que estaba más adelante en la cola, tal vez el mismo con el que se había cruzado peligrosamente momentos antes. Sólo dos coches lo separaban del último taxi, que esperaba impaciente la luz del semáforo. Por un momento, el mundo pareció desenfocarse, pero luego se le aclaró la mirada y se encontró contemplando los cogotes de Piotr y Kyril. Ambos miraban al frente sin mostrar el menor interés por un ciclista desaliñado.

Así que los había alcanzado, ¿y ahora qué?

Obtuvo su respuesta casi de inmediato porque el semáforo se puso en verde y el taxi arrancó. Apenas tuvo tiempo de memorizar la primera mitad de la matrícula (SLR6) antes de que el vehículo dejara atrás el cruce y encarara la cuesta de Clerkenwell Road llevándose consigo la sensación de que podía seguir pedaleando hasta la eternidad y alejándose como uno de esos faroles chinos de papel que se encienden para soltarlos y contemplar cómo se elevan hasta que desaparecen en la nada. Cada inspiración lo arañaba por dentro como una cerilla frotada contra una superficie rugosa; notaba un gusto a sangre en la boca, algo que nunca es buena señal. Para cuando llegó al otro lado del cruce, el taxi había desaparecido. Tal vez estuviera a kilómetros de allí... Se dio cuenta de que lo estaba adelantando un peatón, así que se echó a un lado, le hizo la peineta al coche que llevaba detrás por puro hábito de ciclista y sacó el móvil del bolsillo del pantalón. Le temblaban las manos al marcar. La bicicleta cayó en la acera.

—¿Sí?

—¿Tienes alguna influencia en el «Troc»?

El «Troc» era el Trocadero: el centro neurálgico de la red de cámaras de vigilancia de la ciudad.

—Estoy bien, Min, gracias por preguntar. ¿Qué tal estás tú?

—Joder, Catherine...

—Influencia no sé, pero hice un curso de comunicación con uno de sus administradores allá por la Edad Oscura. ¿Qué quieres?

—Necesito que rastreen un taxi que va hacia el oeste por Clerkenwell Road. Las primeras letras de la matrícula son...

—¿Un taxi?

—Tú prueba, Cath, a ver si lo localizan, ¿vale?

Balbuceó el fragmento de matrícula sin apenas resuello: SLR6.

—Haré lo que pueda.

131

Min se guardó el móvil en el bolsillo y a continuación se inclinó hacia un lado y, procurando no manchar y no mancharse, vomitó en una alcantarilla.

Katinsky se acabó la copa de vino. Lamb miró su propio vaso y se dio cuenta de que también estaba vacío. Gruñó y se dirigió a la barra, donde un par de ancianas que parecían llevar encima todo su guardarropa a la vez conversaban furtivamente y un hombre de coleta y con el chaleco de los barrenderos se confesaba a una pinta de cerveza. Llegaron las bebidas, volvió a la mesa y le plantó la copa de vino delante a Katinsky, que arrancó de nuevo:

—En Regent's Park me dieron a entender que estaba desfasado: como si fuese la época de las ofertas y ya tuviesen todo lo que necesitaban. «Cuéntanos algo nuevo», me dijeron, «o te devolvemos». Y yo no quería que me devolvieran. Los agentes del KGB no éramos muy populares en ese momento de la historia. De hecho, te voy a contar un secreto: nunca fuimos muy populares; lo que pasa es que ya no estábamos en una situación que nos permitiera decir que nos daba lo mismo.

—¿Sabes una cosa? —dijo Lamb—. Seguís sin caerle bien a nadie.

Katinsky reflexionó un momento.

—Pero yo sólo tenía información sin importancia: chismes de oficina; tal vez con algún interés porque la oficina era la Central de Moscú, pero nada que no hubiera sido envuelto como regalo antes, quizá más de cien veces, por hombres que habían olvidado más de lo que yo iba a saber en toda mi vida. —Se echó hacia delante y adoptó un tono conspiratorio—: Yo era especialista en mensajes cifrados; lo sabías, ¿no?

—Leí tu currículum: no eras precisamente de los que hacían saltar las alarmas.

El ruso se encogió de hombros.

—Me consuela haber sobrevivido a colegas más exitosos.

Lamb también se inclinó hacia delante.

—¿Los mataste de aburrimiento? No quiero la historia de tu vida, Nicky: sólo me interesa lo que sabías sobre las cigarras y no contaste en aquel momento. Y por si acaso se te ha ocurrido alargar esto toda la noche, ésta es la última copa a la que pienso invitarte. ¿Me entiendes?

Una expresión de desconcierto se asomó al rostro de Nikolai Katinsky, que se puso a toser, pero no con la tos que despeja los pulmones, con la que Lamb estaba familiarizado, sino como si tuviera dentro algo que intentaba salir de su cuerpo. Un hombre de menor categoría podría haberse ofrecido a hacer algo, como ir a buscar un vaso de agua... o llamar a una ambulancia, pero Lamb se contentó con dar un sorbo a su whisky hasta que Katinsky recuperó el control.

Cuando le pareció que estaba en condiciones de contestar, le preguntó:

—¿Esto te ocurre a menudo?

—Cuando hay humedad es peor —dijo Katinsky entre resuellos—. A veces me...

—No, no, es porque voy a salir a fumarme un cigarrillo. —Meneó el mechero en el aire para ilustrarlo—. Y si esta triste exhibición era una manera de no contestarme, te sacaré a la calle y le daré un buen uso a este aparatito.

Katinsky se lo quedó observando sin hablar durante largos segundos y luego desvió la mirada hacia la mesa. Cuando volvió a hablar, lo hizo con voz firme:

—Lo de las cigarras es algo que oí mencionar junto a un nombre que te resultará familiar: Alexander Popov. En ese momento para mí no significaba nada, pero lo pronunciaban en un tono como de... ¿Cómo decirlo? Yo diría que de asombro. En un tono que parecía de asombro.

—¿Dónde ocurrió eso?

—Fue en unos servicios; en un cagadero, si prefieres llamarlo así. Era un día normal de trabajo, aunque en esos días, cuando faltaba poco para la caída del muro, ningún día era normal: he oído decir muchas veces que la caída fue repentina, que nadie estaba preparado, pero tú y yo sabemos que no fue así. Dicen que los animales presienten los terremotos antes de que se produzcan, y de los espías podría decirse lo mismo, ¿no es cierto? No sé cómo era en Regent's Park, pero en la Central de Moscú era como estar esperando los resultados de un examen médico.

—Venga, joder —dijo Lamb—. Estabas en un cagadero y...

—Tenía retortijones, así que fui a los servicios, donde sufrí un ataque de diarrea. Y ahí estaba, en un cubículo, cuando entraron dos hombres a echar una meada. Iban hablando. Uno de ellos dijo: «¿Tú crees que todavía importa?» Y el otro contestó: «Alexander Popov cree que sí.» Y el primero volvió a decir: «Bueno, él por supuesto: las cigarras son su criatura favorita.» —Katinsky se detuvo—. No dijo exactamente lo de «criatura favorita», pero es lo más parecido que se me ocurre.

—¿Y eso fue todo?

—Terminaron de mear y se fueron. Yo me quedé otro rato, más preocupado por mi estómago que por el significado de sus palabras.

—¿Quiénes eran? —preguntó Lamb.

Katinsky se encogió de hombros una vez más.

—Si lo supiera, te lo habría dicho.

—¿Y mantuvieron esa conversación allí sin comprobar si alguien podía oírlos?

—Supongo que sí. Yo estaba allí y hablaron igualmente.

—Qué oportuno.

—Si tú lo dices. Pero para mí no significaba nada: no volví a pensar en ello hasta que me encontré intentando pescar cosas en el fondo de mi cerebro en aquella sala de Regent's Park. —Frunció el ceño—. Ni siquiera sabía qué eran las cigarras: creía que eran peces.

—En vez de un insecto muy curioso.

—Muy curioso, sí, y con un rasgo particularmente divertido.

—Por el amor de Dios —dijo Lamb, y parecía genuinamente molesto—. ¿Crees que no lo sé?

—Se esconden bajo tierra por largos períodos —siguió Katinsky—. A veces, hasta diecisiete años, según tengo entendido. Y luego salen de ahí y se ponen a cantar.

—Si realmente fuera un término en clave —afirmó Lamb—, tendría un solo significado.

—Pero no lo era, ¿verdad?

—No. Fuiste un incauto: otro hombre de paja tirándonos un anzuelo sobre Alexander Popov, que no existía. De modo que acabamos como el pez que se muerde la cola: intentando descubrir una red latente que tampoco existía.

—¿Y entonces por qué me dejaron quedarme? ¿Por qué no me devolvieron?

Esta vez fue Lamb quien se encogió de hombros.

—Probablemente porque no les costaba nada. Por si acaso.

—Por si acaso resultaba que lo que había oído era real. —Katinsky se estaba recuperando del ataque de tos. Las pausas entre sus frases eran cada vez más breves; se lió otro de sus cigarrillos de tabaco ruso y lo puso sobre la mesa con cuidado, como si fuera una reliquia; después continuó—: Porque eso significaría que vuestro hombre del saco también era real, y no sólo eso, sino que además quizá mantenía una red de verdad; aquí, en la vieja y querida Inglaterra. Tal vez incluso siga manteniéndola.

—Gracias —dijo Lamb—. Ahora que lo he oído decir en voz alta, está claro que es una imbecilidad.

—Por supuesto. —Katinsky inclinó la cabeza—. Porque no hay ningún precedente de algo así.

—Qué gracioso.

—Salvo que todo el mundo sabe que lo hay. ¿Por eso te has presentado en mi puerta, Jackson Lamb? ¿Has estado leyendo los periódicos del año pasado y te ha dado miedo que pudiera volver a ocurrir? —Ahora Katinsky se lo estaba pasando bien—. Parecerá una negligencia, ¿no? Permitir que no sólo una, sino dos redes de espías comunistas hayan anidado cómodamente en pleno corazón de Occidente.

—No estoy seguro de que la política soviética le importe a nadie a estas alturas —dijo Lamb—. Ese perro murió hace tiempo.

—Claro que sí: el paraíso de los obreros lo dirigen hoy en día los mafiosos y los capitalistas; más o menos como el Occidente.

—¿Echas de menos los viejos tiempos, Nicky? Siempre podemos enviarte de vuelta.

—Yo no, Jackson Lamb. Contemplo vuestra tierra verde y agradable y me encanta lo que habéis hecho con este lugar. Pero tú has venido porque empezabas a pensar: «¿Y si...?» ¿No es cierto? ¿Y si al fin y al cabo lo de las cigarras era verdad? ¿Qué los movería? No los intereses soviéticos, desde luego, porque nada de eso existe ya. —Levantó la copa vacía hacia la luz y la inclinó de tal modo que la tenue marca roja que había dejado el vino parecía una cicatriz—. Imagínatelo: enterrados durante años y años, esperando una palabra para ponerse a cantar. Pero... ¿qué palabra?

—Alexander Popov era un espantapájaros —dijo Lamb—: un sombrero y un abrigo sobre dos palos viejos, nada más.

—Dicen que el mejor truco del diablo fue conseguir que la gente dejara de creer en él —apuntó Katinsky—. Pero todos los espías creen en el diablo, ¿verdad? En el fondo, en las noches más oscuras, todos los espías creen en el diablo.

Se echó a reír, lo que le provocó un nuevo ataque de tos. Lamb lo observó jadear durante un minuto, luego negó con la cabeza y dejó un billete de cinco libras en la mesa.

—Me encantaría poder decir que has sido de gran ayuda, Nicky —le dijo—, pero a fin de cuentas creo que tendríamos que haberte devuelto.

Cuando lo miró desde la puerta, Katinsky seguía tosiendo y jadeando. Todo su cuerpo se estremecía, pero el billete de cinco libras había desaparecido.

Unos minutos antes, desde su taxi, Kenny Muldoon se había quedado observando a Shirley Dander subir a su coche, ponerse unas gafas de sol y salir disparada del aparcamiento de la estación de Moreton-in-Marsh. «Será mejor que esta chica vaya con cuidado», pensó: a los locales no les gustaban los conductores agresivos, y no hay nada más local que un policía local. Pero ése no era su problema. Se palpó el bolsillo del pecho, donde había guardado el dinero que ella le había dado, y luego se dio una palmada en la barriga, donde había metido a paladas el desayuno que ella le había pagado. El principio de su jornada de trabajo no había ido mal, y aún podía mejorar.

Abrió la guantera y sacó un trozo de papel en el que había garabateado un número de móvil. Fue leyendo los números en voz alta mientras los marcaba en su teléfono.

Uno de los trenes que llevaban trabajadores a la ciudad estaba saliendo de la estación, lleno a reventar.

Sonó el teléfono.

Había una mujer en el andén con un crío en brazos. Le había cogido la manita y hacía que se despidiera del tren.

Sonó el teléfono.

Una pareja de jóvenes vestidos con anoraks relucientes y cargados con enormes mochilas examinaban los horarios junto a la entrada. Daba la sensación de que estaban discutiendo. Uno de ellos, como si fuera un argumento, señaló el tren que partía.

Alguien cogió la llamada.

—Soy Muldoon, el taxista —dijo—. Me dieron este número. —Y luego contestó—: Sí, pero era una mujer. —Y añadió—: Sí, eso mismo le he dicho. —Y finalmente preguntó—: Bueno, ¿cuándo me dan mi dinero?

Cortó la llamada, soltó el teléfono en el asiento de la izquierda, arrugó el trocito de papel y lo tiró a sus pies. Poco después, salía del aparcamiento.

Momentos después, los dos jóvenes con sus anoraks relucientes ya estaban el andén esperando el siguiente tren.

6

Roderick Ho estaba cabreado.

Roddy Ho se sentía traicionado.

Roderick Ho se preguntaba qué sentido tenía todo si no podías confiar en tu compañero, en tu compañera. Si tu compañera te mentía, si te mostraba una cara falsa, si no era quien decía ser.

Alguien menos viril se hubiera echado a llorar.

Porque uno lo daba absolutamente todo en una relación, ¿y qué descubría? Descubría que se había acercado a un pedazo de rubia a la que le molaba el hip-hop, las pelis de acción y el *snowboard*, que había llegado al quinto nivel de *Armageddon Posse* y asistía a clases nocturnas de historia del siglo XX, y entonces (aunque sólo se había enterado porque ella le había dicho la marca de su coche y había comentado que tenía SkyPlus, dos datos concretos que le permitieron rastrear su identidad corpórea, en vez de su personaje en las redes sociales) resultaba que, si de verdad le molaba el *snowboard*, ya podía ir con cuidado porque no hay muchas compañías de seguros dispuestas a cubrir a una mujer de cincuenta y cuatro años en unas vacaciones en la nieve, teniendo en cuenta que los cincuenta y cuatro son la clásica edad en la que los huesos se vuelven quebradizos y hay que preocuparse si uno pilla un catarro, no vaya a ser que se convierta en algo más grave. Joder, ¡si ni siquiera necesitaba asistir a clases sobre historia del siglo xx! Podía limitarse a recordar. Roddy Ho no estaba seguro de si su madre había cumplido ya los cincuenta y cuatro. Se la había jugado, menuda zorra.

En fin. Agua pasada. Los nuevos ajustes de su correo electrónico garantizaban el bloqueo de cualquier comunicación ulterior con Doña Departamento de Geriatría. Si se preguntaba qué podía haber hecho para molestar a Roderick Ho (o, mejor dicho, a Roddy Hunt, el exitoso DJ, tan parecido a Montgomery Clift, con quien ella creía estar ligando), no tenía más que mirarse al espejo. Si necesitaba algún curso nocturno tendría que ser sobre cómo aprender a dar la cara. Ho no se ofendía con facilidad (era un tipo tranquilo), así que cuando registró el nombre de la señora Carcamal en el buró de crédito lo hizo con una mezcla de pena y asco. Sólo esperaba que aprendiera la lección y la próxima vez se quedara en el lado que le correspondía de la brecha generacional.

Y por si aquella tarde no había sido lo suficientemente estresante, ahí estaba Catherine Standish con sus regalitos.

—Roddy —le dijo al tiempo que ponía una lata de Red Bull sobre su escritorio.

Con una suspicaz inclinación de cabeza, Ho la movió unos centímetros hacia la izquierda: cada cosa tenía su sitio.

Catherine se acomodó detrás del otro escritorio con una taza de café entre las manos.

—¿Todo bien? —preguntó.

—Sólo vienes a verme cuando quieres algo —dijo él.

Una expresión que no fue capaz de identificar cruzó el rostro de Catherine.

—Eso no es del todo cierto.

Ho se encogió de hombros.

—No importa. De todos modos, estoy ocupado. Y además...

—¿Además...?

—Lamb me ha ordenado que no vuelva a ayudarte.

(Lo que Lamb había dicho, en realidad, era esto: «Como vuelva a pillarte tomando decisiones por tu cuenta, te mandaré al Departamento de Asistencia Técnica, más concretamente al servicio de fotocopias.»)

—Lamb no tiene por qué enterarse de todo lo que hacemos —sugirió Catherine.

—¿Eso se lo has comentado alguna vez?

Catherine no respondió y Ho lo interpretó como una prueba irrefutable de que tenía razón, así que abrió la lata de Red Bull y bebió un largo trago.

Sin dejar de mirarlo, Catherine bebió un sorbo de café.

Ho pensó: «Ya estamos: otra mujer mayor con un plan.» Aunque, a decir verdad, ésta iba detrás de su talento, no de su cuerpo..., pero era lo mismo: quería aprovecharse de él, sacar tajada, explotarlo. Pero él era un tipo duro de pelar. Miró la pantalla y después a Catherine, que le sostuvo la mirada. Se volvió de nuevo hacia la pantalla, la contempló durante medio minuto, que es mucho más de lo que parece al decirlo, y luego volvió a arriesgarse a observarla de reojo: seguía con los ojos clavados en él.

—¡¿Qué?!

—¿Qué tal va el archivo? —preguntó Catherine.

El archivo era un recurso en la red de los servicios secretos: una «herramienta para relacionar los sucesos actuales con sus precedentes históricos», y por lo tanto tenía un enorme valor estratégico, o al menos eso había decidido un ministro provisional unos cuantos años atrás. Y como en la administración pública solía suceder que una vez fijada una idea era muy difícil cambiarla, la brillante ocurrencia que aquel ministro había tenido una mañana cualquiera lo había sobrevivido a lo largo de varias legislaturas, y dado que a ojos de Regent's Park no había trabajo inútil que no pudiera encomendarse a un caballo lento, el mantenimiento y enriquecimiento del archivo habían ido a parar a las manos de Roderick Ho.

—¿El archivo? Bien.

Catherine balanceó la taza de café en una mano y, con la otra, se secó los labios con una servilleta. «Muy mal», pensó Roderick Ho: ése era su despacho, su espacio; todo lo que contenía, los cables y ratones, los sobres para guardar CDs y los gruesos manuales de sistemas operativos obsoletos, estaba ordenado de modo que ocupara el lugar correcto, por mucho que para los no iniciados pareciera un caos. Cierto que había algunas cajas de pizza y latas de bebidas energéticas aquí y allá, y un zumbido eléctrico que brotaba de los ordenadores inundándolo todo, pero al fin y al cabo era su espacio, y no estaba bien que Catherine Standish pudiera deambular por ahí como si también fuera suyo.

Y no parecía que pensara largarse pronto.

—Seguro que te roba mucho tiempo —dijo.

Se refería al mantenimiento del archivo.

—Me roba casi todo el tiempo —contestó Ho—: tengo órdenes de considerarla mi máxima prioridad.

—En ese caso, te será muy útil la rutina de trabajo ficticia que te has inventado —siguió Catherine—. Ya sabes, esa que haría creer a cualquiera que supervise tu actividad que trabajas un montón.

A Ho se le atragantó el segundo trago de Red Bull.

—Te podrías haber matado —dijo Louisa.

—Simplemente iba en bici, como miles de personas todos los días. La mayoría de ellas no se mata.

—La mayoría no se dedica a perseguir coches.

—Yo creo que en realidad sí —repuso Min.

—¿Y qué has conseguido?

«Recorrer dos kilómetros y medio», pensó él, lo que no estaba mal, teniendo en cuenta el tráfico de Londres. Sin embargo, contestó:

—He puesto a los tipos del «Troc» a seguirle la pista al taxi desde Clerkenwell Road y han descubierto...

—¿Que tú has puesto...?

—Vale, vale. Catherine ha puesto a los del «Troc» a seguirle la pista al taxi y resulta que esos dos gorilas no se han bajado en el Excelsior, ni en el Excalibur, ni en el Expiralidoso, sino que han seguido hasta Edgware Road. Es decir que, en vez de en un hotel del West End, deben de estar alojados en un albergue para sintecho.

—Ésa es la clase de información que Webb debería haber tenido de buen principio, ¿no? Me refiero a dónde se alojan los gorilas. Ésos llevan bastante tiempo en el país ¿y van por ahí sueltos, sin correa?

Min pensó que se merecía cierto crédito por haberles puesto la correa, o al menos por averiguar dónde estaba su perrera.

—Él mismo nos lo dijo —repuso—: en Park están muy ocupados enseñándoles los bolsillos a los contables. No tienen tiempo para los trabajos de verdad.

—Esto no es cualquier cosa: es una cuestión de seguridad. Esos tipos llevan armas... O sea, joder, ¿les dejamos que vayan paseándose por toda la capital armados hasta los dientes? Para empezar, ¿cómo las pasaron por la aduana?

—Probablemente no les hizo falta —respondió Min—. No estoy del todo seguro, pero sospecho que en algunas partes de Londres existe la posibilidad de hacerse con armamento ilegal.

—Gracias por el dato.

—En los buenos barrios, no. Pero hay muchos sitios en el este... en el norte... y en algunas partes del oeste.

—¿Has terminado?

—Y en cualquier lugar al sur del río, por supuesto. En fin, yendo al grano te diría que nos han estado toreando, Louisa: todo ese rato repasando los detalles y ellos venga a decir «sí, señora», «no, señora» a todas tus sugerencias, y mientras tanto iban pensando «que os jodan». No podemos fiarnos ni un pelo. Nos dirán lo que queremos oír y después harán lo que les dé la gana. Y Webb dejó bien claro que, si algo sale mal, la culpa será nuestra.

—Sí, ya lo sé.

—Entonces...

—Entonces nos aseguraremos de que nada salga mal.

Estaban en el Barbican Centre, sentados junto a uno de los parterres de la terraza que da sobre Aldersgate Street. Abajo rugía el tráfico y, en algún lugar por detrás de ellos, alguien tocaba música: algo clásico. Al otro lado de la calle, por una de las ventanas de la Casa de la Ciénaga, podía verse a Catherine, sentada en el segundo escritorio del despacho de Roderick Ho, y al mismísimo dueño del despacho, o al menos su cogote inmóvil. Parecían cualquier cosa menos un par de conspiradores.

Louisa apoyó su mano en la de Min, que descansaba en su rodilla.

—De acuerdo: nos han mentido al decir que se alojaban en un buen hotel. Probablemente no querían que pensáramos que son unos mochileros, aunque lo son, y aunque lo íbamos a pensar de todas formas. O a lo mejor Pashkin les ha pagado un buen hotel y ellos se echan la diferencia al bolsillo. En cualquier caso, no creo que debamos preocuparnos por eso. Lo importante es la falta de información en general: con o sin auditoría, en Regent's Park tendrían que haber sabido dónde se alojan.

—Al menos ahora lo sabemos.

—Exacto.

—Gracias a mí.

—Claro, claro, gracias a ti.

—Entonces, me lo tomo como una palmadita en la espalda.

—Ahí la tienes —contestó Louisa.

—¿Crees que se tomarán en serio lo de no portar armas?

—Creo que hoy las llevaban encima precisamente para darnos pie a que se lo prohibiéramos. De modo que sí: de momento se lo tomarán en serio para darnos gusto; pero cuando llegue su jefe volverán a las andadas: es lo que hacen los gorilas.

—Qué bien se te da esto.

—Me limito a usar el cerebro... mientras que tú parecías decidido a que el tuyo terminara esparcido por Old Street.

—Todo esto es por la bici, ¿no? —dijo Min, pero ella no parecía escucharlo.

Mientras tanto, en la Casa de la Ciénaga Catherine seguía hablando con Ho y, en el despacho contiguo, Marcus Longridge estaba sentado ante su ordenador. Desde donde estaba, Min no alcanzaba a distinguir la expresión de su rostro, pero en cualquier caso Marcus era un enigma: nadie sabía a ciencia cierta por qué lo habían mandado al exilio y nadie lo conocía lo suficiente como para preguntárselo. Por otro lado, como a nadie le importaba, tampoco era una fuente de gran preocupación.

—El que hablaba todo el rato, Piotr —dijo Louisa de pronto—. ¿Tú crees que estaba ligando conmigo?

—Ya te gustaría. En el taxi iba abrazado a Kyril. Se besaron.

—Ya.

—En serio, con lengua y todo.

—Ya.

—Tendrías que hacerte revisar el detector de gais.

—¿Sabes qué? —dijo ella—: no es mi detector lo que me gustaría que me revisaran.

Le lanzó una mirada de soslayo que él había aprendido a reconocer muy bien.

—Ah, vale. Entendido.

—¿Esta noche en mi casa?

Min se puso de pie. La música se había detenido o sonaba muy bajita. Tendió una mano y Louisa la cogió.

—Por supuesto —dijo Min.

Catherine puso la taza sobre el escritorio, pero siguió hablando:

—No me malinterpretes, Roddy. Es un buen truco, pero ¿no te parece que deberías haberlo programado de manera que de vez en cuando apareciera algún sitio web un poco menos previsible? Nadie se pasa todo el día sentado ante su ordenador sin hacer otra cosa que trabajar.

Ho se dio cuenta de que tenía la boca abierta, así que la cerró. Luego la volvió a abrir, pero sólo para beber otro trago de Red Bull.

—Aunque tal vez te estés preguntando cómo me he enterado —dijo Catherine.

De hecho, no se lo preguntaba: había decidido que era cosa de brujería.

Porque Catherine Standish sabía lo que era un teclado y probablemente tendría en algún sitio un certificado de habilidades mecanográficas, pero cualquier cosa que fuera más allá de navegar por webs turísticas le quedaba tan lejos como ligar. Aunque... ¡bah! En todo caso, ni habiéndose colado en su despacho por la noche y habiendo entrado con su clave de usuario habría sido capaz de encontrar ese programa. Ni el propio Roddy lo conseguiría, de no ser porque él mismo lo había escondido.

—No sé de qué me estás hablando —dijo.

Catherine miró su reloj de muñeca.

—Has tardado unos treinta segundos más de lo necesario para que resultara convincente; lo cual, en cierto sentido, demuestra que tengo razón...

Ahora sí, Ho no sabía de qué le estaba hablando.

—Roddy —siguió ella—. Tú no pillas a la gente, ¿verdad?

—¿Pillar?

—Entender lo que les motiva.

Ho resopló: su trabajo consistía precisamente en entender lo que motivaba a la gente. Tiró una moneda mental al aire y salió Min Harper. «Veamos el caso de Min Harper, pues. ¿Qué motiva a Min Harper? Agárrese el sombrero, señora, porque Roddy Ho es capaz de recitarle el historial de Harper en el servicio, su salario, la hipoteca de la casa donde vive su familia, el alquiler de su estudio, la deuda acumulada en sus tarjetas de crédito, las órdenes de pago pendientes, los familiares y amigos que tiene marcados como favoritos en el móvil, cuántos puntos ha conseguido en la tarjeta de fidelización del supermercado y qué páginas web visita más a menudo. Roddy Ho le puede contar que Harper entra mucho en Amazon, pero compra poco, o que lee sistemáticamente las crónicas de críquet del *Guardian*.» Estaba a punto de contarle todo eso cuando ella se adelantó una vez más.

—Roddy —le dijo señalando el ordenador que tenía delante—, todos valoramos que seas capaz de hacer que estos bichos levanten las patas y salten por aros de fuego, y tenemos claro que no te gustaría dedicar tu tiempo a procesos que cualquier aprendiz dominaría con veinte minutos de instrucción. Sin embargo, también sabemos que en el Cuartel General de Comunicaciones hay varias oficinas que se dedican a vigilar los paseos por la red del personal del MI5, por si acaso alguien entra donde no debe. ¿Hasta aquí me sigues?

Ho no pudo evitar asentir.

—Entonces, teniendo eso en cuenta, me pregunté qué haría yo si tuviera tu talento y fuera, digamos, proclive a deambular por el lado oscuro de la red. Y decidí que haría lo siguiente: crear un programa que convenciera a cualquiera que estuviese vigilándome de que estaba haciendo precisamente lo que se suponía que debía hacer, lo cual me daría la libertad de hacer todo el día lo que me diera la gana.

Ho notó que le caía líquido por los dedos y, al bajar la mirada, descubrió que había estrujado con la mano la lata de Red Bull, que no estaba vacía del todo.

—Y al mismo tiempo, imaginé que si yo tuviese la clase de... en fin, de personalidad obsesivo-compulsiva que tienes tú, no se me ocurriría introducir, digamos, cierta holgura en el sistema: algo que convenciera a quien quisiese monitorizarte de que delante del teclado estaba un ser humano y no, con perdón, un robot. A eso me refería con lo de que «no pillas a la gente». —Catherine se recostó en el asiento y se palmeó los muslos—. Bueno. ¿Me he equivocado en algo?

—Sí —contestó él.

—Me refiero a una equivocación de verdad, no a algo que tú quisieras que fuera distinto.

Al cabo de un rato, Ho dijo:

—Has metido fibra óptica por el techo, ¿verdad?

—Roddy, a mí me das un cable de fibra óptica y no sé distinguir un extremo del otro.

Ante una ignorancia tan colosal, Roderick Ho no tenía nada que decir.

Catherine se levantó y recogió su taza de café.

—Bueno —dijo—. Me alegro de que hayamos tenido esta pequeña charla.

—¿Se lo vas a contar a Lamb?

«O, peor aún, a los Perros», pensó Ho. Que sin duda tendrían algo que decir acerca de un espía de baja categoría que usaba la red del servicio para jugar.

—Por supuesto que no —contestó Catherine—: Lamb no tiene por qué enterarse de todo lo que hacemos, ¿no es cierto?

Ho asintió en silencio.

—Aunque sí voy a contar con que en adelante seas un poco más flexible a la hora de echar una mano en las investigaciones, y no sólo en las mías.

—Pero Lamb...

—¿Ajá?

—... nada.

—Ya me parecía. —Catherine se detuvo en el umbral de la puerta—. Ah, y una cosa más: como se te ocurra usar tus truquitos en la red para complicarme la vida, le daré tu corazón palpitante a un perro hambriento, ¿entendido?

—Entendido, sí.

—Que pases una buena tarde, Roddy.

Y salió sin decir nada más.

Dejando a Roderick Ho cabreado, sintiéndose traicionado... y también bastante sorprendido.

El año anterior, Diana Taverner había aceptado reunirse con Jackson Lamb porque él la tenía agarrada por las pelotas. Quedaron en una noche oscura, junto al Regent's

Canal, cerca del barrio de Angel. Entonces, Lady Di aspiraba a auparse al primer escalón de Regent's Park, que en ese momento ocupaba Ingrid Tearney, y para promover sus intereses había recurrido a métodos que habían producido una situación que amenazaba con desmadrarse. La cuestión es que, en el mundo de los espías, como en el de la política, el comercio o el deporte, ni siquiera el hecho de que todo esté a punto de irse a la mierda garantiza un cambio, así que el escalafón de Regent's Park seguía siendo el mismo, para el estupor y el rencor creciente de Lady Di. Lamb, desde luego, no había hecho nada para que las aguas volvieran a su cauce, pero disponía de cierta información que hubiera bastado para crucificar dos veces a la eterna aspirante: una en los medios de comunicación, con tinta y píxeles, y otra a manos de Ingrid Tearney, con maderas y clavos.

Así las cosas, Lady Di no ofreció mucha resistencia cuando Lamb le propuso otra charla discreta «en el lugar de siempre». Ella llegó tarde, pero ese desplante no le importó un comino a Lamb, porque él llegó más tarde aún. Mientras se acercaba desde el lado del barrio de Angel, la vio en un banco, mirando el canal. Había un par de casas flotantes amarradas en la otra orilla: una con un portabicicletas en el techo; la otra cerrada a cal y canto. Se le ocurrió que ella podría haber hecho instalar cámaras de vigilancia en una de las dos, pero sólo porque, de haber estado en su lugar, a él se le habría pasado por la cabeza. La verdad es que no creía que Lady Di hubiera instalado cámaras, en parte porque dudaba de que quisiera conservar una grabación de aquella charla, pero sobre todo porque durante el escaso tiempo que ella habría tenido para montarlas él había estado sentado en aquel mismo banco, así que se habría dado cuenta.

Como todo espía, tenía sus lugares favoritos; como todo espía, solía evitarlos: los visitaba sólo de vez en cuando, sin regularidad alguna, y cancelaba la visita si había demasiada gente o demasiado poca. Pero, también como todo espía, necesitaba un espacio para pensar; es decir, un lugar en el que nadie diera por hecho que lo encontraría, y aquel tramo del canal cumplía esa función: desde aquella zona se veían las fachadas traseras de algunos edificios altos y a menudo pasaban por allí ciclistas y corredores. A la hora de comer, trabajadores de tiendas y oficinas se acercaban dando un paseo para comerse un sándwich. Pasaban barcazas en dirección al largo túnel que cruza por debajo de Islington y que no es posible atravesar a pie. Era un lugar tan obvio para un espía que quisiera sentarse a pensar en asuntos de espías que nadie que tuviera un mínimo conocimiento del mundo del espionaje imaginaría que pudiera existir un espía tan estúpido como para usarlo.

El caso es que Lamb llamó a Lady Di desde ese lugar y le propuso reunirse, y luego se quedó allí sentado mientras caía la tarde, con su pinta de trabajador de oficina recién despedido (probablemente por razones de higiene). Encadenó siete cigarrillos pensando en el informe de Shirley Dander sobre su viaje a los Cotswolds y, al encenderse el octavo, una especie de estremecimiento lo recorrió de los pies a la cabeza y se puso a toser igual que el ruso. Tuvo que tirar al canal la colilla, todavía de talla extra, mientras se concentraba en sobrevivir, y cuando se recuperó del ataque se sintió como si hubiera corrido un kilómetro y medio: un sudor pegajoso le empapaba la ropa y tenía la vista nublada. «Alguien tendría que ponerle un remedio a esto», pensó antes de abandonar el banco para que Lady Di fuera la primera en llegar.

Sin embargo, cuando al fin apareció, después de ella, Lady Di no le hizo ni caso; prácticamente ni lo saludó. Llevaba el pelo más largo que la última vez, y algo más rizado, aunque quizá fuera sólo el peinado. Para aquel encuentro había escogido un impermeable oscuro a juego con los pantalones.

Cuando finalmente se dirigió a él, fue para decirle:

—Si este banco me mancha el impermeable, te mandaré el recibo de la tintorería.

—¿Te lavan los abrigos?

—Me lavan los abrigos y yo misma me lavo el pelo y los dientes... Te lo recomiendo.

—Es que últimamente he estado muy ocupado; quizá me he abandonado un poco.

—Un poco, sí. —Lo miró fijamente—. ¿Qué quieres de Nikolai Katinsky?

—Vaya, parece que no soy el único que ha estado ocupado.

—Cuando acosas a antiguos clientes, es normal que hagan sonar la alarma, y ahora mismo no me hace ninguna falta ese tipo de complicaciones.

—¿Por culpa de los problemillas domésticos que has tenido últimamente?

—Por culpa de a ti qué coño te importa. ¿Qué te pasa con él?

—¿Qué te contó?

—No sé qué historia sobre su interrogatorio: que querías repasar lo que les había dicho a los Dentistas.

Lamb se limitó a gruñir.

—¿Qué querías de él?

—Repasar lo que les había dicho a los Dentistas.

—¿No te bastaba con ver la grabación?

—Nunca es lo mismo. —Como el ataque de tos había pasado a ser un recuerdo borroso, se encendió otro cigarrillo. Un segundo después le ofreció uno a Taverner, pero ella dijo que no con la cabeza—. Además, siempre cabía la posibilidad de que su recuerdo hubiera cambiado.

—¿Qué estás tramando, Jackson?

Su gesto no podría haber sido más inocente: ¿él? Ni siquiera tuvo que hablar, sólo agitó un poquito el cigarrillo en el aire.

—Katinsky es literalmente un don nadie —siguió Taverner—: un simple administrador de códigos cifrados. No sabía nada que no conociéramos de antemano por fuentes mejor informadas. Sólo nos lo quedamos por si lo necesitábamos para un intercambio; ¿me vas a decir que te interesa por algo?

—Veo que has estado hojeando su historial.

—Si me llegan voces de que estás rescatando a un don nadie de la Era Oscura, por supuesto que me lo miro. Todo esto es porque mencionó a Alexander Popov, ¿no? Joder, Jackson, ¿tan aburrido estás que te da por revivir leyendas? Cualquier operación que Moscú tuviera pensado montar en esa época tiene ahora la relevancia de una cinta de casete: esa guerra ya la ganamos, y estamos tan ocupados perdiendo la siguiente que no podemos permitirnos mirar atrás. Vuelve a la Casa de la Ciénaga y agradece que ya no estés en la línea de tiro.

—¿Como tú?

—¿Te parece que ser la segunda de a bordo es fácil? Vale, tal vez no sea como vivir al otro lado del muro, pero intenta hacer mi trabajo como yo, con las dos manos atadas, y sabrás lo que es el estrés. Te lo garantizo.

Lo miró fijamente para subrayar que hablaba en serio, pero a él no le costó sostenerle la mirada, ni le preocupó que percibiera que luchaba para no sonreír. Lamb había hecho trabajo de campo y de despacho, y sabía cuál de los dos era el que te hacía despertar jadeando ante el menor ruidito en la oscuridad. Aun así, nunca había conocido a ningún trajeado que no se tuviera por un samurái.

Taverner desvió la mirada. Un par de corredores que jadeaban por el paseo de la otra orilla se separaron para dejar pasar a una mujer con un cochecito. Sólo cuando se habían alejado y el cochecito se acercaba a la rampa que llevaba al puente, siguió hablando.

—Tearney está buscando guerra —dijo.

—Buscar guerra es la definición del trabajo de Tearney —contestó Lamb—. Si no mantuviera el sable alzado, los del otro lado del pasillo creerían que no está a la altura de su cargo.

—A lo mejor no lo está.

Lamb se pasó los cinco dedos regordetes por un pelo que necesitaba urgentemente champú.

—Espero que no te pongas en plan político: ya sabes que me importa una mierda quién apuñale a quién por la espalda en Regent's Park. No me cansaré de repetirlo.

Pero Taverner se estaba desahogando y no parecía dispuesta a dejar de hacerlo.

—Leonard Bardley no sólo era su rabino, también era su topo en Westminster. Ahora no tiene aliados «al otro lado del pasillo», como tú dices, y ya sabes lo nerviosa que se pone cuando eso ocurre. Así que no quiere que nadie mueva el bote ni tire de ninguna cuerda. De hecho, no quiere que pase nada de nada, ni bueno ni malo: si le sirvieras en una bandeja la cabeza del nuevo Bin Laden, se preocuparía por el origen de la bandeja, no fuera a ser que alguien se quejara por el gasto.

—Entonces esto le va a encantar.

—¿Qué?

—Estoy planeando una operación.

Taverner esperó a que soltara algo más concreto.

—¿Ese silencio significa que estás impresionada?

—No, significa que no me creo lo que estoy oyendo. ¿No has oído ni una palabra de lo que te he dicho?

—La verdad es que no: sólo estaba esperando a que terminaras. —Tiró la colilla al agua y un pato cambió de rumbo para ir a investigarla—. Popov era un mito, Katinsky no es nadie y Dickie Bow fue un espía a tiempo parcial hace muchos años, pero ahora es un cadáver a tiempo completo y en el teléfono que llevaba encima cuando murió hay un mensaje de texto sin enviar. Una única palabra: «cigarras». La misma palabra que oyó Katinsky en relación con una trama soñada por el inexistente Alexander Popov. Dime que no merece la pena investigarlo.

—¿Un mensaje de un moribundo? ¿Lo dices en serio?

—Pues sí.

Taverner negó con la cabeza.

—Mira lo que te digo: nunca me habría imaginado que, de todo tu equipo, serías el primero en volverte loco.

—Eso te mantiene en alerta, ¿verdad?

—Lamb, no hay ninguna posibilidad de que Tearney dé su apoyo a la idea de que la Casa de la Ciénaga pase a la acción. Desde luego, no mientras Regent's Park esté bloqueado por razones económicas, pero tampoco después; en ningún otro momento.

—Pues que bien que pueda contar contigo, ¿no? —dijo Lamb—. Como no puedes negarme nada...

La Casa de la Ciénaga, una tarde de abril: la promesa de la primavera en las calles, rota de vez en cuando por los eructos del tráfico, pero presente, presente de todos modos. Min la vislumbraba en el relumbre del sol en las ventanas de las torres del Barbican y la oía en el estallido ocasional de alguna canción, porque los estudiantes de la escuela de teatro cercana eran inasequibles a la vergüenza y les encantaba actuar mientras caminaban hacia el metro.

A pesar del dolor y de las agujetas que ya empezaba a sentir después de su carrera en bici, se encontraba bien. Llevaba un par de años encajonado ante su mesa sin nada que hacer, pero todavía podía ponerse en marcha si hacía falta: lo había demostrado aquella misma mañana.

Por el momento, sin embargo, volvía a estar en el mismo escritorio absurdo, completando otro trabajillo absurdo: catalogar multas de aparcamiento en lugares cercanos a probables objetivos terroristas, por si acaso algún terrorista suicida, al preparar sus acciones, decidía investigar primero las instalaciones en coche y sin preocuparse de pagar antes en el parquímetro. Min había llegado ya casi al final de febrero sin que se repitiera ninguna matrícula, mientras que Louisa, inmersa en alguna tarea igualmente tediosa e insignificante, llevaba un buen rato sin hablar.

Hora de cruzarse de brazos.

Por supuesto, había una teoría para todo aquello, una teoría según la cual les encargaban esas tareas por una razón: que el aburrimiento resultara tan insoportable que acabaran dimitiendo, ahorrándole a la agencia el lío de despedirlos, con el correspondiente riesgo de llegar a juicio. Suerte que por la mañana había hecho un trabajo de verdad y había perspectivas de que llegaran más. Un albergue en Edgware Road; Piotr y Kyril refugiados allí en espera de que apareciese su jefe. No haría daño a nadie saber algo más de ese par: sus costumbres, sus garitos preferidos... algo que le diera un poco de ventaja a Min si en algún momento le convenía tenerla. Ninguna información sobraba, salvo que se tratara de multas de aparcamiento.

En el piso superior no se oía nada: Lamb había desaparecido después de oír el informe de Shirley Dander sobre su seguimiento del Señor B.

O, al menos, Min daba por hecho que el informe iba de eso.

—Me gustaría saber qué ha encontrado Shirley.

—¿Mmm?

—Shirley. Me gustaría saber si ha encontrado al calvo.

—Ah.

No parecía que le interesara mucho, en fin.

Por delante de la ventana pasó lentamente un autobús con el piso superior vacío.

—Lamb parecía muy interesado, sólo lo digo por eso —añadió—. Como si fuera algo personal.

—Conociéndolo, será un capricho.

—Y dudo que a River le haya gustado mucho que fuera a Shirley a quien le tocara entrar en acción.

No pudo evitar sonreír al decir esto último: se estaba acordando de lo rápido que había bajado por Old Street, y de River, que estaría aburriéndose en su escritorio mientras ocurría todo eso...

Louisa se lo quedó mirando.

—¿Qué?

Ella negó con la cabeza y se concentró de nuevo en su tarea.

Pasó otro autobús, esta vez lleno.

—¿Qué habrá pasado exactamente? —Min se dio unos golpecitos en la uña del pulgar con el lápiz—. A lo mejor la ha cagado, ¿no te parece? La verdad es que no tenía mucho a lo que agarrarse.

—Vete a saber.

—Además, era de Comunicaciones, ¿no? ¿Tú crees que Shirley habrá hecho mucho trabajo de campo?

Louisa se lo quedó mirando de nuevo. De hecho, le clavó la mirada.

—¿A qué viene tanto interés en Shirley?

—¿Qué?

—Si quieres saber cómo le ha ido, ve a hablar con ella. Que tengas suerte.

—No quiero hablar con ella.

—Pues no lo parece.

—Sólo me gustaría saber si le ha ido bien: se supone que formamos parte del mismo equipo, ¿no?

—Ya, claro. Tal vez deberías darle algunos consejos, sobre todo después de tu aventura de esta mañana.

—Pues tal vez sí: tampoco me ha ido tan mal.

—Podrías enseñarle lo básico del oficio.

—Sí.

—Guiarla en la buena dirección.

—Sí.

—Y darle unos azotes cuando se porte mal —añadió Louisa.

—Sí... ¡no!

—Min, cállate ya, ¿vale?

Min se calló.

En el exterior, la promesa de la primavera se mantenía en el aire, aunque el ambiente del despacho se había vuelto invernal.

—Pues qué bien que pueda contar contigo, ¿no? —dijo Lamb—. Como no puedes negarme nada...

Acompañó el comentario con una sonrisa retorcida y amarillenta, por si la Taverner había olvidado lo buenos amigos que eran.

—Jackson...

—Necesito una tapadera que funcione, Diana. Podría idearla yo mismo, pero me llevaría una o dos semanas y la necesito ya.

—¿O sea, que quieres montar una operación y quieres hacerlo con prisas? ¿Hay alguna parte de eso que suene como una buena idea?

—También necesito fondos: al menos un par de cientos de miles. Y tal vez necesite que me prestes algunos hombros más en los que apoyarme. En la Casa voy un poco apurado desde que Spider recluta a mi gente.

—¿Webb?

—Me gusta más llamarlo Spider: cada vez que lo veo me dan ganas de aplastarlo con un periódico. —La miró con picardía—. Sabes que se dedica a la caza furtiva, ¿no?

—Por supuesto que lo sé: Webb no se atreve ni a ordenar su mesa sin mi permiso. —Se armó un pequeño alboroto cuando el pato aleteó sobre el agua y salió volando canal abajo—. No hay ninguna posibilidad de que uses a alguien de Regent's Park. Tenemos a Roger Barrowby contando hasta las cucharillas. Créeme, si alguien desaparece, se va a dar cuenta.

Lamb no dijo nada. Era un punto de inflexión: en cualquier momento, Lady Di se daría cuenta de que había pasado de afirmar que la puerta estaba cerrada a negociar hasta dónde podía abrirse.

—Mierda —masculló ella.

Ahí estaba.

Sin decir una palabra, Lamb volvió a ofrecerle un cigarrillo y ella lo aceptó. Cuando se inclinó para encenderlo, él captó una vaharada de su perfume. Luego encendió el mechero y el aroma desapareció.

Taverner se recostó en el banco ya sin preocuparse de las manchas que pudiera dejarle en su elegante gabardina negra. Cerró los ojos mientras daba la primera calada.

—A Tearney no le gustan las operaciones encubiertas —dijo; Lamb tuvo la sensación de que estaba continuando una conversación que había mantenido muchas veces consigo misma—. Si por ella fuera, las suspendería todas y duplicaría en tamaño el Cuartel General de Comunicaciones. Captación de información secreta a distancia y sin contacto: justo lo que les gusta a los de Salud y Seguridad.

—Habría menos espías en bolsas para cadáveres —comentó Lamb.

—Habría menos espías y punto. Y no hagas ver que la defiendes. Si dependiera de ella, toda tu generación desfilaría ante una comisión de la verdad y la reconciliación: os obligaría a pedir perdón por todas las aventuras encubiertas que montasteis y luego a abrazar a vuestros compañeros delante de las cámaras.

—Cámaras... —repitió Lamb, y a continuación añadió—. ¡Dios santo! ¡Pero si no estás bromeando!

—¿Sabes lo que decía en su último informe? Que todos los que aspiren al tercer nivel de la cadena de mando tienen que inscribirse en un curso interno de relaciones públicas. Por lo visto, cree que debemos asegurarnos de que están perfectamente preparados para cumplir su papel «ante el cliente».

—¿Ante el cliente?

—Ante el cliente.

Lamb negó con la cabeza.

—Tengo algunos contactos. Podríamos encargar que se la cargaran.

Ella le tocó un instante la rodilla.

—Qué amable. Dejémoslo como plan B.

Se quedaron sentados en silencio mientras ella se terminaba el cigarrillo. Finalmente, lo aplastó con el tacón y dijo:

—Vale, basta de jueguecitos... salvo que estés listo para decirme que todo ha sido una broma, claro. —Pero le bastó con una rápida mirada de reojo para entender que no se iba a librar tan fácilmente; miró la hora—. Explícamelo.

Lamb le contó lo que tenía pensado.

Cuando hubo terminado, Taverner dijo:

—¿Los Cotswolds?

—He dicho que era una operación, no que se tratara de Al Qaeda.

—Lo vas a hacer de todas formas, ¿por qué te molestas en contármelo?

Lamb la miró con solemnidad.

—Ya sé que crees que soy un bala perdida, pero ni siquiera yo soy tan estúpido como para montar una operación en suelo inglés sin el permiso de Regent's Park.

—Hablaba en serio—. Porque te ibas a enterar igualmente.

—Pues claro que sí. ¿Y ya has pensado cuál de tus novatos se va a encargar de informarme?

Lamb no movió ni un músculo de la cara.

—Será mejor que esto no se convierta en un circo, Lamb.

—¿Un circo? Ese tipo mató a uno de los nuestros. Si no actuamos con... ¿cómo lo dirías? ¿Con la diligencia debida? Si lo dejamos pasar sin comprobar quién, qué y por qué, no sólo estamos dejando de cumplir con nuestra tarea, también estamos abandonando a uno de los nuestros.

—Bow ya no era de los nuestros.

—Esto no funciona así, y lo sabes —dijo Lamb.

Taverner suspiró.

—Sí, lo sé. Lo que no sabía era que te dedicabas a soltar discursos. —Se quedó pensativa—. De acuerdo: probablemente podremos resucitar alguna identidad que se haya usado antes sin que salte ninguna alarma. No será indetectable, pero tampoco es que estés mandando a alguien a territorio comanche. Si rellenas un formulario 22-F se lo pasaré a Recursos: lo presentaremos como si fueran gastos de archivo. O sea, encarémoslo, estás adentrándote en el terreno de la historia antigua. Si eso no es labor de archivo, ya me dirás qué lo es.

—Por lo que a mí respecta, como si lo sacas de la caja pequeña. No es mi culo el que está en riesgo.

Para dar más firmeza a su afirmación, se rascó la zona aludida.

—Joder, Lamb —dijo Diana, y luego añadió—: Hago esto y quedamos en paz, ¿vale?

—Claro.

Taverner se levantó.

—Será mejor que no pierdas el tiempo en horas de trabajo, Jackson.

En una rara muestra de tacto, Lamb permitió que Taverner dijese la última palabra: probablemente lo necesitaba. En vez de responder, simplemente se la quedó mirando hasta que desapareció de su vista y luego se premió con una sonrisa gradual: tenía cobertura de la agencia. Tenía incluso fondos operativos.

Si le hubiese dicho la verdad, no habría conseguido ninguna de las dos cosas.

Sacó el móvil del bolsillo y llamó a la Casa de la Ciénaga.

—¿Sigues ahí?

—Sí, por eso contesto al...

—Mueve el culo, ve a Whitecross y trae la billetera.

Colgó de golpe y contempló el regreso del obstinado pato, que se detuvo en la superficie acristalada del canal rompiendo el reflejo del cielo. Aunque aquello duró sólo un instante; poco después, todo recuperó su trémula forma: el cielo, los tejados, los cables aéreos, cada cosa volvió a su sitio.

A Ho le habría encantado.

7

—Mucha prisa no tenías —dijo Lamb.

River, que había llegado el primero, podía oler desde lejos las tácticas de Lamb.

—¿Para qué tenía que traer la billetera?

—Para que me puedas invitar a un almuerzo tardío.

«Habrá pasado mucho rato desde el almuerzo temprano», pensó River.

El mercado estaba cerrando, pero quedaban puestos en los que podías comprar curry y arroz en cantidades suficientes para alimentar a un ejército al que luego darías tal cantidad de pastel que ya no podría ni desfilar. River compró un pollo Thai con naan y los dos se fueron caminando hasta la iglesia de San Lucas, en cuyos jardines encontraron un banco libre. Las palomas se arracimaron en torno a ellos, esperanzadas, pero enseguida se rindieron: tal vez reconocieran a Lamb.

—¿Conocías bien a Dickie Bow? —preguntó River.

—No —contestó Lamb con la boca llena de pollo.

—Pero lo suficiente para encender una vela por él.

Lamb lo miró sin dejar de masticar, y masticó tanto rato que parecía un sarcasmo. Cuando al fin se tragó el bocado, contestó:

—La cagaste, Cartwright. Ambos lo sabemos. Si no, no serías un caballo lento. Pero...

—A mí me jodieron, que es muy distinto.

—Sólo joden a los que la cagan —explicó Lamb—. ¿Puedo terminar?

—Por favor.

—La cagaste, pero sigues en el juego; así que, si un día apareces muerto y no estoy muy ocupado probablemente haré algunas preguntas por ahí: comprobaré si hay alguna circunstancia sospechosa.

—Casi no consigo contener la emoción.

—Ya, he dicho «probablemente». —Lamb eructó—. En cambio, Dickie era un colaborador en Berlín. Cuando has luchado en una guerra con alguien, te aseguras de que lo entierren en la tumba adecuada. Una en la que no ponga LA PALMÓ donde debería decir MUERTO EN COMBATE. ¿Eso no te lo enseñó tu abuelo?

River recordó un momento del año anterior en el que había tenido un atisbo del Lamb que había luchado en esa guerra, así que, aunque el tiempo lo hubiera convertido en un cabrón gordo y perezoso, se inclinó por creerle.

Por otro lado, no le gustaba que Lamb despreciara a su abuelo, de modo que contestó:

—Tal vez lo mencionara, aunque también me contó que Bow era un capullo que afirmaba haber sido secuestrado por un espía inexistente.

—¿Eso te dijo el Viejo Cabrón? —Lamb echó la cabeza hacia atrás—. Tú lo llamas así, ¿no? El Viejo Cabrón.

Era cierto, pero quién sabe cómo se había enterado Lamb.

Consciente de lo que River estaba pensando, Lamb le dedicó su mejor sonrisa de acosador.

—¿Y qué más te contó tu abuelo?

—Que en Regent's Park se abrió una ficha —contestó River—: aunque ese tipo no existiera, su caso podía revelar muchas cosas sobre la forma de pensar de la Central de Moscú. La ficha contenía tan sólo información fragmentaria: su lugar de nacimiento, cosas así.

—¿Y dónde había nacido?

—En ZT/53235.

—¿Por qué será que no me sorprende que te acuerdes?

—Un accidente destruyó la ciudad —contestó River—: ese tipo de detalles se te quedan grabados en la mente.

—Sobre todo si de verdad hubiera sido un accidente —puntualizó Lamb. Rascó los últimos restos de curry del envase de papel de plata y se los metió en la boca sin prestar la más mínima atención a la cara de escándalo de River—. No estaba mal —comentó y, con un experto giro de muñeca, lanzó el cubierto hacia una papelera cercana. Luego rebañó la salsa que quedaba con el último pedazo de naan—. Yo le pondría un siete.

—¿Crees que fue intencionado?

Lamb arqueó las cejas.

—¿Esa parte no la mencionó?

—No entramos en muchos detalles.

—Probablemente tendría sus razones. —Masticó detenidamente el naan—: estoy bastante seguro de que tu abuelo nunca ha hecho, ni hace, nada sin una razón. No, no fue un accidente —dijo con la boca llena, antes de tragar—. Sigues siendo demasiado joven para fumar, ¿verdad?

—Aún no soy suficientemente estúpido como para eso.

—Vuelve cuando tengas una vida propia. —Lamb encendió el cigarrillo, dio una profunda calada y expulsó el humo lentamente. Nada en su semblante hacía pensar que se hubiese planteado alguna vez la posibilidad de que fuera dañino—. Esa Zeta-no-sé-qué era un centro de investigación: parte de la carrera nuclear. Todo aquello sucedió antes de mi época, ya me entiendes.

—No se me había ocurrido que hubiera armas nucleares antes de tu época.

—Gracias, eres muy amable... En fin, para que nos entendamos: la Central de Moscú decidió que había un infiltrado: un espía que estaba pasando información interna sobre el programa nuclear soviético al enemigo; es decir, a nosotros o a nuestros amigos.

Lamb se quedó callado. Por unos instantes, sólo se movió el hilo de humo azulado que ascendía desde el cigarrillo.

—¿Y la destruyeron? —preguntó River.

—Después de tantas lecciones secretas de tu abuelo, ¿no tienes claro cuán jodido llegó a ponerse el asunto? Sí, la destruyeron: La redujeron a cenizas para asegurarse de que todo lo que había ocurrido allí permaneciera en secreto.

—¿Una ciudad entera de treinta mil habitantes?

—Hubo algunos supervivientes.

—Pero la destruyeron sin desalojar a la gente...

—Era el modo más eficaz, la única forma de garantizar que el infiltrado cesaba de inmediato su actividad. La gracia estaba, claro, en que no había ningún espía infiltrado.

—Pues menuda gracia —dijo River.

—Era una de las historias favoritas de Crane —aseguró Lamb.

Mucho antes de la época de River, Amos Crane había sido toda una leyenda en la agencia, aunque no precisamente por su buen hacer. Su fichaje había sido como nombrar guarda forestal a un cazador furtivo; como poner al zorro a vigilar el gallinero.

—A Crane le gustaba decir que ese episodio resumía, en sí mismo, todo el laberinto de espejos de la mentalidad soviética: construían un fuerte y luego les preocupaba que se lo fuéramos a quemar, así que preferían quemarlo ellos mismos para asegurarse de que nosotros no pudiéramos hacerlo.

—Y se supone que Popov fue uno de los supervivientes, ¿no? —dijo River; mentalmente ya podía ver un círculo perfecto—. Destruyen su propia ciudad y, años después, con las cenizas, se inventan un hombre del saco para vengarse de nosotros.

—Sí, claro —contestó Lamb—. Como te decía, a Crane le hacía gracia.

—¿Y qué fue de Crane?

—Una tía se lo cargó.

«Alguien con menos talento necesitaría toda una novela para explicar algo así», pensó River.

Lamb se puso en pie, miró hacia el árbol más cercano como si de pronto lo maravillara la naturaleza, levantó un talón del suelo y se tiró un pedo.

—Señal de que el curry era bueno —dijo—: a veces se tira décadas burbujeando por dentro.

—Siempre me olvido de preguntarte por qué no te has casado —replicó River.

Cruzaron la calle.

—En fin —siguió Lamb—. Espantapájaros, quién sabe si lo era; hombre del saco, sin duda. Pero el caso es que Dickie Bow está muerto, y es el único que alguna vez afirmó haberle puesto los ojos encima.

—¿Crees que el Señor B tiene algo que ver con la leyenda de Popov?

—Bow dejó un mensaje en el móvil en el que más o menos afirmaba eso.

—Un veneno que no deja huella, un mensaje póstumo... —recapituló River.

—¿Hay algo que necesites decirme, River?

—Parece... poco creíble.

—Han nombrado a Tony Blair «enviado de paz» en Oriente Próximo —señaló Lamb—: comparado con eso, todo lo demás es moneda corriente.

Hablando de lo cual, había llegado el momento de que River sacara la billetera de nuevo. Se detuvieron en un puesto que servía cafés.

—Un cortado —pidió River.

—Un café —pidió Lamb.

—¿Cortado? —preguntó el dependiente.

—No, a mí no me corte nada.

—Póngale lo mismo que a mí —terció River.

Y se alejaron con los vasos en la mano.

—No estoy muy seguro de por qué estamos teniendo esta conversación.

—Sé que crees que os hago muchas putadas —dijo Lamb—, pero nunca envío a un espía al campo sin darle toda la información que necesita.

River necesitó cinco segundos para procesarlo.

—¿Al campo?

—¿Podemos saltarnos la parte en la que tú repites lo que yo acabo de decir?

—De acuerdo —dijo River—. Nos la saltamos. ¿A qué campo?

—Espero que estés vacunado —dijo Lamb—: te vas a Gloucestershire.

Cuando Min salió de la oficina ya era tarde. Horas extra sin cobrar: ése solía ser el premio por el comportamiento pasivo-agresivo. Había apagado el móvil a las cinco para que, cuando Louisa llamara, se viera obligada a dejar un mensaje, y a las siete lo volvió a encender: nada. Negó con la cabeza. Se lo merecía. Hasta ahora las cosas habían ido demasiado bien. La había cagado sin darse cuenta, pero al fin y al cabo era famoso por eso: se las había arreglado para tirar su carrera por el inodoro y largarse a casa a dormir como un tronco para enterarse al día siguiente. Se convirtió en el hazmerreír de los demás agentes: todo el mundo la había cagado alguna vez, desde luego, pero al menos se habían dado cuenta enseguida, sin necesidad de que se lo contara el telediario estrella de la nación.

Y el problema no había sido que hablara de Shirley, eso era sólo lo que había asomado a la superficie, como la aleta del tiburón. No: tenía que ver con cómo vivían, dividiendo su relación entre dos viviendas repugnantes. Tenía que ver con lo que podían esperar del futuro compartiendo el mismo despacho y la misma falta de perspectivas. Y también, por supuesto, tenía que ver con su otra vida: los niños, la esposa y la casa que había dejado atrás cuando su carrera se fue a pique. Por mucho que se hubiera separado de ellos, seguían allí, exigiéndole tiempo, afecto, dinero a costa de Louisa, que acabaría amargándose, si es que no lo estaba ya. Era lógico, y la culpa era suya, aunque él no tuviera la culpa.

Todo eso se lo iba explicando a Min la mitad de su cerebro mientras la otra mitad lo conducía a un pub horrendo en el que se pasó noventa minutos bebiendo cerveza y haciendo pedacitos el posavasos con gesto taciturno. Otra sensación familiar: un recordatorio de las largas tardes solitarias que tuvo que soportar después de que su vida chocara contra el muro. Al menos, de esto no se iba a enterar por Radio 4 a la mañana siguiente: «En un giro totalmente inesperado, Min Harper ha jodido su relación y ya puede dar por hecho que estará solo en el futuro próximo. Pasemos al deporte. ¿Garry?»

En ese instante, decidió que ya se había regodeado lo suficiente en la autocompasión.

Porque Louisa estaba de mal humor, pero en algún momento se le pasaría; y la Casa de la Ciénaga era un callejón sin salida, pero Spider Webb les había lanzado una escalerilla de cuerda y Min se había agarrado a ella con ambas manos. El asunto era: ¿soportaría esa escalerilla el peso de los dos? Min contempló la pirámide que había construido con los trocitos de cartón del posavasos. Era mejor tomárselo todo como una prueba: eso le habían enseñado durante la formación y nadie le había dicho que parara. Así que: Spider Webb. Pese a conocerlo poco, no le caía bien, ni se fiaba de él, y no le costaba nada creer que estuviera haciendo un doble juego. Pero si ese juego incluía un premio, sería estúpido no intentar ganarlo, e igual de estúpido no imaginar que a Louisa se le habría ocurrido lo mismo. ¡Joder! No cabía ni la menor duda de que su malhumor se debía a que él había demostrado esa mañana que podía jugar a lo grande, mientras que ella se dedicaba básicamente a demostrar su habilidad en asuntos de administración y de papeleo: el tipo de actividad que estaba en los cimientos de la Casa de la Ciénaga.

Volvió a comprobar el móvil: seguía sin mensajes.

«Pero, dejémoslo claro», se dijo a sí mismo, «no estoy intentando hacerle una jugarreta a Louisa». De hecho, pensaba llamarla, pedirle perdón y acercarse a su casa un poco más tarde.

«Eso haré», pensaba, pero antes abrió Google Earth en el iPhone y examinó el tramo de Edgware Road donde se había detenido el taxi de Piotr y Kyril. Luego salió del pub y fue a recoger la bici, que había dejado en el patio trasero de la Casa de la Ciénaga. Eran casi las nueve y ya oscurecía.

El despacho de Diana Taverner tenía una pared de cristal para que tuviera a la vista a los chicos del Cuartel General de Comunicaciones. No era una exhibición de autoridad: era puro instinto de protección, una estrategia formativa. En los viejos tiempos siempre se decía que lo que contaba era el trabajo de campo, pero ella conocía bien el estrés de detrás del escenario, tan corrosivo como el óxido. La información se acumulaba en aquellos escritorios del Cuartel General las veinticuatro horas del día durante los siete días de la semana; la mayor parte inútil, alguna letal. Había que irla colocando en una báscula que debía calibrarse todos los días, según por dónde soplara el viento. Había que monitorizar listas de vigilancia, interpretar filmaciones robadas, traducir conversaciones grabadas furtivamente; todo esto con la íntima sensación de que bastaba una distracción mínima para que empezaran a aparecer cadáveres rescatados de los escombros en el telediario de la noche. Esa presión podía hacer añicos a cualquiera: te robaba el sueño, te trampeaba, te hacía llorar en el escritorio. Así que mantener a los chicos a la vista era una forma de procurar su bienestar, aunque también le permitía asegurarse de que ninguno de esos cabrones hiciera nada raro: no todos los enemigos de Taverner estaban en el exterior.

Y para asegurarse de que la vigilancia sólo funcionaba en un sentido, había unas persianas del techo al suelo que ella podía bajar si lo consideraba necesario. En ese momento estaban bajadas, y Diana había atenuado las luces para imitar la menguante claridad del día. Y de pie delante de ella, porque no lo había invitado a sentarse, estaba James Webb, que no trabajaba en el Cuartel General de Comunicaciones, sino que tenía su despacho en las entrañas del edificio... lo cual es una forma elegante de decir que estaba fuera del núcleo del poder.

Y, en consecuencia, fuera de su vista.

Había llegado la hora de descubrir qué estaba tramando.

—He oído algunas historias —le dijo—: parece que has dado una comisión de servicios a un par de caballos lentos.

—¿Caba...?

—Ni se te ocurra.

—No es nada importante —dijo Webb—, no me pareció necesario molestarte con eso.

—Prefiero decidir yo misma con qué quiero que se me moleste y con qué no, y para eso tengo que saber de qué se trata.

Hubo un momento de silencio mientras los dos decidían cómo proceder a partir de ahí. Entonces Webb dijo:

—Arkady Pashkin.

—Pashkin...

—Único propietario de Arkos.

—Arkos...

—La cuarta compañía petrolífera de Rusia —aclaró Webb.

—Ah, ese Arkady Pashkin.

—He tenido... algunas charlas con él.

Lady Di se apoyó en el respaldo de la silla, que se adaptó a su postura con un suspiro de muelles. Se quedó mirando a Webb, un tipo que en algún momento le había resultado útil. El despacho en las entrañas del edificio había sido un premio por sus servicios, y tendría que haber bastado para mantenerlo tranquilo durante un tiempo. Pero todos los Spider Webb del mundo son iguales: los dejas fuera de cualquier sitio y enseguida empiezan a empañar las ventanas con su aliento.

—¿Estás manteniendo charlas... con un industrial ruso?

—Creo que él prefiere que lo llamen «oligarca».

—Me da igual: como si prefiere que lo llamen «zar».
¿Cómo demonios se te ocurrió la idea de que podías abrir
canales diplomáticos con un extranjero?

—Se me ocurrió que nos convenía tener alguna buena
noticia por aquí.

Taverner se lo quedó mirando y finalmente dijo:

—Bueno, si ésa es tu noción de «diplomacia», sin
duda podemos dar por hecho que entraremos en guerra
con Rusia cualquier día de éstos. ¿En qué clase de buenas
noticias estabas pensando? Y procura ser... convincente.

—Es un colaborador potencial —dijo Webb.

Lady Di se incorporó en la silla.

—Un colaborador potencial... —repitió lentamente.

—No está contento con cómo van las cosas por allí:
le parece que la recuperación de viejos antagonismos es
regresiva y lamenta la imagen de Rusia como estado mafioso. Tiene ambiciones políticas, y si podemos ayudarlo
de alguna manera... bueno, luego lo tendríamos a nuestra
disposición, ¿no?

—¿Es una broma?

—Ya sé que parece muy ambicioso, pero piénsalo
bien: el tipo está en la jugada y no es impensable que un
día acabe llevando las riendas. —Se lo veía cada vez más
excitado; Taverner tuvo mucho cuidado de no mirarle los
pantalones—. Y si estamos con él, si le allanamos el camino... o sea, en serio: es el Santo Grial.

«Lo razonable sería fulminarlo ahora mismo de un
fogonazo», pensó Diana: treinta segundos de lanzallamas
verbal y Spider Webb se iría de vuelta a su despacho dejando huellas de hollín en cada pisada y jamás se le volvería a ocurrir una idea. Eso era lo razonable, y Diana estaba subiendo mentalmente la potencia de la llama cuando
se oyó decir lo siguiente:

—¿Quién más sabe de esto?

—Nadie.

—¿Y ese par de la Casa de la Ciénaga?

—Creen que se ocupan de la seguridad en unas conversaciones sobre petróleo.

—¿Cómo empezó?

—Él se puso en contacto conmigo personalmente.

—¿Contigo? ¿Y eso?

—Por lo del año pasado...

Lo del año pasado, claro. «Lo del año pasado» había sido una de las ideas de Ingrid Tearney: una ofensiva a fin de contrarrestar el tsunami de desastres de imagen pública (guerras ilegales, asesinatos accidentales, torturas de sospechosos y otras cosas por el estilo). Tearney había protagonizado una serie de apariciones públicas para explicar cómo las medidas antiterroristas estaban salvaguardando al país, aunque a los desinformados les pareciera que sólo servían para crear enormes retrasos en los aeropuertos. Webb, siempre vestido a la última, se había encargado de llevarle el maletín y prestarle su oído cuando ella quisiera susurrarle algo para dar la impresión de que estaba deliberando. Su nombre había aparecido en la cobertura mediática, detalle que sin duda lo habría vuelto un engreído insoportable de no ser porque, junto a su apellido, se había usado la expresión «hombre florero».

Todavía podía fulminarlo: detener el asunto antes de que los errores saltaran a la palestra. Sin embargo, le dijo:

—¿Y dices que no tiene importancia? ¿Que se trata de algo por lo que no creías que debías molestarme?

—Negación plausible... por si sale rana —dijo Webb—. Al fin y al cabo, se trataría de uno de tus subalternos jugueteando por su cuenta, ¿no? —Soltó una risita breve y aguda—. Si eso ocurre, probablemente yo mismo acabaré con los caballos lentos.

Pero con sólo darle una vueltecilla a esa respuesta, el panorama cambiaba radicalmente porque, si todo hubiera avanzado según su plan, Webb habría acabado depositando un hueso grande y jugoso a los pies de Ingrid Tearney, y Taverner sólo se habría enterado cuando estuviera delante de una puerta cerrada preguntando de qué iba la reunión a la que la convocaban.

Pero hombres más grandes que Spider Webb habían cometido antes el error de subestimar a Diana Taverner.

—¿Y cómo demonios piensas ocultarle todo esto a Barrowboy?

Se refería a Roger Barrowby, claro, que en esos días se dedicaba a supervisar hasta la última decisión que se tomaba en Regent's Park, incluida la salsa que escogías para ponerles a las patatas fritas.

Spider Webb parpadeó dos veces.

—Utilizando la Casa de la Ciénaga.

Taverner negó con la cabeza. Vaya tío, ese Webb: había acudido a los caballos lentos porque los gastos de Lamb no pasaban por el control de Barrowby. Así, sobre la mesa no habría ningún desembolso que comprobar.

—Vale —dijo, y él se relajó un poco—. Pero eso no significa que te puedas ir de rositas. —Echó una rápida mirada de reojo al cajón de su mesa: allí estaban sus cigarrillos, pero la última vez que alguien había fumado en Regent's Park se había disparado la alerta de ántrax—. Quiero que me lo expliques todo, de cabo a rabo —dijo—, y ahora mismo.

El polaco del pub dijo *hookahs*, «cachimbas», pero Kyril creyó haber oído *hookers*, «prostitutas», así que se pasó los treinta segundos siguientes escuchando sorprendido que había habido un cambio en la ley y que las prostitutas de Edgware Road ya no sólo podían utilizarse dentro de los restaurantes turcos, sino también en plena calle. A los efectos de su misión en Londres se suponía que no sabía inglés, pero lo hablaba bastante bien y creía tener bastante claro lo que significaba *hookah*, así que acompañó al polaco a Edgware Road.

Lo gracioso era que, en aquella calle, igual que en los callejones laterales, efectivamente había decenas de putas, pero el caso es que Kyril finalmente vio escrita la palabra *hookah*, comprendió su confusión y se animó a probar una cachimba: le encantó, así que volvió al día siguiente y volvió a probarla sentado en una terraza bajo un toldo de

plástico, en plena calle, con el tráfico silbando al pasar...
Estaba haciendo amigos y eso le gustaba. «Lo que el Hombre ignora no le hace daño», pensó. Justamente estaba charlando con esos amigos cuando vio pasar en bicicleta al tipo de aquella mañana, Harper.

Kyril no hizo ningún movimiento brusco, se quedó fumando su *hookah* y le rió un chiste al polaco. De reojo, vio a Harper desmontar, subir la bicicleta a la acera y desaparecer detrás de una esquina. Todo bien: era obvio que aquel tipo quería estar tan cerca de él como pudiera. Dejó pasar diez minutos antes de levantarse y despedirse para ir hasta el pequeño supermercado y comprar algunas provisiones, sobre todo botellas y cigarrillos.

Cuando Webb terminó, Taverner se mordisqueó el labio inferior hasta que se dio cuenta de que lo estaba haciendo.

—¿Y por qué en la Aguja, precisamente? —preguntó—. Trabajas en los servicios secretos, ¿o es que no te habías enterado? No podrías llamar más la atención ni montando una reunión en el Mall.

—No es un barriobajero al que intento detener. Si pillan a Pashkin en una barra americana cutre, más de uno levantará las cejas; si lo ven entrar en el rascacielos más moderno de Londres, nadie se parará a pensar: es su territorio natural.

No pudo discutirle la lógica.

—Y esto no lo sabe nadie más. Me refiero a la historia verdadera.

—Sólo tú y yo.

—Y no me lo habías dicho hasta ahora porque estás de mi lado.

Webb asintió.

—Negación...

—Sí, negación plausible, ya lo has dicho. —Taverner digirió otra mirada penetrante a su subordinado—. A veces me preocupa que te puedas pasar al enemigo —dijo.

Webb parecía sorprendido.

—¿Al MI6?

—Me refiero a Tearney.

—Diana... —mintió—, eso es imposible.

—Y me lo has contado todo.

—Sí —volvió a mentir.

—Quiero que me pongas al día regularmente. Hasta el mínimo detalle, bueno o malo.

—Por supuesto —mintió él.

Cuando Webb se fue, Diana se puso a redactar un correo electrónico para pedir a Antecedentes el currículum de Arkady Pashkin, pero luego lo borró sin enviarlo: lo último que quería era llamar la atención, y con la auditoría del maldito Roger Barrowby en pleno tendría que explicar por triplicado las razones de su interés. Así que decidió recurrir al método preferido por las no tan jóvenes que van a salir por primera vez con un desconocido: lo buscó en Google. Le salieron menos de mil resultados: para tratarse de un jugador importante, volaba bajo. El primero era un artículo en el *Telegraph* de hacía un año enumerando sus logros. Salía una foto en la que pudo comprobar que Pashkin era una especie de Tom Conti, aunque menos bonachón, lo que le provocaba una mezcla de emociones. Con las persianas bajadas todavía, se permitió un instante de ensoñación: ¿polvete, matrimonio o empujarlo por un acantilado?

Joder, el tipo era millonario: las tres cosas, y en ese orden.

Era tarde. Cerró el ordenador y se quedó sentada pensando. Siempre cabía la posibilidad de que Webb consiguiera lo que se proponía y (aunque las probabilidades de que Pashkin terminara a la vez en deuda con el MI5 y ocupando el trono del Kremlin eran minúsculas) el juego funcionaba así: había que apoyar a los opositores porque los que estaban en el poder ya tenían quien hablara por ellos, aunque no siempre estaba claro de quién se trataba.

«Maldita sea», pensó. «Dejémoslo seguir adelante.» Si todo salía mal, lo clavaría a los restos del naufragio y lo abandonaría en altamar para alimentar a las gaviotas. «Delirios de grandeza», explicaría: lo que pasa cuando la prensa te presta atención.

Y seguro que Ingrid Tearney entendería el mensaje.

Antes de irse subió las persianas para que todo el Cuartel General de Comunicaciones pudiera admirar su despacho vacío. «Nada que esconder», pensó. «Nada que esconder.»

«Nada de nada que esconder.»

A veces, todo sale bien.

Min Harper no había batido ningún récord mientras pedaleaba hacia el oeste: al fin y al cabo, sólo estaba en una misión de reconocimiento para tomarle la temperatura a la zona. Cerca de Marble Arch había mucho tráfico, de modo que tuvo que bajar aún más la velocidad e intentar localizar un sitio donde atar la bici. Justo en ese momento vio a Kyril, el que había fingido no hablar inglés: estaba sentado en la terraza de un restaurante fumando en una *hookah* y echando unas risas con los del barrio como si fuera algo que hiciese todas las noches de su vida. Así de simple: a veces todo sale bien.

Se bajó de la bici, dio la vuelta a una esquina y la ató al poste de una farola. Apretujó su chaleco fosforescente en la alforja y volvió a la calle principal. El intenso tráfico le permitió avanzar sin que Kyril lo viera y meterse en un quiosco. Se quedó de pie tras el expositor de revistas, repasándolas aparentemente ensimismado, hasta que Kyril se levantó, compartió un último chiste con sus amigotes y finalmente se encaminó al supermercado de la esquina. En cuanto lo vio entrar, cruzó la calle y se refugió en la entrada de una tienda simulando leer el tablón de anuncios: «Se ofrece trabajo de limpieza», «Hombre con furgoneta», «Clases de inglés». Hizo ver que anotaba algún que otro número. Cuando Kyril reapareció con una bolsa en cada mano, Min esperó a que avanzara unos doscientos metros antes de seguirlo procurando fundirse con el gentío que llenaba la acera. Dada su robustez y estatura, el ruso era un blanco fácil. Min todavía notaba el gusto de la cerveza en la garganta; ya puestos, incluso notaba una presión creciente en la vejiga, pero lo que más notaba era la emoción de la persecución: habría sido tan fácil parar a una de aquellas personas, la rubia que se acercaba, por ejemplo, y decirle: «Trabajo para los servicios de seguridad. ¿Ve a ese tipo? Pues lo estoy persiguiendo.» Pero la rubia pasó sin siquiera mirarlo y, cuando se dio cuenta, Kyril había desaparecido.

Parpadeó y se prohibió echar a correr: pasos tranquilos y regulares, igual que antes. «Kyril debe de haber entrado en otra tienda», se dijo. O en algún bar. A lo mejor incluso había algún callejón escondido más adelante. El peligro estaba en acabar topándose de frente con él...

No, el peligro estaba en haberlo perdido.

No, no había ningún peligro: eso era lo que debía recordar. No había ningún peligro porque nadie más que él mismo sabía dónde estaba ni lo que estaba haciendo, así que cuando volviera a montar en la bici y recorriera la ciudad para ir al apartamento de Louisa, sólo él mismo sabría que la había cagado en una persecución de esas que hasta un novato haría bien sin siquiera sudar.

A veces, todo salía mal.

Sólo que no, hoy no sería ese día, porque ahí estaba de nuevo el ruso, con su hermoso corpachón, saliendo de una especie de hornacina en la que se había metido seguramente para echarle un ojo a un menú... Min sólo se dio cuenta de que se le había acelerado el corazón cuando sus pulsaciones se normalizaron de nuevo.

Manteniendo la misma distancia prudente de unos doscientos metros, siguió al ruso por Edgware Road.

Jackson Lamb estaba en su despacho, donde la única luz procedía de una lámpara apoyada en un montón de listines telefónicos, a la altura de sus rodillas. Esa débil luz, sin embargo, se las arreglaba para proyectar sombras como duendes en su rostro y otras mayores en el techo. Encima de la mesa, junto a sus pies, había una botella de Talisker, y él sostenía un vaso en la mano. Tenía la barbilla apoyada en el pecho, pero no estaba dormido: parecía contemplar su tablón de corcho, donde estaban clavados una serie de cupones de descuento caducados; aunque también era posible que su mirada atravesara aquel corcho para adentrarse en un largo túnel de secretos alojados en la memoria. De todas formas, si alguien le preguntara respondería que sólo estaba decidiendo a quién iba a enviar a comprarle tabaco: acababa de fumarse el último cigarrillo que le quedaba.

Sí, parecía ajeno a todo; ni siquiera parpadeó cuando Catherine Standish se dirigió a él desde el umbral, donde llevaba más de un minuto plantada.

—Bebes demasiado.

Por toda respuesta, Lamb levantó el vaso y observó su contenido. Acto seguido se lo bebió de un trago y dijo:

—Mira quién habla.

—Sí, por eso te lo digo. —Catherine entró en el despacho—. ¿Has tenido lagunas mentales?

—No que yo recuerde.

—Si puedes bromear al respecto, es probable que aún no hayas empezado a mearte encima, pero es un regalo que no tardará en llegar.

—¿Sabes lo bueno de los borrachos reformados? —preguntó Lamb.

—Cuéntamelo, por favor.

—No, no: era una pregunta. ¿Tienen algo bueno los borrachos reformados? Porque desde mi punto de vista no son más que un grano en el culo.

—¿Te has fijado que esa afirmación sigue siendo cierta si quitas la palabra «reformados»?

Lamb le clavó la mirada y luego asintió con gesto pensativo, como de remordimiento, como si estuviera a punto de agradecer su sabiduría. A continuación, se tiró un pedo.

—Mejor fuera que dentro —dijo—. ¿Sabes qué? La afirmación seguiría siendo cierta si se refiriese a tu presencia en mi despacho.

Para demostrar de una vez por todas que nunca pillaba una indirecta, Catherine no se largó. Al contrario, siguió hablando como si tal cosa.

—He hecho una pequeña investigación.

—Ay, Dios.

—¿Y sabes qué? —Quitó dos cajas llenas de documentos de una silla, las puso en el suelo y se sentó—. ¿Recuerdas aquel lío con los trenes la noche en que murió Dickie Bow?

—Ajá.

—No fue un simple cortocircuito: alguien saboteó una caja de fusibles en las afueras de Swindon. El fallo de la red fue provocado, ¿no te parece sospechoso?

—Me parece que demuestra una gran falta de fe en la First Great Western —dijo Lamb—: la idea de que para generar un caos ferroviario haga falta un sabotaje es ridícula.

—Muy gracioso. ¿Qué pretendes, Lamb?

—Eso está más allá de tu categoría profesional y de tu sueldo. Digamos que encontré un cabo suelto y tiré de él. —Miró el reloj—. ¿Sigues aquí?

—Sí —respondió ella—. ¿Y sabes qué? No pienso irme a ningún lado porque me he dado cuenta de una cosa: tú me querías en la Casa de la Ciénaga; tú me trajiste, y no piensas deshacerte de mí. Creo que te sientes culpable. No me caes bien y dudo mucho que eso cambie, pero detrás de tus groserías de borracho hay alguna deuda que estás pagando y eso me da algo de ventaja: significa que no puedes hacerme callar.

—Qué ingeniosa —dijo Lamb—. Si esto fuera una película, ahora te soltarías el pelo y yo diría: «Señorita Standish, es usted muy guapa...»

—No, si esto fuera una película yo te clavaría una estaca en el corazón y tú desaparecerías entre una nube de polvo. Lamb: Dickie Bow era como un fantasma de otra época...

—Sí. Aquí habría encajado a la perfección.

—... y un borracho.

—Cualquier comentario sobre eso sería una falta de tacto.

Ella no reaccionó.

—He investigado su historial. Él...

—¿Cómo dices?

—Le he pedido a Ho que obtuviera su historial.

—Espero que no estés corrompiendo a ese muchacho: ya tenemos un soplón en el edificio.

—¡¿Qué?!

—Según Lady Di, uno de tus novatos es confidente suyo. Averíguame cuál, ¿vale?

—Lo pongo en mi lista de tareas. Mientras tanto, sigamos con Bow. Sabrás que se pasó los últimos tres años en el turno de noche de una librería de Brewer Street.

—No creo que la venta de libros pagara el alquiler del local.

—No, él estaba abajo: llevaba las revistas porno y los juguetes sexuales.

Lamb separó las manos en un gesto indulgente.

—En verdad, quién no se ha encontrado en un momento u otro hojeando una revista porno con un consolador en la mano.

—Mira: una ojeada fascinante a tu vida doméstica. Pero no cambiemos de tema: la última época que Dickie Bow estuvo en activo, Roger Moore hacía de James Bond. ¿De verdad crees que descubrió a un espía de Moscú y lo siguió por medio país?

—Murió —dijo Lamb.

—Eso ya lo sé.

—Es lo que me hace pensar que descubrió a un espía de Moscú y lo siguió por medio país.

—No: su muerte no prueba que descubriera a un espía de Moscú, sólo prueba que está muerto. Y si es cierto que lo mató un espía de Moscú, eso no significa que tú encontraras un cabo suelto y tiraras de él, significa que tendieron un hilo y tú tropezaste con él.

Lamb se quedó callado.

—Tal como ellos esperaban.

Lamb siguió en silencio.

—No dices nada, ¿se te acabaron los comentarios graciosos?

Lamb frunció los labios. Parecía a punto de soltar una pedorreta, y tampoco habría sido la primera vez; pero simplemente suspiró, se reclinó en la silla y se arregló el pelo con los dedos.

Y, mirando al techo, dijo:

—Un veneno que no deja rastro, un mensaje póstumo... y las jodidas vacas vuelan.

Ahora le tocaba a Catherine mostrarse desconcertada.

—¡¿Qué?!

Teniendo en cuenta el nivel de la botella que tenía delante, Lamb debería haber tenido la mirada mucho menos clara cuando le clavó la vista y dijo:

—¿De veras me crees tan tonto?

El piso estaba en la última planta de un auténtico vertedero al que sólo el moho y la humedad mantenían en pie. Las ventanas, mil veces repintadas, llevaban décadas atrapando el aire en el interior, lo que lo convertía en un museo olfativo de la pobreza y la desesperación, olores a los que Kyril estaba acostumbrado. Casi todas las habitaciones eran compartidas, con «camas calientes» que ocupaban los que volvían de trabajar cuando las liberaban los que se iban a cubrir el turno de noche. La comunicación entre ellos se limitaba a alguna inclinación de cabeza: a nadie le importaban los asuntos de los demás.

Al Hombre le parecía bien, pero Kyril era más sociable: ésa era una de sus virtudes. Tanto era así que casi podía interpretarse como una debilidad, y por esa razón Piotr había decidido que aquella mañana Kyril no podía hablar inglés.

—¿Qué más da? Son funcionarios civiles.

—Son espías —había replicado Piotr—. ¿No te habrás creído esa mierda del Departamento de Energía?

Kyril se había limitado a encogerse de hombros: sí, se había creído la mierda del Departamento de Energía, pero no le hacía gracia reconocerlo.

—Así que de hablar me encargo yo —había concluido Piotr.

Y tenía razón porque, si ese tipo era del Departamento de Energía... ¿qué lo estaba siguiendo ahora?

Aunque, si se trataba de un espía, ¿cómo podía hacerlo tan mal?

Siempre cabía la posibilidad de que hubiera otros y Kyril no los hubiese detectado, pero estaba convencido de que ese tal Harper iba solo, y ya le pareció bien. Harper no representaba ningún problema: podía partirlo por la mitad con una sola mano y tirar un trozo en cada dirección.

Al pensar eso, sonrió. No disfrutaba con la violencia y esperaba que no fuera necesaria.

Pero llegado el caso, sabría arreglárselas.

Shirley Dander abrió los ojos. La grieta que corría por el techo tenía la forma de un continente, de un animal desconocido, de un cumpleaños de vago recuerdo. Durante unos largos segundos se imaginó dentro, como en un refugio, pero cuando se despertó del todo ya sólo le pareció una grieta.

Su cabeza latía con un ritmo ajeno. Quienquiera que fuese el que tocaba aquel tambor, le había robado la luz del día.

Se arriesgó a moverse y volvió la cara hacia la ventana. No estaba oscuro, pero sólo porque ahí fuera había una ciudad que derramaba su fluido eléctrico por todas partes. Es decir, que la luz que se filtraba a través de la fina cortina desvaída era amarilla y automática, y procedía de una farola cercana.

En el despertador de la mesilla de noche parpadeaban las 21.42 h. ¿Las 21.42 h? Joder.

En la Casa de la Ciénaga, tras entregar su informe a Jackson Lamb, le había venido un bajón de cocaína. No era nada nuevo para ella, sólo que por lo general solía planificarlos, y llegaban con un edredón, una bandeja de *brownies* y un DVD de *Friends* en la mano. Cuando uno se encamina a un aterrizaje forzoso, una oficina con un colega preguntón no es precisamente el mejor lugar.

—Se dice «buenos días», ¿no?

Marcus Longridge no hubiera podido imaginar el esfuerzo que le suponía a su compañera de despacho contestar con un gruñido.

Pero no estaba dispuesto a renunciar.

—¿Disfrutaste del viaje?

Esta vez, ella consiguió encogerse de hombros y susurrar:

—Era un lugar en medio del campo, Marcus: puedo vivir sin ir al campo, pero tampoco me molesta.

—¿Eres una chica playera?

—No soy ninguna chica.

Frente a ella, la pantalla del ordenador: el «campo de batalla» virtual. Apenas le habían permitido echar una ojeada al mundo real y ya estaba de nuevo comparando caras como quien intenta jugar al Memory con tarjetas desparejadas. Le había contado a Lamb que había pasado la noche en vela, que en vez de dormir había estado persiguiendo al Señor B, pero sólo había obtenido a cambio una sonrisa torcida y dentuda. «No querrás que te dé permiso para irte a casa, ¿verdad?», le había dicho Lamb.

Marcus seguía mirándola.

—Necesito comer algo —dijo—. ¿Quieres que te compre alguna cosa?

Lo que Shirley quería era una habitación a oscuras, una cama en silencio, la suspensión temporal de la vida.

—¿Shirley?

—Un Twix, quizá.

—Enseguida vuelvo.

Cuando Marcus se fue, Shirley se acercó a la ventana. Poco después, lo vio aparecer abajo, en la calle. Se echó atrás por puro instinto, pero él no alzó la mirada; cruzó la calle y se dirigió a la hilera de tiendas. Mientras compraba, se llevó el móvil a la oreja.

Esas situaciones llevaban aparejada la paranoia: cada vez que tenía resaca (de cerveza, tequila, cocaína o sexo) se sentía acosada, furtiva. Aun así, tuvo la certeza de ser el tema de aquella llamada.

De vuelta al aquí y ahora, Shirley soltó un leve gruñido que no contribuyó para nada a modificar la luz, ni el latir de su cráneo, ni el foso negro que se abría cada vez que ella cerraba los ojos.

Las 21.45 h, volvió a decirle el despertador, parpadeando. Podía quedarse donde estaba otras diez horas y a lo mejor con eso volvía a encontrarse bien.

A lo mejor...

Se concedió cinco minutos; luego se levantó, se vistió y salió a la noche.

Kyril se había evaporado otra vez. Min lo descubrió al doblar la esquina y se puso a maldecir por lo bajo, de nuevo con el sabor de la cerveza en la boca. En fin, tampoco era el fin del mundo: sólo indicaba que su objetivo había llegado a su destino.

Al enterarse de que el taxi los había dejado en Edgware Road, lo primero que había imaginado era que estaban en un albergue: no se había equivocado. Aquellos edificios eran altos y tenían un aspecto imponente, pero sus días de gloria habían quedado atrás hacía tiempo y la regeneración no habían empezado aún. Ante la multitud de timbres del interfono sólo se podía concluir que los apartamentos se habían dividido en habitaciones individuales, y bastaba ver las sábanas y hojas de periódicos sujetas con cinta en las ventanas para entender que sus ocupantes eran de clase baja.

«Como tú y yo, colega», pensó Min...

Y justo en ese momento, una mano de piedra lo agarró por el hombro y algo frío, romo y metálico le presionó la nuca.

—Creo que me está siguiendo, ¿es así?

—Yo... ¿qué? ¿Pero qué dice...?

—Señor Harper, creo que me está siguiendo, ¿es así?

El objeto metálico presionó un poco más.

—Yo sólo...

—¿Sólo qué...?

«Sólo necesito un momento para inventarme una historia», pensó Min.

El objeto metálico presionó un poco más.

—¿Pues sabe qué? —dijo Kyril—. Ahora descubrirá lo que les ocurre a los miembros del Departamento de Energía que se vuelven demasiado curiosos. ¿Me entiende?

Lamb abrió un cajón y sacó un segundo vaso, desgastado y lleno de polvo, en el que sirvió una cantidad prudente de Talisker que luego dejó al alcance de Catherine.

Después rellenó su propio vaso con una cantidad menos prudente.

—Chin-chin —dijo antes de dar un trago.

Catherine no reaccionó, ni siquiera miró el vaso.

—Alguien saboteó la caja de fusibles de Swindon, sí, ya lo imaginaba. ¿De verdad crees que me dedicaría a recorrer esos condados si no estuviera seguro de que era necesario? Los trenes se estropearon más o menos a la misma hora en que nuestro amigo, el Señor B, estaba preparando una serie de pistas para Dickie Bow.

—¿Para qué?

—Porque es indispensable complicar el rastro. Las pistas no pueden ser obvias: hay que obligar al cazador a trabajar.

—Quería que Bow lo siguiera.

Lamb posó el vaso y le dedicó a Catherine un lento e insonoro aplauso.

—Y que tú lo siguieras también —agregó ella—. Encontraste algo en el cadáver, ¿verdad?

—En el autobús: su teléfono, con un mensaje sin enviar.

Catherine levantó una ceja.

—¿Tecleado mientras agonizaba?

—Es más probable que lo tecleara el Señor B. Cuando la gente se dio cuenta de que Bow estaba muerto, se armó un pequeño revuelo a su alrededor y el Señor B seguramente aprovechó para escribir el mensaje y encajar el teléfono entre los cojines.

—¿Qué decía el mensaje?

—Una sola palabra —contestó Lamb—: «cigarras».

—Que, evidentemente, significa algo.

—Para mí, sí. Aunque para Bow no debía de significar nada: también por eso sé que se trata de un falso mensaje.

—¿Y el veneno que no deja rastro?

—Das una patada a una piedra y te salen diez. La mayor parte de los venenos que no dejan rastro en realidad sí lo dejan, sólo que es preciso encontrarlo antes de que se desvanezca. Si un borrachín hecho polvo sufre un infarto, en la mayoría de los casos su autopsia sólo hablará del infarto. —Gesticuló como si fuera un mago—. ¡Puf! Se ha ido. Pero en algún lugar tiene que estar la marca del pinchazo: en medio de una multitud es bastante fácil pinchar a alguien.

—Tampoco es que fuera una operación muy bien planificada, ¿no? ¿Qué probabilidad había de que a ti te diera por buscar el teléfono de Bow entre los cojines?

—De no haber sido yo, alguien más iba a buscar, sin duda: no te puedes cargar a un espía, ni siquiera a un don nadie hecho polvo como Bow, sin levantar algunas ondas en la superficie. Al menos, antes no se podía: parece que Regent's Park tiene cosas mejores que hacer hoy en día. —Cogió su vaso de nuevo—. Alguien tendría que avisarlos de que, si encuentras el cadáver flotando en la piscina, no puedes sacarlo del agua, ponerlo a un lado y después irte dejándolo ahí.

—Enviaré un memorando.

—Además, si yo no hubiera encontrado esa pista, habría aparecido otra: el Señor B llegó incluso a armarle una bronca a un taxista por haberse equivocado de camino. Eso no se olvida fácilmente, ¿verdad? —Lamb apretó los labios—. Ese taxista es como un cable trampa. En cuanto Shirley dejó de hablar con él, seguro que llamó por teléfono a alguien.

—Quieres decir que el Señor B sabe que le estamos siguiendo la pista.

—Como buenos cachorritos de caza.

—¿Y crees que es inteligente hacerlo?

—La inteligencia tiene poco que ver. Sólo hay dos opciones: o seguimos las migas que nos deja en el camino o nos olvidamos. Y esta última opción no existe en realidad, porque quienquiera que esté detrás de esto es de la vieja escuela. Para empezar, hace falta ser de la vieja escuela para saber que una rata callejera como Bow mordería el anzuelo. El que maneja las cuerdas está siguiendo las normas de Moscú. Tal vez en Regent's Park estén demasiado ocupados para considerar que vale la pena seguir este asunto, pero yo no.

—¿Vas a decir su nombre o quieres que lo diga yo?

—¿Su nombre?

—Alexander Popov —dijo Catherine Standish.

La habitación era pequeña y la ventana estaba abierta. Aunque hacía frío, una gota de sudor se desprendió del cabello de Min y bajó rodando por su cuello. Los ojos de los dos hombres estaban clavados en él. Siempre quedaba la posibilidad de ser más rápido que ambos, pero en el fondo sabía que esa posibilidad era muy remota. De hecho, era una posibilidad minúscula. Con cualquiera de los dos por separado tal vez habría tenido alguna oportunidad, pero los dos juntos ofrecían una oposición formidable. En otros tiempos, tal vez sus reflejos habrían estado a la altura, pero se estaba haciendo viejo por momentos, y antes se había bebido unas cervezas y...

Un puño golpeó la mesa.

... tres chupitos.

Min era rápido, pero con eso no bastaba. Tal vez en cualquier otro lugar de Londres habría salido bien parado, pero en aquella habitación estaba perdido.

El tercero lo derramó casi entero. Piotr y Kyril ya se estaban recostando en sus asientos, con los vasos vacíos y alineados, rugiendo para que el alcohol no les quemara la garganta.

Cuando por fin pudo hablar, Kyril dijo:

—Has perdido.

—He perdido —reconoció Min.

Los tres vodkas se sumaron a los dos de la ronda anterior y al de la primera. Más los de castigo por haber perdido ambas rondas. Más las cervezas que se había tomado en el pub al lado del trabajo, aunque los detalles más concretos, como el nombre del pub y dónde quedaba su trabajo, se habían vuelto un tanto confusos. ¡Qué tipos!, en cualquier caso. ¡Qué tipos! Esos dos rusos estaban medio locos, pero era sorprendente la rapidez con que se rompían las barreras simplemente improvisando un poco y yendo más allá de la mera descripción del trabajo, que en su caso consistía en vigilar a esos dos sin que se enterasen.

Cabía la posibilidad de que hubiera puesto en peligro esa parte concreta de su misión.

—Venga, dime —propuso Kyril—. Cuando he hecho eso de la llave, cuando he...

—¡Cuando me la has clavado en el cogote, cabrón!

Kyril se echó a reír.

—Creías que era una pistola, ¿no?

—¡Claro que creía que era una pistola! ¡Cabronazo!

Los tres estaban muertos de la risa. Había sido una escena memorable, desde luego: Min, convencido de que había llegado su hora; de que un espía ruso le había clavado una pistola en la nuca y estaba a punto de apretar el gatillo.

Kyril dijo entre carcajadas:

—No he podido evitarlo: me lo has puesto muy fácil.

—¿Desde cuándo sabías que yo estaba ahí?

—Desde el principio: te he visto en la bicicleta.

—Joder.

Min negó con la cabeza. Aunque tampoco se sentía tan hundido: vale, la había cagado, pero la cagada no había tenido consecuencias importantes. De todas formas, mejor que nadie se enterase. «Mucho menos Lamb», pensó. «Y tampoco Louisa, claro; ni nadie...»

Pero mucho menos los dos primeros.

—No te sientas mal, hombre —intervino Piotr—. Nos dedicamos a la seguridad: nos entrenaron para reconocer rostros en medio de la multitud.

—Igual que a ti te habrán entrenado en el... Departamento de Energía —añadió Kyril. Su amplia sonrisa lanzó al aire unos signos de interrogación invisibles.

—Mirad... —empezó Min, pero Piotr agitó las manos para que se callara.

—Eh, eh, tranquilo. Arkady Pashkin es un hombre importante, ¿crees que no imaginábamos que su visita iba a generar... cierto interés por parte del gobierno? Lo contrario nos preocuparía: significaría que ya no es importante, y los que no son importantes no necesitan tener a gente como nosotros.

—Si mis jefes descubren que he estado aquí...

—Quieres decir —apuntó Kyril con astucia—: si descubren que la has cagado en un trabajo de seguimiento.

—Bueno, el rastro hasta vuestra madriguera lo he descubierto yo solo —objetó Min.

—Y ahora estás descubriendo lo que les ocurre a los tipos del Departamento de Energía que se vuelven demasiado curiosos.

Los tres se rieron de nuevo a carcajadas y Piotr rellenó los vasos una vez más.

—Por las cosas que salen bien.

Min brindó encantado.

—*Pravda* —dijo porque era la única palabra rusa que conocía.

Y sonaron las carcajadas de nuevo, y hubo que servir otra ronda.

Su piso, en la planta más alta, era el único que no se había dividido: permanecía como una vivienda entera. Además de la cocina donde estaban, había al menos otras dos habitaciones. La cocina se veía bastante limpia, aunque la ventana estaba impregnada de la mugre habitual de la ciudad. La nevera estaba llena, y no sólo de vodka: había tetrabriks de zumo y algunos manojos de verduras, aparte de unos paquetitos de charcutería bien envueltos. Esos dos tipos estaban acostumbrados a vivir lejos de casa, supuso Min, y sabían cómo cuidarse en una ciudad extranjera sin tener que recurrir a la comida para llevar. También supuso que, si bebía mucho más, perdería la capacidad de recordar dónde estaba su casa y, por descontado, la de llegar hasta allí en bicicleta. Lo último que quería era terminar debajo de un autobús.

Sonó un ruido procedente del recibidor: la puerta de entrada se abrió y enseguida volvió a cerrarse. A continuación, Min vio una sombra nueva proyectarse en la pared que tenía delante. Se dio la vuelta, pero quienquiera que fuese ya había desaparecido por el pasillo.

—Un momento —dijo Piotr. Y salió de la cocina.

Kyril sirvió más vodka.

—¿Quién era? —preguntó Min.

—Nadie: un amigo.

—¿Y por qué no se apunta?

—No es de esa clase de amigos.

—No es un bebedor —conjeturó Min.

El vaso brillaba tentador ante sus ojos. ¿Qué acababa de decidir sobre el alcohol? Pero no, no podía hacerlo... dejar el vaso intacto era de mala educación, así que respondió al brindis de Kyril y se echó el vodka a la garganta.

Piotr volvió y le soltó a Kyril algo que a Min le sonó como una mera acumulación de consonantes.

—¿Qué pasa? —preguntó.

—Nada —respondió Kyril—. Nada de nada.

La paranoia había vuelto, si es que se había ido en algún momento. Shirley Dander, vestida toda de negro, encajaba tan bien en las calles de Hoxton como el tapón del desagüe en una bañera, y aun así se sentía fuera de lugar, como si con cada uno de sus pasos dejara un rastro de neón.

En realidad, apenas era de noche: las diez y media.

Se dirigía a su pub favorito, aunque sólo lo consideraba como tal porque allí tenía un contacto. No le gustaba llamarlo «camello»: un camello implicaba un hábito, un hábito implicaba un problema... y lo que ella tenía no era un problema, sino un estilo de vida. Estilo de vida que, por cierto, no tenía intenciones de permitir que se fuera al hoyo como había sucedido con su carrera. Jamás había puesto en duda que la Casa de la Ciénaga fuera una tumba, pero cada vez volvía a sorprenderla que esa tumba tuviera tantísima tierra por encima. Había hecho lo que le había pedido Jackson Lamb (y bien, además, sin que se le escapara ni un detalle) y lo único que se había ganado era la orden de regresar a su escritorio. Para colmo, por las historias que había oído, ya era un milagro que le hubieran encargado trabajo de campo: los caballos lentos iban y venían, y entremedio se quedaban encerrados en sus cuadras. Su propia misión parecía, una vez concluida, calculadamente cruel: le habían permitido vislumbrar la luz del sol y luego habían vuelto a cerrar la puerta del establo.

Bueno, pues que Lamb se fuera a la mierda: si quería joderle la vida, descubriría que por esa calle se circula en ambas direcciones.

Había tres filas de gente delante de la barra. Eso tampoco importaba: no pensaba quedarse. Un rostro familiar alzó una mano para saludarla, pero Shirley se hizo la despistada y se abrió camino hacia los baños, que quedaban al fondo. Atravesó un pasillo lúgubre con un espejo sucio y una serie de carteles anunciando noches de poesía a micro abierto, bandas locales, una manifestación contra el distrito financiero, cabarets transgénero... y esperó. No mucho: su contacto llegó abriéndose camino desde la barra y, exactamente diecisiete palabras después, Shirley salió del pub con tres billetes de menos y un agradable peso en el bolsillo.

Chaqueta negra. Vaqueros negros. Tendría que haber sido invisible, pero se sentía marcada. Los recuerdos de la noche anterior se abalanzaban sobre ella desde el reflejo de los parabrisas de los coches: aún podía ver el rostro del crío al que le había dado un susto de muerte al sorprenderlo en los pasillos de DataLok. Así de fácil era aterrorizar a la gente: sólo tenías que creer que tu causa era justa o, en su defecto, bastaba simplemente con que te importase un pimiento la gente a quien tenías que aterrorizar. Cuando se dio la vuelta, Shirley estaba convencida de que alguien la seguía: un rostro del pub, alguno de los que se quedaban cerca de las paredes y no paraban de mirar, pero nunca se atrevían a acercarse. Bueno, a joderse. Ella ya estaba comprometida; además, nunca bailaba donde compraba. En eso iba pensando cuando se dio la vuelta sólo para encontrarse la calle vacía, o al menos eso le pareció. Paranoia, nada más. El agradable peso que llevaba en el bolsillo se encargaría de solucionarlo todo.

Vestida toda de negro, siguió su camino.

—Alexander Popov —dijo Catherine Standish.

Lamb la miró atentamente.

—Vaya, ¿de dónde has sacado ese nombre? —preguntó. Ella no contestó.

—A veces me da por pensar que te vas a pasar al enemigo.

—¿A Regent's Park?

—Me refiero al Cuartel General de Comunicaciones del Gobierno. ¿Me has puesto un micrófono, Standish?

—¿Has enviado a River a una misión encubierta...?

—Ay, Dios, tendría que haberlo imaginado... —suspiró Lamb.

—... ¿sabiendo de antemano que era una trampa?

—Apenas hace un par de horas que se lo he pedido, ¿ya lo ha colgado en su muro de Facebook?

—Lo digo en serio.

—Yo también. A veces pienso que a ese crío su abuelo no le ha enseñado otra cosa que a contar historias... —Dio otro trago a su whisky sin dejar de mirar el que le había servido a Catherine: seguía allí plantado, como un desafío o como un insulto muy bien escogido—. Además, sea o no sea una trampa, a él le da igual: un agente operativo es un agente operativo. Probablemente le parecerá como si de pronto hubiera llegado la Navidad.

—Seguro que sí, pero ya sabes cómo son las Navidades: siempre acaban en lágrimas.

—Son los Cotswolds, Standish, no una maldita provincia de Afganistán.

—Charles Partner solía decir una cosa sobre los agentes operativos: cuanto más amistoso es el territorio, más miedo dan los nativos.

—¿Eso fue antes de que se volara los sesos o después?

Catherine no contestó.

—Lo que todo el mundo suele olvidar —dijo Lamb— es que Alexander Popov tal vez no existiera, pero quien se lo inventó sí. Y si el mismo listillo nos está poniendo una trampa para ratones en el patio trasero, tenemos que averiguar por qué. —Soltó un eructo—. Si eso convierte a Cartwright en nuestro comedor de quesos, que así sea. Es un profesional entrenado, no lo olvides; lo de cagarla es sólo un pasatiempo.

—Popov es tu ballena blanca, ¿verdad?

—No sé qué quieres decir con eso.

—Otra cosa que dijo Charles alguna vez: que tomarse las cosas como algo personal con el enemigo resulta peligroso porque cuando eso pasa puede sucederte como al capitán Achab. —Catherine hizo una pausa—. Se refería a *Moby Dick*, ¿sabes? Probablemente funciona mejor si no necesitas que te lo expliquen. River no sabe que se está tragando el anzuelo, ¿no?

—No —respondió Lamb—. Y no lo va a averiguar si no se lo cuentas. Si lo hicieras, además, probablemente descubrirías que tu impresión de que nunca te echaría de aquí es un error.

—No pienso decirle nada.

—Bien. ¿Y tienes intenciones de beberte eso?

Catherine pasó el contenido de su vaso al de Lamb.

—Salvo que descubra que está corriendo algún peligro —añadió—. Al fin y al cabo, es tu ballena: no hay ninguna razón para que otro muera intentando clavarle un arpón.

—Nadie va a morir —dijo Lamb. Erróneamente, según se demostró enseguida.

Justo en ese momento, sonó el teléfono.

Como encontraron una tarjeta de la agencia en el cadáver, saltaron todas las alarmas. Los policías se tuvieron que ir a atender el tráfico y Nick Duffy (el jefe de los Perros de Regent's Park) quedó a cargo. Sus Perrillos se pusieron enseguida a medir ángulos y a interrogar a los testigos.

Casi todos los testigos habían llegado después del suceso, menos la conductora del coche, por supuesto: ella había aparecido justo en el momento en que ocurría el suceso.

—Ha aparecido de la nada —repetía.

Era rubia y parecía sobria, una impresión corroborada por el alcoholímetro de un policía descontento.

—No he tenido ninguna posibilidad de esquivarlo.

Le temblaba la voz, pero era comprensible: si aplastas a alguien con el coche, tengas la culpa o no, lo normal es que tiembles un poco.

No es que fuera el cruce más concurrido a esas horas de la noche, pero tampoco era una zona que uno se atrevería a cruzar con un buen ciego encima. Aunque, por supuesto, si ibas drogado o borracho cabía la posibilidad de que respetar los semáforos no estuviera entre tus prioridades.

—O sea, he pisado el freno, pero...

Otra vez los temblores.

Nick Duffy se oyó decir:

—Mire, estoy seguro de que no ha sido culpa suya.

¡Por Dios! Sonaba como un poli aficionado.

Pero ella era rubia y estaba razonablemente buena, y la tarjeta que habían hallado en el cadáver era de la Casa de la Ciénaga, lo que implicaba que el difunto era algo así como un niño jugando a ser un espía de verdad. Cuando un espía de verdad moría bajo las ruedas de un coche había que supervisarlo todo con mucha atención por si acaso el coche llevaba matrículas sospechosas (metafóricamente hablando). Sin embargo, si el espía era un caballo lento había que replanteárselo todo porque a lo mejor resultaba que había mirado hacia el lado equivocado por pura incapacidad de distinguir la derecha de la izquierda.

Y ella era rubia y estaba razonablemente buena...

—Pero tendré que echarle un vistazo a su carnet.

Gracias al cual supo que se trataba de Rebecca Mitchell, súbdita británica de 38 años. Nada en esa información sugería que acabara de cometer un asesinato; aunque, por supuesto, los mejores asesinatos los cometían aquellos que no parecía que pudieran haberlo hecho.

Nick Duffy dejó que su mirada vagara de nuevo por el cruce. Sus Perros estaban rastreando las aceras y los portales de las tiendas: la última vez que un agente había muerto atropellado, su arma había desaparecido y Sam Chapman *el Malo*, su predecesor inmediato, había acabado en el extremo inadecuado de una investigación interna. Lo último que había sabido de él era que trabajaba para una empresa privada. Duffy, por su parte, no estaba preparado para un destino así, muchas gracias. Mientras devolvía el carnet llegó un taxi del que se bajó Jackson Lamb. Iba con una mujer; a Duffy apenas le costó un instante recordar el nombre: Catherine Standish, que había sido un elemento importante en Park cuando él era un cachorro, aunque luego había pasado al exilio, después del suicidio de Charles Partner. Ninguno de los dos se fijó en él: fueron directos al cadáver.

Duffy se dirigió una vez más a Rebecca Mitchell:

—Tendrá que prestar declaración, pronto vendrá alguien a tomársela.

La mujer asintió sin decir nada.

Duffy se acercó a los recién llegados, listo para decirles que se apartaran del cadáver, pero antes de que pudiera hablar Lamb dio media vuelta y, por la expresión de su rostro, Duffy se convenció de que era mejor cerrar la boca. Luego Lamb volvió a mirar el cuerpo y después alargó la mirada calle arriba. Duffy advirtió de inmediato en qué se estaba fijando: en el tráfico, más allá, y en las luces que adornaban la calzada. La ciudad siempre lucía sus perlas por la noche: a veces como guirnaldas luminosas tendidas para una boda, a veces como esas bolas de Navidad que se cuelgan en el árbol para recordar a los muertos.

Standish miró a Jackson Lamb:

—¿Quién se lo va a decir a Louisa? —preguntó.

SEGUNDA PARTE

BALLENAS BLANCAS

8

Para empezar por aquello de lo que carece, Upshott, al contrario que los pueblos vecinos, no tiene calle principal, con su hilera de fachadas de pretendido estilo Tudor desfilando graciosamente hacia el río, llena de tiendas de antigüedades y de muebles de jardín, o de tiendas de alimentación que ofrecen galletas de jengibre confitado y siete tipos de pesto, o de pubs cuyas cartas no desentonarían en Hampstead. Carece de cafés con los platos del día escritos con tiza en una pizarra plantada en la acera y de librerías independientes que se ufanen de montar lecturas con los autores locales. Sus callejones traseros tampoco están bordeados por setos cuidadosamente recortados que custodian casas de suave piedra amarilla, porque Upshott no invita a usar el epíteto «como una caja de bombones» (a menudo pronunciado con los dientes apretados); si acaso, recuerda las cajas de bombones que hay en su único supermercado local: cubiertas de polvo y con el celofán protector envejecido y amarillento.

En vez de esa inexistente calle principal, Upshott tiene una carretera que traza una curva nada más entrar en el pueblo para esquivar la iglesia y de nuevo, unos trescientos metros más allá, para pasar entre el pub, que queda a la izquierda, y el parque semicircular de la derecha. Después trepa hacia las casas de nueva construcción, la pequeña escuela primaria y el ayuntamiento, un edificio moderno, prefabricado, que los visitantes nunca encuentran sin instrucciones. De todos modos, el ayuntamiento no es el centro neurálgico de Upshott: ese honor le corresponde a una trinidad formada por la oficina de Correos, el pub y la tienda del pueblo. La primera está a un lado del parque, aunque por desgracia en el lado más alejado de la carretera, lo cual no resulta demasiado práctico, salvo que vivas en alguna de las casas que se alzan en esa misma zona: dispuestas en semicírculo, esas viviendas son las más antiguas de Upshott, típicas casas adosadas del siglo xviii, de tres pisos, que aquí parecen fuera de lugar, sobre todo si se las compara con los bungalós de la cuesta, construidos más tarde y ahora vacíos en su mayoría, después de haber servido, en otros tiempos, como hogares para el personal de servicio (limpiadores y conserjes, cocineros y lavaplatos, mecánicos y chóferes) de la cercana base de la fuerza aérea estadounidense. El cierre de la base, a mitad de los años noventa, le robó buena parte de su vitalidad a Upshott. Los que quedan viven sobre todo en esas casas dieciochescas, o algo más allá, junto a la carretera, y antes o después aparecen por el pub.

Que se llama Tu Lado Oscuro y también da al parque. Tiene un pequeño aparcamiento a la izquierda y un patio escalonado en la parte trasera (con vistas al bosque, cuya primera línea de árboles traza una curva a un kilómetro y medio de allí), las paredes encaladas y un cartel de madera que en otros tiempos se balanceaba con la brisa, aunque también se soltaba cuando soplaban vientos fuertes, de manera que Tommy Moult, el manitas honorario del pueblo, acabó atornillándolo en su sitio. Se rumorea que Tommy tiene una vida secreta porque sólo se deja ver los sábados, cuando todo el mundo sabe que puede encontrarlo delante de la tienda del pueblo, con su gorra roja de lana bajada hasta las orejas, vendiendo los paquetes de semillas y las manzanas que transporta en una bicicleta que aparca junto a los estantes de las verduras. Teniendo en cuenta la asiduidad con que aparece por ahí (no falla nunca), se diría que esas ventas suponen el punto álgido de su actividad comercial, pero también podría pensarse que, más que vender, se dedica a las relaciones públicas, pues son pocos los vecinos que pasan sin intercambiar al menos unas palabras con él.

La tienda de marras queda por donde hemos venido, justo en la esquina que mira a la iglesia de San Juan. Para llegar hasta allí desde el pub hay que pasar, al lado izquierdo, una hilera de casas de piedra seguidas de una vieja mansión, hoy convertida en apartamentos; y, a la derecha, una serie de casas más grandes y nuevas que aún no se han fundido con el paisaje (demasiado limpias, demasiado bien pintadas). En los espacios entre ellas aún puede verse el límite del bosque, a un kilómetro y medio de allí, y aunque la presencia ocasional de alguna hormigonera pueda sugerirnos que en esos huecos tenían que brotar nuevas viviendas, no hay la menor señal de actividad en ese sentido: todo eso se detuvo hace años. Podría volver a empezar cuando mejoren las cosas, pero la crisis económica prosigue, tan indefinida como una casa sin construir. En fin, pasadas las casas la carretera se curva de nuevo, entre la tienda y la iglesia del siglo XIII, bella como una postal, con su pórtico y su bien cuidado cementerio, cuyos ocupantes más antiguos vivieron alguna vez en la mansión, por lo que es de suponer que se retorcieron en sus tumbas cuando su magnífica residencia se dividió. De todos modos, las misas en San Juan son ahora quincenales: es mucho más fiable la tienda del pueblo, abierta todos los días de ocho a diez, aunque muy distinta de las tiendas pijas de otros pueblos más bonitos porque sus anaqueles están repletos de artículos que la gente, más que querer, necesita: alimentos enlatados o congelados, lácteos, sacos de carbón, bolsas de arena para gato, enormes paquetes de papel higiénico, champú, jabones y dentífrico, neveras llenas de cerveza y vino, montañas de tetrabriks de zumo y botellas de leche.

Muchos vecinos no necesitan ir más allá de esa tienda en sus expediciones a pie; la carretera, sin embargo, continúa, y pasa por unas cuantas granjas destartaladas antes de menguar para convertirse en una pista de tierra flanqueada de setos y llena de baches. Casi dos kilómetros más allá, desemboca en el campo de tiro del Ministerio de Defensa. Cuando los de la base estadounidense decidieron cambiar de aires y se marcharon de allí, el ministerio ocupó su lugar; así, un territorio cedido hasta entonces a los aviones amigos se ha habilitado para el fuego amigo. Cuando se izan las banderas rojas, está prohibido caminar por los campos del sudeste de Upshott; a veces, después de anochecer, caen del cielo grandes bengalas que iluminan los campos para las prácticas nocturnas. Junto a la carretera, separada por una alambrada de dos metros cincuenta de alto, discurre la última pista de aterrizaje, en uno de cuyos extremos se alzan, como si fueran propiedades en un tablero de Monopoly, un hangar y la sede de un club: en esos edificios se celebran actividades civiles varias noches por semana y, a lo largo de la primavera y el verano, muchas mañanas durante la semana sirven de plataforma de lanzamiento para una avioneta que ronronea por encima de Upshott antes de desaparecer en el cielo (aunque hasta ahora siempre ha regresado).

En resumen, pese a los disparos, Upshott es un lugar tranquilo, incluso soñoliento, aunque por lo general suele cobrar vida a primera hora, pues la mayor parte de quienes viven allí trabajan en otros lugares y suelen estar en la carretera ya a las ocho de la mañana. Así que tal vez el adjetivo más adecuado para describirlo sería «inocuo»; tal como afirmó Jackson Lamb: «Son los Cotswolds... no una maldita provincia de Afganistán.»

Aunque incluso en los pueblos más inocuos se oyen gritos al atardecer.

—¡Joder! —gritó River... demasiado tarde.

Ni siquiera una armadura de cuerpo entero le habría servido de algo. Sólo le quedaba rezar, y ni siquiera para eso tuvo tiempo: oyó el eco de una plegaria rebotar inútilmente en las paredes de su cráneo mientras su cuerpo se entregaba a los espasmos y luego se detenía, o al menos parecía detenerse. Entonces sus ojos se relajaron tras los párpados, cerrados con todas sus fuerzas, y la oscuridad se hizo más placentera.

Unos segundos después, su acompañante dijo «¡hostia!», pero no sonó como una auténtica blasfemia, la verdad. Rodó en la cama para apartarse de él y tiró de la sábana para cubrirse. River se quedó quieto, boca arriba, con la piel empapada, mientras su corazón recuperaba el ritmo normal: al menos había durado lo suficiente para romper a sudar.

Aunque no tuvo claro que eso fuera a servir de atenuante.

Era mediada la tarde de un martes, la tercera semana de River en Upshott, y estaba acostado en el cuarto (oscurecido por las cortinas) de una de las casas de nueva planta de las que hemos hablado antes. La había alquilado con un alias: Jonathan Walker.

Jonathan Walker era un escritor: ¿qué otra razón podía tener alguien para acudir a Upshott en temporada baja? (Suponiendo que Upshott tuviera temporada alta.) Así que Jonathan Walker escribía novelas de intriga y podía demostrarlo gracias a una publicación en Amazon, *Masa crítica*, cuya inexistencia no le había impedido conseguir una crítica con una estrella. Estaba trabajando en una novela situada en una base militar en los ochenta: por eso había ido a Upshott en temporada baja.

Su acompañante le dijo:

—Antes tenía una camiseta en la que ponía: «Se buscan chicos, no hace falta experiencia.» Hay que tener cuidado con lo que deseas, ¿eh?

—Lo siento —dijo él—: hacía mucho tiempo.

—Sí, ya he interpretado tu lenguaje corporal.

Se llamaba Kelly Tropper y llevaba la barra de Tu Lado Oscuro: veintipocos años, menuda, con poco pecho y el cabello color cuervo..., una cadena de adjetivos que River habría considerado desalentadoramente inadecuados de haber sido un verdadero escritor. Kelly también tenía una piel lechosa, sin una sola peca, y una nariz curiosamente chata que le daba el aspecto de tener la cara pegada a un cristal. Se había descrito a sí misma, delante de River, como «cínica». Entrelazó una pierna con la suya.

—No pensarás dormirte ahora, ¿verdad? —Lo exploró con la mano—. Mmm... No está muerta del todo, pero aún necesita unos minutos.

—Que podríamos ocupar con algo de conversación.

—¿Estás seguro de que no eres una chica? No, espera..., para ser una chica, te has corrido demasiado rápido.

—Mantengámoslo entre tú y yo, ¿vale?

—Depende de cómo te portes en el segundo asalto. El tablón de anuncios del pueblo no es meramente decorativo. —Movió la pierna—. Celia Morden colgó una vez una crítica de Jez Bradley allí. Celia niega que fuera ella, pero todo el mundo sabe la verdad. —Se echó a reír—. En la gran ciudad de Londres no pasan estas cosas, ¿verdad?

—No, pero tenemos una cosa que se llama «internet», y allí pasan cosas parecidas, por lo que me cuentan. —Con eso se ganó un mordisco en el brazo: tenía buenos dientes—. ¿Tú naciste aquí?

—Ah, ¿información personal?

—Bueno, si es un secreto no me respondas.

Le dio otro mordisco, esta vez menos fuerte.

—Mis padres se mudaron aquí cuando yo tenía dos años: querían salir de Londres. Papá estuvo un tiempo yendo y viniendo, y luego lo contrataron en un consultorio de Burford.

—Entonces no eres de familia de granjeros.

—Qué va: por aquí casi todos somos refugiados urbanos. Pero tratamos bien a los desconocidos, ¿no te parece? —Volvió a acariciarlo.

—¿Vienen muchos por aquí?

Ella lo agarró con más fuerza.

—¿Qué quieres decir?

—Tengo curiosidad por saber qué clase de... visitas recibe el pueblo.

—Mmm... —La caricia se hizo más intensa—. Espero que sólo quisieras decir eso. Aun así, pareces un agente inmobiliario.

—Estoy haciendo investigación para mi libro —improvisó—. Quería darme una idea de lo tranquilo que es el pueblo ahora que no está la base.

—Hace años que se cerró.

—Aun así...

—Bueno, esto está casi muerto, aunque de pronto parece que se anima...

Lo miró. «Sus ojos son de un verde sorprendente», pensó River. Tenía la esperanza de que de pronto recordara alguna información sobre el calvo que había aparecido por el pueblo unas semanas atrás: un nombre, una dirección... En tres semanas, no había olfateado el menor rastro del Señor B. Había logrado que lo aceptaran como uno más en Tu Lado Oscuro, y los vecinos ya lo saludaban por su nombre. Sabía quién vivía aquí, quién allí y dónde no vivía nadie. Pero al Señor B no le había visto el pelo, expresión ridícula si tenemos en cuenta su alopecia... En todo caso, le costaba concentrarse mientras Kelly seguía haciendo lo que hacía, primero con los dedos y luego («así vamos mejor») con los labios, y entonces River perdió el hilo de sus pensamientos por completo y en vez de ser un agente encubierto pasó a «encubrirse» con las sábanas junto a una adorable joven que merecía un rendimiento mejor que el que había conseguido ofrecerle unos minutos antes.

Felizmente, en esta segunda ocasión pudo ofrecérselo.

Era el día anterior a la cumbre y Arkady Pashkin ya había llegado. Se alojaba en el hotel Ambassador de Park Lane. En la calle, el tráfico era como una turba enfurecida, una pelea a puñetazos continuada por otros medios; en el vestíbulo, en cambio, sólo se oía el correr del agua en una fuentecilla y un educado murmullo proveniente del mostrador de recepción, cuyos guardianes parecían sacados de las páginas de *Vogue*. Alguna vez, la riqueza había fascinado a Louisa Guy tanto como el vuelo de los pájaros: el intento de comprender algo que siempre estaría fuera de su alcance podía llegar a obnubilarla. Ahora, sin embargo, tres semanas después de la muerte de Min, la vida de los ricos no era, para ella, más que un pretexto para pensar en cuestiones de seguridad: si alguien disparaba en la calle, ahí dentro sonaría como si alguien abriera una botella; si un coche atropellaba a alguien, nadie se iba a enterar porque el sistema de purificación del aire no lo permitiría...

Detrás de ella, Marcus Longridge dijo:

—Qué pasada.

Los habían emparejado. A ella no le gustaba, pero formaba parte de un acuerdo al que había llegado hacía poco. En apariencia, ese acuerdo tenía que ver con la agencia, más particularmente con Spider Webb, pero de hecho era un pacto con la realidad. Lo más difícil había sido que no se le notara que estaba dispuesta a hacer toda clase de concesiones: sólo quería conservar el trabajo; específicamente, la misión que le habían encomendado a ella y a Min. Fuera de eso, habría estado dispuesta a renunciar a todo.

Pashkin se hallaba en el penthouse, ¿dónde si no? El ascensor hacía menos ruido que la respiración de Marcus y las puertas se abrían directamente en la suite, donde Kyril y Piotr esperaban, este último con una amplia sonrisa en los labios. Le estrechó la mano a Marcus y luego se dirigió a Louisa:

—Me alegro de volver a verte. Siento mucho la muerte de tu compañero.

Ella se limitó a asentir.

Kyril se quedó junto al ascensor mientras Piotr los guiaba por la gran habitación de colores claros, con su gruesa moqueta y su olor a flores de primavera. Louisa incluso se preguntó si bombearían ambientador por los conductos del aire. Al verlos llegar, Pashkin se levantó del sillón.

—Bienvenidos —saludó—, ustedes son los del Departamento de Energía, ¿no es cierto?

—Louisa Guy —se presentó ella.

—Marcus Longridge —dijo Marcus.

Pashkin debía de tener cincuenta y tantos años y se parecía a un actor británico al que Louisa no lograba poner nombre. Era de estatura mediana, pero ancho de hombros; llevaba el cabello, moreno y abundante, deliberadamente despeinado. Tenía una mirada soñolienta y las cejas gruesas; por el cuello abierto de su camisa, que usaba metida por dentro de unos vaqueros azul oscuro, asomaba el pelo de su pecho, casi tan abundante como el de la cabeza.

—¿Café? ¿Té?

Alzó una ceja oteando a Piotr, que seguía por ahí. De no haber sabido que era un gorila, Louisa habría creído que se trataba de un mayordomo o de su equivalente ruso; un ayuda de cámara, quizá, un valet... o un galán de noche...

—Para mí no.

—No hace falta, gracias.

Tomaron asiento en las butacas dispuestas en torno a una alfombra que parecía tener cien años, pero en el buen sentido.

—Bueno —dijo Arkady Pashkin—. Todo listo para mañana, ¿sí?

Los miraba a los dos, pero se dirigía a Louisa.

Y a ella ya le parecía bien.

Porque en la odiosa noche de la muerte de Min Harper, Louisa había sentido que caía por una trampilla: había sufrido ese colapso interior que se experimenta cuando el suelo desaparece y no tienes ni idea lo abajo que está el fondo. Más adelante, la rapidez con que había asimilado la dolorosa muerte de Min debería haberla sorprendido: era como si llevara toda la vida esperando la llegada de esa noticia. Pero ya nada la sorprendía: todo era mera información. El sol salía, las agujas del reloj giraban y ella se adaptaba a ese patrón. Todo contaba como información: ésa era su nueva rutina.

Aunque, a decir verdad, desde entonces tenía un dolor en la articulación de la mandíbula; de manera intermitente, además, se le llenaba la boca de saliva, una y otra vez, durante varios minutos seguidos, como si estuviera llorando por el orificio equivocado. Y cuando se tumbaba en la oscuridad temía que, si se dormía, su cuerpo se olvidara de respirar y ella muriera también. Algunas noches incluso lo habría preferido, pero se atenía al acuerdo.

Fue ese acuerdo lo que le impidió caer hasta el fondo, o al menos le prometió un aterrizaje al que podría sobrevivir: fue la rama que asoma en el acantilado, el camión aparcado bajo la ventana con la carga de la fábrica de almohadas. Había tomado forma en Regent's Park. Pasados cuatro días de la muerte de Min, el tiempo había mejorado, como si le ofreciera un consuelo. En las plantas superiores de Regent's Park había salas para entrevistas en las que, en vez de meterle a alguien la cabeza dentro del inodoro, se mantenían agradables conversaciones en torno al dispensador de agua; tenían asientos cómodos y pósteres enmarcados de películas clásicas en las paredes. La habían redecorado desde la última vez que Louisa estuvo allí; y de un modo que, incluso si todas las demás cosas de su vida siguieran su curso normalmente, le habría parecido extraña: era como regresar al colegio y descubrir que han convertido la clase de sexto en un centro de aromaterapia.

James Webb practicaba la compasión como si la hubiera estudiado en un manual.

—Lamento tu pérdida. —El manual era estadounidense—. Min era un buen compañero, todos lo echaremos de menos.

—Si hubiera sido tan bueno —contestó Louisa— no lo habrían enviado a la Casa de la Ciénaga, ¿no?

—Bueno...

—Ni se habría puesto a correr en bicicleta borracho, entre el tráfico, bajo la lluvia.

—Estás enfadada con él. —Webb frunció los labios—. ¿Has hablado con alguien? A veces eso ayuda...

Lo que más la ayudaría sería plantarle un puñetazo en toda la boca. Pero había aprendido de la peor manera qué es lo que los otros esperan de tu duelo, por eso mintió:

—Sí, claro.

—¿Y te has tomado unos días de baja?

—Los que necesitaba.

Es decir, un día.

Webb miró hacia las ventanas. Daban al parque, al otro lado de la calle, y como era media mañana había mucho movimiento, digamos, preescolar: madres, cochecitos de bebé, pequeños explorando los límites del prado... Un coche soltó un petardeo y una bandada de palomas se echó a volar, dibujó un ocho en el cielo y volvió a posarse en el césped.

—No pretendo pasar por insensible —dijo él—, pero tengo que preguntártelo: ¿te parece bien continuar con la misión?

Había bajado la voz. En teoría, se habían reunido para que él le diera sus condolencias, pero estaban solos y ella sabía de antemano que él sacaría a colación el asunto de la Aguja.

—Sí —contestó.

—Porque yo podría...

—Estoy bien. Enfadada, claro: enfadada con él. Lo que hizo fue una estupidez y terminó... bueno, acabó matándose. O sea que sí. Estoy enfadada, pero puedo seguir cumpliendo con mi trabajo. Necesito cumplir con mi trabajo.

Le pareció que lo había vendido bien: con el grado correcto de emoción. Era tan malo que él la viera como una zombi como que la tomara por una histérica.

—¿Estás segura?

—Sí.

Parecía aliviado.

—Vale. De acuerdo, entonces. Me alegro, porque habría sido incómodo tener que repl...

—No me gusta dar problemas.

Spider Webb parpadeó y cambió de asunto:

—En ese caso, ya me mantendrás informado de cómo se desarrollan los acontecimientos.

Una frase sacada de otro manual: uno que contenía un capítulo sobre cómo hacer saber a los subalternos que la reunión había llegado a su fin.

La acompañó hasta la puerta. Habría alguien fuera esperando para llevarla a la planta baja, ayudarla a recuperar su tarjeta de visitante y asegurarse de que abandonaba el edificio, pero esas señales de su exilio (que en otros tiempos la habrían hecho subirse por las paredes) eran irrelevantes: conservaba la misión de la Aguja. Era lo único que importaba.

Mientras mantenía la puerta abierta, Webb dijo:

—De todos modos, tenías razón.

—¿Cómo?

—Harper no tendría que haber estado allí después de beber como un cosaco. Fue un accidente, eso es todo: lo hemos investigado cuidadosamente.

—Ya lo sé.

Se fue.

«Tal vez», pensó mientras la acompañaban escaleras abajo. «Tal vez...»

Cuando todo terminara y ella averiguara por qué había muerto Min, y matara a los responsables, tal vez entonces regresaría y tiraría a Spider Webb por esa ventana por la que tanto le gustaba mirar.

Dependería de su estado de ánimo.

Mientras Kelly se duchaba, River se puso los calzoncillos y la camisa y recorrió la habitación recogiendo ropa de ambos. Resultó que algunas prendas se habían quedado en el piso de abajo. Bueno, hasta cierto punto era lógico: ella sólo había acudido a tomar un café. Encontró su blusa en la sala de estar, y el bolso: un bolso realmente grande cuyo contenido se había desparramado por el suelo. Lo recogió y devolvió a su interior el móvil, el monedero, un libro de bolsillo y un cuaderno de esbozos que hojeó un poco antes de guardarlo: la primera línea del bosque, la carretera a la salida del pueblo, un grupo reunido en el patio detrás del pub... No se le daban bien las caras, pero había un bonito estudio a lápiz de la iglesia de San Juan y otro del cementerio: cada lápida era una forma rechoncha en torno a la cual languidecía la hierba crecida. También había varios bocetos aéreos del pueblo: Kelly Tropper volaba. La última página era extraña: no tanto un dibujo como un diseño: un perfil urbano estilizado con un rascacielos recibiendo el impacto de un rayo zigzagueante. En la base había algunas palabras garabateadas.

—¿Jonny?

—Voy.

Le llevó la blusa a la habitación, donde ella lo esperaba envuelta en una toalla.

—Estás...

—¿Bellísima?

—Iba a decir mojada —contestó él—, pero bellísima habría servido también.

Ella le sacó la lengua.

—Hay alguien por aquí que está contento consigo mismo.

River se tumbó en la cama y disfrutó de la vista mientras ella se vestía.

—No sabía que dibujabas —le dijo.

—Un poco. Has visto mi cuaderno, ¿no?

—Se había caído y estaba abierto —confesó él.

—Qué casualidad... En fin, no se me dan bien las caras, pero por aquí hace falta tener algún pasatiempo.

—Por ejemplo, volar...

—Volar no es un pasatiempo. —La seriedad asomó a sus ojos verdes—. Es lo más parecido a sentirse vivo. Deberías probarlo.

—Tal vez lo haga. ¿Cuándo piensas volver a despegar?

—Mañana. —Una sonrisa apareció y desapareció en un instante: fue como ver asomarse un secreto—. Pero no puedes venir conmigo. —Le dio un beso—. Tengo que irme: debo rellenar las neveras antes de abrir.

—Luego paso por allí.

—Bien. —Kelly hizo una pausa—. Ha sido un placer, señor Walker.

—Para mí también, señorita Tropper.

—Pero eso no significa que puedas curiosear en mis cosas sin permiso —dijo ella y le dio un mordisco en el lóbulo de la oreja.

En cuanto oyó que la puerta se cerraba, River llamó a Lamb.

—Vaya, el mismísimo 007: ¿has averiguado algo finalmente?

—No he dejado de toparme con callejones sin salida y caras de póker —dijo River. Se estaba mirando los dedos de los pies—. Si el Señor B estuvo aquí alguna vez, desapareció de inmediato.

—Caramba. Y entonces, ¿qué habrá pasado? ¿Se habrá escondido o algo así?

—Si estuvo aquí... Quizá nunca puso un pie en este sitio: quizá cuando el taxista puso el cartel de LIBRE él ya iba camino de otro lugar.

—O quizá eres un inútil. ¿Tan grande es ese sitio? ¿Tres cabañas y un estanque con patos? ¿Has mirado ya en los establos?

—¿Quién va a venir desde Londres para esconderse en un establo? Si es que hay establos por aquí. —River se fijó en un calcetín colgado de la barra de la cortina—. Sólo puedo decirte que no está en Upshott, ni como Señor B ni con ningún otro nombre..

—¿Eso quiere decir que te has infiltrado en la comunidad?

—Esto... sí, he hecho algunos... progresos.

—Joder, River —dijo Lamb—: te estás tirando a una vecina.

—La mayor parte de la población está jubilada, trabaja fuera de aquí o teletrabaja, pero hay muchas casas vacías. Se dice incluso que van a cerrar la escuela, lo cual siempre es señal de que una comunidad está agonizando.

—Si quisiera un editorial sensiblero, leería el *Guardian*. ¿Qué pasa con la instalación del Ministerio de Defensa?

—Bueno, no les gusta que nadie se pasee por allí. Pero tampoco es que estén probando armas secretas, ¿no? Es un campo de tiro.

—Que antes pertenecía a los americanos: a saber qué juguetes guardaban en los armarios.

—Fueran los que fuesen, dudo que sigan allí.

—Pero si quedan pruebas de que en algún momento estuvieron, podrían abochornar a alguien, ¿no? —apuntó Lamb.

«Como si tú supieras lo que es abochornarse», pensó River.

—Sí. —Recuperó un calcetín—. Por eso te he llamado: voy a colarme esta noche para echar un vistazo.

—Ya era hora... —Lamb hizo una pausa—. ¿Estás vestido? Suenas como si no lo estuvieras...

—Estoy vestido —le contestó River—. ¿Cómo está Louisa?

—Cumpliendo con su trabajo.

—Bien, ya, obvio. Pero ¿cómo se encuentra?

—A su novio lo destrozó un coche —dijo Lamb—. No creo que se despierte silbando alegres tonadillas.

—¿Has comprobado el accidente?

—Caramba, ¿nos hemos intercambiado el cargo sin que yo me diera cuenta?

—Era sólo una pregunta.

—Era un ciclista borracho, ¿qué parte no te suena a donante de órganos?

—Que te jodan, Jackson —se atrevió a decir River—. Harper era uno de los nuestros. Si lo hubiese fulminado un rayo, estarías interrogando al clima. Sólo preguntaba qué has averiguado.

Hubo un instante de silencio durante el cual River oyó el chasquido de un mechero. A continuación, Lamb dijo:

—Estaba borracho. Se había tomado varias cervezas en el pub de aquí delante. Se detuvo en algún otro sitio y se puso hasta el culo de vodka. Se enzarzó en alguna pelea.

River apretó los párpados. Seguro que sí: te emborrachas, te peleas... suele suceder.

—¿Dónde se tomó el vodka?

—No lo sabemos; ¿tienes idea de cuántos bares hay al oeste de City Road?

—¿Y no aparece en las...?

—¡Ay! ¡¿Cómo es posible que no se nos haya ocurrido?! —Al otro lado de la línea, Lamb dio una calada—. Aparece en las cámaras de Oxford Street, o al menos nos parece que es él. La cinta es en blanco y negro y todos los ciclistas se parecen. Y no hay nada en el lugar del accidente: la cámara estaba jodida; un coche debe de haberle dado de refilón al poste.

—Menuda casualidad.

—Sí: significa que es un cruce en el que suele haber accidentes. Los Perros no encontraron nada raro.

—Ah. —Ni el propio River sabía qué significaba eso: ¿a quién le importaba la opinión de los Perros?—. De acuerdo, entonces. Luego te llamo.

—Eso. Y una cosa, Cartwright... la próxima vez que me digas que me jodan, asegúrate de estar muy lejos de mí.

—Ahora estoy muy lejos —explicó River.

—Gracias por disculparte.

Dejó el teléfono en la cama y fue a ducharse.

—Bueno —dijo Pashkin mirándolos a los dos, pero dirigiéndose a Louisa—. Todo listo para mañana, ¿sí?

—Todo bajo control.

—No es que tenga ganas de poner palos en las ruedas, pero ustedes no son del Departamento de Energía.

Longridge abrió la boca, pero Louisa se le adelantó.

—No.

—MI5, ¿sí?

—Una de sus ramas.

—Los detalles no son importantes —dijo Marcus.

Pashkin asintió.

—Claro. No pretendo ponerlos en un compromiso: sólo estoy estableciendo... parámetros. Tengo a mis hombres para protegerme...

Tenía a Kyril junto a la puerta y a Piotr siempre cerca. Ese día le parecían dos personas absolutamente distintas de los tipos ásperos, pero casi alegres, que había conocido tres semanas atrás, el día en que Min...

—Y entiendo que les han asignado esta misión para garantizar que todos los demás asuntos funcionen sin contratiempos.

—Todo funcionará a la perfección —aseguró Marcus.

—Me alegro de oírlo. Sean o no del Departamento de Energía, seguro que son conscientes de que su gobierno está interesado en... ¿cómo decirlo?... en alcanzar un acuerdo beneficioso para ambas partes respecto de algunas necesidades de combustible que mi empresa podría cubrir.

—Sus rasgos adoptaron una expresión de modestia—. No me refiero a las necesidades diarias del país, desde luego, sino a la necesidad de tener una reserva por si se presentaran dificultades en algún sitio.

Hablaba con fluidez, con un acento neutro que a Louisa le pareció sospechosamente estudiado: nunca está de más tener un vozarrón grave y sexy si vas a iniciar una negociación, sea cual sea el asunto que vayas a negociar.

—Obviamente se trata de una situación delicada, así que a todos nos interesa que la reunión proceda sin contratiempos. Teniendo eso en mente quiero hacerles una petición.

Louisa se dedicó a observar cómo la boca de Pashkin iba formando las palabras: parecían juguetes mecánicos que él liberaba tras darles cuerda para que deambularan a lo largo y ancho de la enorme moqueta.

—De acuerdo —dijo ella.

—Me gustaría ir allí esta tarde.

—¿Allí?

—A la Aguja —aclaró él—. Llaman así a ese edificio, ¿verdad?

—Sí, la Aguja.

—Es por el mástil —aclaró Marcus.

Pashkin lo miró educadamente, pero Marcus no tenía nada que añadir, así que el ruso se dirigió de nuevo a Louisa.

—Quiero ver la habitación, recorrer la planta... —Se tocó el último botón de la camisa con el índice de la mano

215

derecha—. Me gustaría sentirme cómodo en ese lugar antes de que nos pongamos manos a la obra.

—Deme cinco minutos —dijo Louisa—, tengo que hacer una llamada.

Cuando terminó de hablar con River, Lamb se quedó un rato sentado poniendo la cara que Catherine Standish describía como «el semblante acojonante»: la que ponía cuando estaba planteándose cualquier cosa que no fuera qué comer o beber. Luego miró la hora, suspiró y, con un fuerte gruñido, se levantó a recoger una camisa que había en el suelo. La arrugó en un puño y cruzó el rellano para entrar en el despacho de Catherine.

—¿Tienes una bolsa?

Ella alzó la mirada desde su escritorio y parpadeó.

Lamb sacudió la camisa en el aire.

—¿Hay alguien ahí?

—Allí dentro encontrarás alguna —dijo Catherine señalando una bolsa de lona colgada en el perchero.

Lamb metió la mano y sacó media docena de bolsas de plástico. Guardó la camisa en una, las demás cayeron al suelo. Dio media vuelta dispuesto a marcharse.

—¿Hoy sales pronto? —preguntó Catherine.

Sin darse la vuelta, Lamb alzó la bolsa por encima de la cabeza.

—Hoy toca lavandería —dijo, y desapareció escaleras abajo.

Catherine se quedó un rato con la mirada perdida y al fin negó con la cabeza y retomó el trabajo.

Delante tenía diversos fragmentos de vida, rebanadas biográficas entresacadas de fuentes cibernéticas y registros oficiales: declaraciones de impuestos, datos del Registro de Vehículos y del Instituto de Estadística; lo de siempre: algo así como intentar comerse una sopa de letras con tenedor.

Raymond Hadley, de sesenta y dos años, había sido piloto de British Airways durante dieciocho años y ahora se entretenía con la política local y el activismo medioambiental, aunque su compromiso ecológico no le impedía ser propietario de una pequeña avioneta.

Duncan Tropper, de sesenta y tres, era un abogado que en otros tiempos atendía a grandes capitalistas del West End y ahora dedicaba un par de días por semana a una empresa de Burford.

Anne Salmon, de sesenta, era una catedrática de Economía de la Universidad de Warwick.

Stephen Butterfield, de sesenta y siete, había sido el único propietario de Lighthouse Publishing, una pequeña editorial izquierdista especializada en historia, hasta que uno de los grandes conglomerados de la industria se la tragó dejando en su lugar un humeante montón de dinero.

Su esposa Meg, de cincuenta y nueve, era socia de una tienda de ropa.

Andrew Barnett, de sesenta y seis, era un funcionario jubilado. Había tenido algún cargo en el Ministerio de Transportes... lo que, para Catherine, suponía la primera noticia de alguien que de verdad trabajaba en el Ministerio de Transportes.

Y etcétera, etcétera, etcétera: un tipo que había trabajado en la Comisión del Mercado de Valores; dos productores de televisión (uno de la BBC, otro independiente); un químico que había trabajado en la instalación militar de Porton Down; diseñadores gráficos; profesores; médicos; un periodista; gente que se dedicaba a buscar oportunidades de trabajo (en la construcción, en la industria del tabaco o de las bebidas refrescantes, en publicidad) para refugiados... La suma daba un grupo de profesionales de éxito que habían conseguido combinar carreras ajetreadas con una vida tranquila en el pueblecito de Upshott, en los Cotswolds. El tipo de vida, supuso Catherine, que sólo se podía financiar con una carrera ajetreada. Muchos se habían jubilado pronto, casi todos tenían hijos, todos conducían.

Se recordó que nada de eso era asunto suyo, y mucho menos parte de su trabajo: en su trabajo, era fundamental no meterse en lo que no era de su incumbencia. Pero echaba de menos a River Cartwright (bueno, más o menos) y tenía la esperanza de que regresara vivo, no muerto.

«Son los Cotswolds, Standish, no una maldita provincia de Afganistán.»

Era cierto, y también que Lamb había enviado allí a River como una especie de chivo expiatorio para ver qué ocurría a continuación. Y como lo primero que había ocurrido a continuación era un asesinato, no había ninguna garantía de que el exilio campestre de River resultara idílico.

Miró de nuevo la ficha de Stephen Butterfield. Una editorial de izquierdas. ¿Demasiado obvio o sólo lo justo?

Sin más información era imposible saberlo, y aunque Upshott no tenía muchos habitantes, la tarea de investigar a todos los vecinos de uno en uno se hacía un poco cuesta arriba. Sin embargo, Catherine estaba convencida de lo siguiente: si le ponían delante a todos los habitantes actuales del pueblo, el Señor B no estaría entre ellos. Porque si Lamb tenía razón y al pobre Dickie Bow lo habían matado para usarlo como cebo, entonces el papel del Señor B había terminado en el momento en que dejó listo su rastro. La pregunta era: ¿por qué ese rastro llevaba a Upshott?

La clave estaba en aquella palabra: «cigarras». Formaba parte de la leyenda de Popov, concebida para que la agencia se armara un lío enorme buscando una red que no existía. Aunque en el laberinto de espejos del espionaje eso no quería decir que no pudiera ser real... La Guerra Fría era historia, pero la metralla seguía esparcida por todas partes. Quizá, tantos años después, Upshott albergara una cigarra que se estaba preparando para cantar.

«Aunque el mayor misterio de todos», pensó Catherine, «es por qué pretenden llamar nuestra atención sobre este asunto».

Presa de una irritación repentina, soltó el bolígrafo y se levantó. Siempre había tareas suplementarias pendientes: minúsculos asuntos mecánicos para distraerse de las tareas, digamos, importantes (aunque igualmente mecánicas) que les imponía Lamb. Limpiar una mancha en el cristal de la ventana, por ejemplo, aunque al intentarlo se dio cuenta de que estaba por fuera. Sin embargo, mientras la contemplaba notó una columna de humo que se alzaba desde alguna azotea lejana. Ya sentía una opresión en el pecho, pero entonces recordó que de ese lado había un crematorio, y que el humo de aquella chimenea indicaba una tragedia personal, no una calamidad colectiva. Aun así, tenía claro que no se podía ver humo en el cielo de la ciudad sin pensar, con un escalofrío, que aquello, o algo parecido, podía volver a ocurrir: era hasta tal punto un acto reflejo que ni siquiera hacía falta definir qué era «aquello».

Entonces alguien habló a sus espaldas y ella soltó un gritito.

—Ay, lo siento, no quería...

—No, es que estaba a kilómetros de aquí; no pasa nada.

—Lo siento —repitió Shirley Dander, y añadió—: Tal vez quieras ver esto.

—¿Lo has encontrado?

—Sí —respondió.

—Claro —dijo Webb—, enseñádselo.

—Entonces, ¿manda él?

—Es un multimillonario: les gusta tener el control.

Porque Webb estaba taaan acostumbrado a las rarezas de los multimillonarios: cada noche dejaba los zapatos en los pasillos del poder para que se los limpiaran.

—De acuerdo —dijo Louisa—, me ha parecido que debía confirmarlo.

—Sí, sí: has hecho bien.

Colgó

A Louisa se le nubló la vista por un instante: ¡el jodido Spider Webb le acababa de dar unas palmaditas en la espalda! Pero eso también formaba parte del acuerdo: tragar toda la mierda que hiciera falta... con tal de continuar en la misión.

A través de las puertas de cristal del vestíbulo vio pasar lentamente tres autobuses; el tercero tenía el piso de arriba descubierto, y desde allí los turistas contemplaban embelesados los edificios, el parque, el tráfico... Siempre existe la tentación de imaginar que los turistas no tienen más vida que la que les vemos llevar; que pasan la vida exclamando «¡ohhh!» ante lugares «de interés» y llevando camisas absurdas. Eso lo había dicho Min una vez, y ella lo recordaba cada vez que veía un autobús turístico.

Se volvió hacia Marcus.

—No hay problema.

Marcus llamó al penthouse:

—Nos vemos fuera. —Colgó el teléfono—. Ahora bajan.

La espera fue toda una lección sobre cómo gestionaban el tiempo los hombres ricos: «ahora» significaba «cuando le diera la gana a Pashkin». Louisa intentó tranquilizarse contando coches negros: siete, ocho, nueve... veintiuno...

De pronto, Marcus soltó:

—Un acuerdo sobre suministro de combustible, ajá...

—¿Qué?

—Venga, hombre —dijo él.

Pasó otro coche negro, pero ése no lo contabilizó.

—¿Está negociando un acuerdo de energía con el gobierno británico? ¿Por su cuenta?

—Es el dueño de una compañía petrolífera.

—Y Securicor tiene vehículos blindados, pero no los ves desfilar por el Mall en los homenajes a los caídos en la Guerra Mundial.

—Entiendo que estás intentando decirme algo, ¿es así?

—Estoy diciendo que hay un mundo de distancia entre la propiedad privada y el interés nacional: ¿tú crees que el entusiasmo del Kremlin por la empresa privada llega a ese nivel? Sigue soñando.

Louisa no hubiera querido a Marcus Longridge de compañero, pero eso también formaba parte del acuerdo. De todos modos, había alimentado la esperanza de que él se deslizara por el caso en silencio: que mantuviera la boca cerrada y cargara con las bolsas, no que se pusiera a especular, y menos en voz alta.

—¿Leíste su perfil? No es uno de esos que se limitan a comprarse un equipo de fútbol y a casarse con alguna estrella del pop: éste le tiene el ojo puesto al trono.

Si seguía sin contestar, parecería que lo hacía a propósito, así que dijo:

—¿Y entonces por qué querría reunirse con Spider Webb?

—Deberías verlo al revés: ¿por qué razón podría Webb no querer reunirse con él? Un tipo con las miras puestas en el Kremlin... a Spider deben de humedecérsele los pantalones sólo de pensar en compartir el mismo espacio con él.

Louisa no pudo evitar preguntar:

—¿Crees que Webb quiere «reclutarlo»?

—A saber.

—Porque ése es el primer paso para hacer algo en política, ¿no? Venderse a los servicios de espionaje de otro país.

—Esto no va de secretos de Estado —dijo Marcus—: Pashkin se convertiría en un agente de influencia a cambio del apoyo de Occidente cuando dé el paso.

—Claro. Un perfil en el *Telegraph* sólo es el principio: espérate a ver qué ocurre cuando Webb consiga que salga su foto en la revista *OK!*

—Estamos en el siglo veintiuno, Louisa: si quieres pavonearte en el escenario mundial, tienes que conseguir que te tomen en serio. —Se rascó la punta de la nariz con el meñique—. Webb puede conseguir que Pashkin se acerque a gente importante: la primera ministra, un miembro de la casa real, una superestrella del críquet... Créeme, eso le interesa mucho a Pashkin: si quiere provocar algún movimiento en su tierra, necesitará toda la cobertura internacional que pueda conseguir.

—Mira, Marcus, puede que estemos en el siglo veintiuno —convino Louisa—, pero la Edad Media aún florece aquí y allá: si Pashkin empieza a agrandar su figura a expensas de Putin el Grande, su cabeza acabará clavada en una estaca.

—Sin correr riesgos no se llega a ninguna parte.

Se abrieron las puertas del ascensor y apareció Pashkin con Piotr y Kyril olisqueándole los talones como dos perros de caza.

—Se terminó —dijo Louisa, y Marcus guardó silencio.

El despacho de la primera planta era más ruidoso que el de Catherine. Se notaba más el tráfico: incluso podían verse los rostros de los pasajeros en los autobuses que pasaban ante las ventanas en una corriente ininterrumpida durante varios minutos seguidos para luego desaparecer durante media hora. Los rostros que las dos mujeres estaban estudiando en ese momento no eran, sin embargo, ésos.

—Sí que es él.

Era él, a Catherine no le cabía la menor duda.

El monitor de Shirley estaba dividido en dos. La mitad de la pantalla mostraba una imagen fija tomada de las grabaciones de circuito cerrado que había robado de Data-Lok: el Señor B en su tren hacia el oeste, llamativamente inmóvil, incluso para una fotografía. Detrás de él, una joven había quedado atrapada en medio de un movimiento: su gesto traslucía un pensamiento incompleto; el Señor B, en cambio, parecía dócil y concentrado como un maniquí al que se llevara de paseo.

En la otra imagen aparecía la misma ropa, la misma expresión, la misma calva. Y el Señor B era de nuevo el centro inmóvil de su mundo, aunque este mundo era más borroso, más activo: estaba parado en una cola rodeado de gente que la fotografía había inmovilizado en su ajetreo, arrastrando maletas por el suelo brillante.

—Gatwick —dijo Shirley.

—Qué manera de no llamar la atención —murmuró Catherine.

Pero eso daba mayor peso a la hipótesis de Lamb: si estabas dejando un rastro, querías que lo siguieran hasta el final. El Señor B, o quienquiera que le diera instrucciones, había querido que su partida quedara registrada, y sin duda lo sorprendería que hubiesen tardado tanto. Pero, claro, él no sabía que quien se iba a ocupar de la investigación era la Casa de la Ciénaga: Regent's Park tenía acceso a la vigilancia de todos los aeropuertos del país y podía recurrir a programas informáticos de última generación; en la calle Aldersgate, por el contrario, sólo tenían a Shirley Dander pasando una cinta robada por un programa obsoleto de reconocimiento facial.

—Tomó un vuelo de mañana a Praga —dijo Shirley.

—¿Cuándo?

—Siete horas después de que lo dejaran en Upshott. ¿Por qué iría hasta allí si iba a coger un avión a la mañana siguiente?

—Buena pregunta —dijo Catherine ahorrándose así contestarla—. Vale, ya sabemos adónde fue: averigüemos quién era.

«Has hecho bien.»

Webb dejó el teléfono bien puesto en la mesa: le gustaba que todos los objetos quedaran perfectamente alineados. Luego se alisó el pelo: eso también le gustaba.

«Has hecho bien», le había dicho a Louisa Guy, y no mentía: él tenía que ser el primero en enterarse de cualquier cosa que ocurriera antes de la cita del día siguiente. Si tenía algún talento (aunque en realidad tenía sacos enteros), consistía en evitar los desastres.

La mala noche en que murió Min Harper, por ejemplo, Spider Webb fue el primero en enterarse, así que llegó al lugar antes que Jackson Lamb (evitar los desastres tenía que ver sobre todo con el manejo del tiempo) y luego caminó hasta la orilla del Támesis, se sentó de cara a las galerías oscuras de la otra orilla y reflexionó profundamente con la mayor brevedad posible: nueve de cada diez partes de cualquier estrategia consisten en reaccionar de inmediato. Si estudias cualquier situación durante demasiado tiempo, desembocas en la parálisis.

Y desde aquella orilla llamó a Diana Taverner.

—Tenemos un problema.

—Harper —dijo ella.

—Te has enterado.

Diana reprimió un suspiro.

—Webb, soy la segunda de a bordo. Tú, en tu mejor día, eres el chico de los recados. Es decir: sí, me enterado antes que tú de que han matado a Min Harper.

—¿Matado?

—Lo han atropellado, no quería entrar en detalles.

—He estado monitorizando la situación.

—Fantástico —dijo ella—: si el estado de Harper cambia...

—Quería decir que...

—... no dejes de avisarme porque en ese caso podremos darle un sesgo positivo al asunto. «Agente del MI5 vuelve a la vida.» Así reclutaríamos a más gente, ¿no te parece?

Webb se aseguró de que hubiera terminado antes de decir:

—Quería decir que he hablado con Nick Duffy: ha sido el primero en llegar.

—Es su trabajo.

—Él considera que es un caso limpio. Que es lo que parece: un accidente.

Hubo un silencio y luego:

—¿Qué ha dicho exactamente?

Las palabras exactas de Duffy habían sido: «No hay manera de saber qué sucedió hasta que revisemos las grabaciones de las cámaras de la calle y demás, pero este tipo huele como una destilería y no es que alguien lo haya atropellado y se haya largado: la responsable se ha quedado en la escena.»

—Eso, palabras más, palabras menos.

—Entonces, algo así dirá su informe.

—Lo que me preocupa son los tiempos: con lo de la Aguja a punto de ocurrir...

—Joder —dijo Lady Di Taverner—. Era un colega, Webb. Trabajaste con él, ¿recuerdas?

—Bueno, no muy estrechamente.

—¿Y no te parece que antes de empezar a preocuparte del impacto que tendrá su muerte en tu carrera podrías considerar el impacto que puede tener en la mía?

—Lo he hecho: estoy pensando en los dos. En cuanto el informe de Duffy lo describa como un accidente podremos empezar a llorar la muerte de Harper y también seguir con lo que tenemos entre manos. Pero si se decide investigar su muerte, sin duda querrán poner bajo el microscopio sus últimos días... y si Roger Barrowby se entera de que estábamos usando a Harper en secreto mientras él lleva a cabo su auditoría...

—¿Estábamos?

—Registré nuestra conversación, por supuesto: tenía que hacerlo. Cuando esto acabe y contemos con Arkady Pashkin como un valor, un valor nuestro, resultará que todo el mundo entre Regent's Park y Whitehall querrá llevarse una parte del mérito, sobre todo... bueno, ya sabes quién.

Su silencio había deletreado el nombre de Ingrid Tearney.

—Mejor tener claro desde el principio quién se ha ocupado de todo el trabajo.

Lo que oyó en ese momento fue el pensamiento de Diana Taverner.

Con el móvil pegado a la oreja, Webb alzó la mirada. No había estrellas, pero en Londres era raro verlas: había que contar con el clima, la ligera polución, toda la artillería pesada que las grandes ciudades lanzan al cielo... generalmente todo eso acababa imponiéndose, aunque eso no significaba que las estrellas no estuvieran allí.

Finalmente, Diana dijo:

—¿Qué me estás pidiendo?

—Nada... no mucho: una llamada rápida.

—¿A...?

—A Nick Duffy.

—Creía que habías dicho que se ha dado por satisfecho.

—Y así es: se ha dado por satisfecho. Sólo necesitamos que lo ponga en un informe, aunque sea provisional, para asegurarnos de que todo sigue en calma hasta que el asunto de la Aguja se halle concluido y archivado.

Más silencio.

—Y habremos dado el golpe de espionaje más importante del...

—No te pases. —Ella seguía pensando—. ¿No hay ninguna posibilidad de que la muerte de Harper tenga algo que ver con esta operación?

—Fue un accidente.

—Pero si resulta que ha sido un indiscutible accidente que tiene algo que ver con esta operación...

—No puede ser: Pashkin ni siquiera ha entrado en el país todavía. Y si alguien se hubiese enterado de que está pensando unirse a nuestro equipo, no veo por qué Min Harper iba a llevarse la peor parte: él sólo era... un engranaje menor.

—Quieres decir un caballo lento.

—Tampoco es que supiera mucho: creí que estaba participando en unas negociaciones sobre petróleo.

—¿Te das cuenta de que, si se corre la voz, Roger Barrowby será la menor de tus preocupaciones? Puede que Harper no fuera más que un caballo lento, pero no olvidemos quién manda en ese establo.

—No te preocupes: ya me cuidaré de no pisar ningún juanete.

Diana se echó a reír.

—Jackson Lamb tiene juanetes de elefante. —Hizo un ruidito como si se cambiara el teléfono de mano o algo parecido—. Está bien, hablaré con Duffy. —Y colgó.

Lo que pensó Webb en ese momento (y no ha encontrado razones para cambiar de idea desde entonces) fue que los elefantes también envejecen y mueren. Lo había visto en un documental: el inmenso cuerpo quedaba tendido junto a un río y poco después aparecían las moscas, mientras que las aves de carroña y las hienas tardaban horas en acercarse, pero al cabo sólo quedaban los huesos. Jackson Lamb había sido una leyenda en su día, según contaban, pero lo mismo podría decirse de Robert de Niro.

«Has hecho bien.»

Louisa Guy estaba haciendo su parte y, en Regent's Park, más allá de Lady Di nadie sabía una palabra de la operación Pashkin. A partir del día siguiente, él, James Webb, movería los hilos del agente más importante reclutado por el MI5 desde... bueno, desde nunca.

Lo único que importaba era que todo siguiera avanzando sin contratiempos.

9

Arkady Pashkin dijo:

—¿Por qué estamos parados?

En medio de la City, tráfico por delante, tráfico por detrás, un gran cartel que anunciaba obras algo más allá y un semáforo en rojo claramente visible a través del parabrisas.

«¿Que por qué estamos parados?», pensó Louisa. Había que ser rico para preguntar algo así.

—¿Piotr? —preguntó Pashkin.

—Hay mucho tráfico, jefe.

—Siempre hay mucho tráfico. —Se dirigió a Louisa—: Deberíamos llevar motoristas de escolta. Para mañana, quiero decir.

—Creo que los reservan para la familia real —contestó ella—, para los ministros... para vips.

—Deberían estar disponibles para cualquiera que pueda permitírselos. —Miró brevemente a Marcus, como si calculara cuánto ganaba, y después volvió los ojos a Louisa—. Se diría que, con toda la práctica que han tenido ustedes, su capitalismo debería ser mucho mejor que el nuestro.

—Ustedes han resultado unos aprendices muy adelantados.

—¿Eso es un sarcasmo? El inglés no es mi lengua materna.

Sin volver la cabeza, se dirigió a Piotr y Kyril, esta vez sí en su lengua materna. Kyril respondió, pero Louisa no fue capaz de interpretar el tono. Posiblemente respetuoso, aunque quizá era como en Nueva York, donde podían preguntarte la hora en un tono que insinuaba que acababas de darle un puñetazo a su madre.

La cabina del coche tenía una ventana divisoria, pero estaba bajada. Louisa y Marcus iban sentados frente a frente con Pashkin. En la ventanilla detrás de la cabeza del oligarca ruso podía verse un autobús rojo lleno de gente mucho menos rica que él que también tenía que aguantar la lentitud del tráfico, pero que muy probablemente lo llevaban igual de mal. Pashkin negó con la cabeza en señal de irritación y se puso a leer el *Financial Times*.

La limusina avanzó cambiando de carril y pasó por encima de un bulto que probablemente no era un ciclista.

Louisa parpadeó, sintiendo una punzada en el corazón, pero se le pasó enseguida: si uno se empeñaba en comportarse como si lo sobrellevara, pronto acababa sobrellevándolo.

Pashkin chasqueó la lengua y pasó de página.

Parecía un político y hablaba como si lo fuera; probablemente tenía carisma. Quizá Marcus tuviera razón y lo moviera una ambición a lo grande, en cuyo caso aquella minicumbre no tenía tanto que ver con el negocio petrolífero como con promesas secretas sobre su comportamiento futuro: favores venideros. Eso sólo podía ser bueno para él... salvo que saliera mal. Las alianzas políticas a menudo resultaban malhadadas: se estrechaban ciertas manos, se vendían ciertas armas... y en ocasiones al gobierno de Su Majestad no le gustaba nada que a los cabrones torturadores los ahorcara su propio pueblo.

A su lado, Marcus cambió de posición y le rozó una pierna con la suya. En ese momento, una bicicleta pasó zumbando y esta vez, en lugar de una punzada, Louisa sintió que el corazón le daba un vuelco y la lógica volvió a instalarse en su cerebro: era posible que Min se hubiera emborrachado alguna vez después de una discusión, incluso tras una discusión tan banal que ella ni siquiera la recordaba; y era posible que a Min lo arrollaran en su bicicleta y lo mataran... Sí, eso también podía pasar. Pero que esas dos cosas ocurrieran una detrás de otra... Creérselo implicaba aceptar una especie de continuidad cósmica, un azar ordenado. Así que de eso nada: ahí había entrado en juego algo más profundo, el factor humano. Y eso sólo podía estar relacionado con la misión en la que ella misma trabajaba en ese momento, con la gente que iba en aquel vehículo o con otros que conocían la existencia de la cumbre y pretendían impedirla o desviar sus objetivos.

Empezó a redactar una lista mental de todos aquellos en quienes no confiaba, pero tuvo que parar de inmediato: no disponía de todo el día.

Y entonces, de un modo tan inesperado como cuando un diente se suelta de la encía, el coche se libró del atasco y empezó a avanzar sin problemas. Por encima de ellos, los edificios de acero y cristal se esforzaban por hendir el cielo, mientras que en las aceras hombres y mujeres bien vestidos se entrecruzaban sin rozarse prácticamente nunca. Min Harper apenas llevaba tres semanas muerto, y allí estaba Louisa, cumpliendo con su misión.

Para cuando el taxi de Lamb llegó a la lavandería, cerca de Swiss Cottage, le habría salido más barato tirar la camisa y comprarse unas cuantas nuevas. Se encendió un cigarrillo mientras el vehículo se alejaba surfeando en la incesante corriente de tráfico y luego leyó cuidadosamente los carteles del escaparate: algún concurso, sesiones de humoristas, una manifestación contra los poderes financieros convocada para el día siguiente, un circo sin animales... Nadie se fijó en él. Al terminarse el cigarrillo, lo aplastó contra el suelo y entró.

Había lavadoras alineadas en ambos costados, la mayoría girando con un chapoteo rítmico y un ruido parecido al que hacía el estómago de Lamb cuando se despertaba a las tres después de haber bebido demasiado: un sonido familiar. Dividían la sala unos bancos en los que había cuatro personas sentadas: una pareja joven, abrazados como si formaran parte de un puzle; una mujer mayor que se balanceaba adelante y atrás, y, al fondo, un hombre bajito, moreno y de mediana edad, con el anorak puesto, enfrascado en la lectura del *Evening Standard*.

Lamb se sentó a su lado.

—¿Tiene idea de cómo funcionan estos cacharros?

El hombre ni siquiera levantó la vista.

—¿Que si tengo idea de cómo funcionan estos cacharros?

—Doy por hecho que hay que echarles dinero.

—Y detergente —dijo el hombre y por fin levantó la vista—. Joder, Lamb. ¿Nunca habías estado en una lavandería? Aparte de romper una postal por la mitad para ver si esconde un microfilm, no creo que haya visto algo que delate más claramente a alguien de la vieja escuela.

Lamb puso la bolsa en el suelo.

—Yo era otro tipo de espía —dijo—: casinos, hoteles de cinco estrellas, prostitutas de primera categoría... De la lavandería solía encargarse el servicio de habitaciones.

—Ya, y yo iba en avión particular al trabajo hasta que me echaron.

Lamb tendió la mano y Sam Chapman se la estrechó.

Sam Chapman, *el Malo*, había sido jefe de los Perros en otro tiempo, el mismo puesto que ahora ocupaba Nick Duffy, hasta que un lío de los gordos, con una cantidad industrial de dinero de por medio, provocó que alguien quisiera su culo en bandeja. Se quedó sin trabajo, sin pensión y sin referencias, salvo que contaras como tales la frase: «Tengo la suerte de seguir vivo.» Trabajaba para una agencia de detectives especializada en localizar adolescentes fugados, o al menos en pasarles la factura a los angustiados padres de los adolescentes fugados. Desde la llegada de Chapman, su índice de éxitos se había triplicado, pero seguía habiendo mucho crío desaparecido.

—Bueno, ¿cómo va la vida en el negocio de los secretos? —preguntó.

—En fin, podría contarte varias cosas...

—... pero entonces tendrías que matarme —terminó la frase Chapman.

—... pero te aburriría tanto que se te caerían los huevos al suelo. ¿Tienes algo?

Sam *el Malo* le pasó un sobre. A juzgar por su grosor, tal vez contuviera un par de hojas plegadas.

—¿Esto te ha costado tres semanas?

—No es que tenga los mismos recursos que tú, Jackson.

—¿Tu agencia no tiene fondos?

—Mi agencia cobra por sus servicios. ¿Hay alguna razón especial por la que no puedas hacer esto con tu gente?

—Sí: que no me fío de esos cabrones. —Se quedó callado unos segundos—. Bueno, a lo mejor de un par de esos cabrones. Pero si se trata de hacer un trabajo bien hecho, no me fío.

—Ah, es verdad: tu equipo tiene necesidades especiales. —Chapman tocó con el índice el sobre que Lamb sostenía en la mano—. Alguien se me adelantó en esto.

—Eso espero: el elefante blanco mató a un espía.

—Pero no del todo... —dijo Sam.

Al otro lado del banco, uno de los jóvenes se levantó de pronto y Sam se quedó callado. Era el chico —o tal vez la chica, o es posible que ambos fueran chicos o ambos chicas—, pero en cualquier caso se acercó a la secadora que tenía delante y le puso unas cuantas monedas tintineantes para que volviera a la vida. Acto seguido se sentó de nuevo y volvió a enroscarse con su otra mitad.

Lamb esperó.

—Alguien ya había pedido datos de ella y creo que le habrán dado el visto bueno.

—¿Porque está limpia?

—Porque hicieron el trabajo a medias. Ahora parece limpia, pero si echas lo suficiente hacia atrás es otra historia.

—Y tú lo hiciste.

—Pero mi sucesor, o el lacayo a quien le haya asignado ese trabajo, no. —Sin previo aviso, Chapman dio un golpetazo en el banco con el periódico. El sonido hizo que la anciana dejara de balancearse un momento, si bien los jóvenes ni siquiera se enteraron—. ¡Joder! —protestó—. ¡A mí me echaron sólo para que salieran las cuentas! Si llego a ser un incompetente, aún conservaría mi trabajo.

—Ya, pero yo estaría probablemente en mi casita. —Lamb se guardó el sobre en un bolsillo—. Te debo una.

—Hay otra posibilidad —dijo el Malo—. A lo mejor no hicieron bien su trabajo con ella porque ya sabían lo que iban a encontrar.

—Como te decía, no me fío de esos cabrones —dijo Lamb. Se levantó—. Déjate ver de vez en cuando.

—Te has olvidado la camisa —advirtió Sam.

Al pasar delante de la pareja, que seguía acaramelada, Lamb dijo en tono amable:

—Nunca olvidaré esa camisa.

En el tambor giratorio de la ciudad, tardó cinco minutos en encontrar un taxi.

Mientras caminaba por la carretera hacia Tu Lado Oscuro, River iba valorando la tarea que tenía entre manos. El Señor B había ido a Upshott a establecer contacto con quien lo controlaba o con uno de sus agentes, y River seguía sin tener ni idea de la identidad de quien sea que fuera.

No le había costado mucho integrarse en el pueblo. Había contado con encontrarse con una especie de secta (los vecinos llevarían máscaras siniestras), pero le había bastado con presentarse todas las noches en el pub y acudir a la misa en San Juan. Todos eran amables con él y, de momento, nadie había intentado quemarlo con leña verde.

Su disfraz de escritor ayudaba. Por fuera, Upshott tenía menos cosas que mostrar que otros pueblos de los

Cotswolds: no era tan pintoresco; no tenía galerías, ni cafés, ni librería, ningún lugar en el que la gente culta pudiera reunirse para compartir sus conocimientos sobre arte. Pero seguía siendo un refugio para la clase media en la misma medida que los pueblos vecinos: un cartel de una Semana del Arte dedicada a artistas del condado indicaba la dirección de cuatro locales del pueblo, mientras que uno de los falsos graneros que había junto a la carretera albergaba una alfarería con precios suficientemente ridículos. Un escritor encajaba en ese ambiente como una mano en un guante.

En cuanto a los vecinos que había conocido, en su mayor parte estaban jubilados, trabajaban desde casa o se ganaban la vida con asuntos que nada tenían que ver con el pueblo. Los antiguos empleados de la base estadounidense se habían ido tiempo atrás. Quedaban algunos trabajadores agrícolas y unos cuantos que atendían negocios con sede en una furgoneta o un garaje (un carpintero, un electricista, dos fontaneros), además de los mencionados artesanos, cuyos objetos daban una impresión de calidad que justificaba los elevados precios.

Pocos de ellos habían nacido o se habían criado en Upshott. Los veinteañeros que se veían por ahí, Kelly entre ellos, eran hijos de gente de fuera que se había instalado en el pueblo. Su padre, abogado, tenía el despacho en un pueblo cercano. Kelly tenía una licenciatura en ciencia política, así que el trabajo en el pub no era una elección para toda la vida, sino una manera de pasar el tiempo mientras decidía qué hacer a continuación. Daba la impresión de que una licenciatura en ciencia política era tan útil como parecía a primera vista, pero a ella se la veía contenta: era el centro de un grupo de amigos que se dedicaban a vender casas o eran diseñadores gráficos o arquitectos en lugares tan lejanos como Worcester, pero regresaban a Upshott todas las noches y colonizaban el pub. Eso cuando no estaban en el club que había junto al campo de tiro del Ministerio de Defensa, pilotando o cuidando el avioncito de Ray Hadley, «que», pensó River, «es el verdadero cor-

234

dón umbilical que los une: si quieren la libertad de los cielos, tendrán que regresar siempre al pueblo». River, no mucho mayor que ellos, entendió que eran suficientemente jóvenes como para considerar que merecía la pena pagar ese precio.

Por otro lado, eso no explicaba qué había atraído al Señor B hasta allí. Tal vez Lamb tuviera razón y todo tenía que ver con la base estadounidense: era lo que había puesto a Upshott en el mapa (por mucho que en aquella época la propia base no saliera en ningún mapa), y también el punto de partida de su disfraz de escritor: el lugar en que transcurría su supuesta novela. Aunque ahora la base ya no existía y en su lugar estaba el campo de artillería del Ministerio de Defensa, lo cual dificultaba aún más la posibilidad de que algo escondido allí hubiera sobrevivido durante quince años... Aun así, tenía que echar un vistazo, aunque sólo fuera porque se estaba quedando sin ideas, y hacerlo en las mismas condiciones que el Señor B: al anochecer y por encima de la valla. Eso era lo que tenía previsto hacer más adelante.

Y como allí era un desconocido y no tenía ningún deseo de terminar cayendo en una zanja o siendo arrestado, no pensaba ir solo.

Como había dicho Marcus, la Aguja recibía ese nombre por su mástil, aunque en ese edificio todo parecía puntiagudo. Sus trescientos veinte metros de acristalada altura refulgían a la luz del sol como si brotaran de un cráter pavimentado con ladrillo rojo y dividido en varias terrazas adornadas con enormes tiestos de bronce que acogían con orgullo unos árboles demasiado flacuchos todavía como para dar sombra, pero que, como el tamaño de los tiestos indicaba, llegarían a ser muy altos y frondosos. Había bancos de piedra dispuestos aquí y allá, en torno a los cuales podían verse pequeños cementerios de colillas aplastadas, y unos focos que recorrían a intervalos los costados de la Aguja. Por la noche, el edificio se iluminaba como un carnaval; de día, desde aquella perspectiva, parecía oscuro: vagamente monstruoso, como si estuviese fuera de lugar y buscara problemas.

De los ochenta pisos, los primeros treinta y dos pertenecían a un hotel que todavía no había abierto; de lo contrario, Pashkin sin duda se habría alojado allí. Las otras plantas se alquilaban a particulares y no todas estaban ocupadas, pero la seguridad era extrema, más aún desde la llegada de Rumble, un rival inesperado de Apple que estaba a punto de lanzar un móvil que conquistaría el mundo. También estaban los de König, comerciantes de diamantes, y los de Bifford Jennings Whale, una agencia de bolsa de propiedad china. Allí, junto con todos los demás bancos, aseguradoras, intermediarios de bolsa y asesores de inversiones de riesgo, estaban las lujosas embajadas de los paraísos fiscales, atraídas por las luces brillantes y las grandes vistas. Aquello se parecía mucho a la sede de Naciones Unidas, salvo que allí nadie había manifestado tener la intención de hacer el bien para nadie más que para sí mismo.

En su primera visita a la planta setenta y siete, acompañada de Min, Louisa había bajado la escalera hasta el siguiente rellano, pero no había conseguido entrar en esa planta: las puertas de la escalera sólo podían abrirse desde dentro de las plantas y en caso de que se declarara un incendio o cualquier otra emergencia; en cuanto a los ascensores (distintos de los del hotel), simplemente tenían el acceso restringido. Las cámaras monitorizaban todos los vestíbulos. Louisa desconocía a quién pertenecía la suite que Spider Webb había conseguido trampeando: una omisión deliberada en el documento que le había entregado. Fuera quien fuese, era evidente que se había dejado convencer, aunque convenía recordar que Spider Webb se dedicaba a coleccionar secretos ajenos. Min siempre se burlaba de él, pero Spider Webb era el clásico payaso del que podías reírte, pero enseguida mirabas atrás por si acaso te había oído.

Louisa sacudió la cabeza con un movimiento brusco. «No pienses en eso: no pienses en Min. Ocúpate de tu trabajo. Colecciona secretos tú también.»

—¿Algún problema?

—No, nada.

Arkady Pashkin asintió con la cabeza.

«Y guárdate tus pensamientos para ti», añadió ella. No le gustaba cómo la miraba Pashkin: como si leyera un guión en sus gestos.

Estaban en el ascensor, subiendo a toda prisa hacia el cielo. En la entrada habían tomado nota de sus nombres, ya que los protocolos de seguridad exigían que se mantuviera un registro de toda persona que ingresara en el edificio. Para la reunión con Webb se saltarían ese paso: Webb había obtenido una tarjeta que accionaba el ascensor de servicio, al que se accedía desde el aparcamiento subterráneo. El plan era estar por encima de la City, aunque por debajo del radar: nadie sabría que estaban allí.

Ese día, en cambio, los habían conducido por el patio interior, en el que crecía una pequeña selva. Ese guiño ecológico del nuevo hotel había echado raíces en las tres últimas semanas: los huéspedes podrían pasear entre la vegetación cuando se cansaran de la gran ciudad e ir en busca de una copa y una sauna cuando se cansaran de la naturaleza. Alrededor de aquel pulmón verde, gente que iba empequeñeciéndose a medida que ellos subían se entregaba a una variedad de tareas relacionadas con la gran apertura de un hotel de primera categoría para la que todavía faltaba un mes.

—En China —señaló Pashkin— los edificios de esta altura, incluso con todos estos... todos estos...

No dio con la palabra, así que le ladró algo a Piotr, que respondió:

—Ornamentos.

—... con todos estos ornamentos tan modernos, los levantan en un mes.

—Supongo que no tienen que cargar con el peso de los controles de salud y seguridad —replicó Marcus.

Una vez en la planta setenta y siete, Pashkin rodeó a grandes zancadas la mesa de la sala de reuniones como si estuviera midiéndola. Habló varias veces en ruso: frases breves y bruscas que Louisa, al ver que Piotr y Kyril contestaban con frases aún más breves, interpretó como preguntas. Mientras tanto, Marcus se situó junto a la puerta con los brazos cruzados. Louisa se acordó de que había trabajado como espía operativo: seguro que había participado en misiones más complejas que ésa antes de que lo traicionaran los nervios; suponiendo, claro, que fuera eso lo que le había ocurrido. De momento, se mantenía impertérrito ante las vistas y se dedicaba sobre todo a vigilar a Piotr y Kyril.

Pashkin estaba de pie con los labios apretados y los pulgares encajados en los bolsillos de la chaqueta: habría pasado por un posible arrendatario buscando alguna excusa para bajar un poco el precio. Señaló con una inclinación de cabeza las cámaras que había encima de las puertas y, mirando a Louisa, dijo:

—Doy por hecho que están apagadas.

—Así es.

—Y aquí no hay ningún aparato que pueda grabar nada.

—Ninguno.

Como si estuviera repasando una lista mental, añadió:

—¿Qué pasa en caso de emergencia?

—Hay escaleras en los extremos norte y sur —dijo Louisa, y los señaló para que quedara claro dónde estaban—. Los ascensores se detienen y no admiten pasajeros de los ascensores, pero el hueco de las escaleras está reforzado y las puertas de todas las plantas, que obviamente son ignífugas, se abren de forma automática.

Pashkin asintió y Louisa se preguntó qué clase de emergencia estaría esperando. En cualquier caso, lo que tienen las emergencias es que no te las esperas.

Una vez embarcada en esa clase de pensamientos, era difícil no dejarse llevar por las banalidades correspondientes.

—Son muchos escalones —dijo Pashkin.

—Podría ser peor —contestó ella—: imagínese que tuviera que subir.

Una carcajada brotó desde el fondo del cuerpo fornido del ruso.

—Tiene razón, pero ¿qué clase de emergencia podría obligarte a subir corriendo setenta tramos de escaleras?

«Fuera la emergencia que fuese», pensó ella, «si no fuera muy seria al principio, sin duda lo sería antes de que llegaras arriba».

Se acercaron a los ventanales seguidos de los dos guardaespaldas. La última vez que había estado allí, a Louisa la había abrumado el espacio que se extendía ante ella: tanto cielo por encima de tanta ciudad... Era hermoso, pero apestaba a riqueza, que era lo que la agobiaba aquel día: su necesidad de dinero, su necesidad de encontrar un lugar mejor para ella y Min; una tajada mayor de todo aquel espacio. Y Min estaba allí, claro: sólo tenía que alargar el brazo para tocarlo. No habían tenido mucho dinero ni suficiente espacio, pero aun así era muchísimo más de lo que tenía ella en ese momento.

Una ambulancia aérea apareció ante su vista recortando la lejanía de este a oeste. Contempló su silencioso avance: una libélula naranja inconsciente de la ridiculez de su figura.

—A lo mejor —dijo Pashkin— deberíamos probar a bajar por la escalera, ¿sí? Para ver qué tal lo haríamos en caso de emergencia.

Louisa se apartó de los ventanales y miró a su compañero. Marcus se había acercado a la mesa y había apoyado las palmas en el tablero. Ella tuvo la sensación de haber captado un movimiento interrumpido, pero la expresión de Marcus era ilegible.

—Se me ocurre una idea mejor —dijo Louisa—: cojamos el ascensor.

• • •

En la parte trasera del taxi, Jackson Lamb abrió el sobre que le había dado Chapman y descubrió que tan sólo contenía dos hojas. Las leyó y luego pasó el resto del viaje tan distraído que casi se le olvidó pedir un recibo.

Cuando llegó a la oficina, se encontró a Standish con las mejillas sonrosadas, como si fuera ella quien acabara de subir cuatro pisos.

—El Señor B tiene nombre —dijo ella.

—Ay, Dios: te has puesto a investigar.

Lamb se quitó el abrigo con una sacudida y se lo lanzó. Ella lo agarró y se lo puso doblado en el brazo.

—Se llama Andrei Chernitsky. —Las palabras brotaron oscuramente de su boca—. En el vuelo de salida, usó un pasaporte con ese nombre: está en los registros de Regent's Park.

—No me digas: un espía de segunda. —Lamb se pasó una mano por el cabello grasiento, que ya raleaba, y aparcó tras su escritorio—. No tenía rango en el KGB: aparecía en papeles secundarios cuando hacía falta arrimar el hombro.

—¿Ya lo sabías?

—Conozco a ese tipo de espías. ¿Cuándo se fue?

—La misma mañana en que mató a Dickie Bow.

—Tomo nota de que no usas el «presuntamente». ¿Empiezas a creerme, Standish?

—Te he creído todo el tiempo. Otra cosa es que esté segura de que enviar a River solo a esa misión sea la mejor manera de averiguar qué está pasando.

—Ya —dijo Lamb—. Podría haber preparado un informe y habérselo presentado a Roger Barrowby, que es quien manda estos días: él les hubiera pedido a otras tres personas que lo leyeran e hicieran alguna recomendación y, llegado el caso, se conformaría un comité interno para investigar posibles vías de reacción, y después...

—Ya lo he entendido.

—Me alegro: estaba empezando a aburrirme a mí mismo. ¿He de entender que has reclutado a Ho para tu investigación, o sigue jugando en el ordenador en horas de trabajo?

—Estoy segura de que está trabajando a fondo en el archivo —dijo Catherine.

—Y yo de que está trabajando a fondo en mis cojones... —Lamb hizo una pausa—. No ha funcionado: hagamos ver que no lo he dicho.

—Andrei Chernitsky —insistió Catherine—. ¿Lo reconociste?

—¿No te parece que, de haberlo reconocido, te lo habría dicho?

—Eso depende de tu estado de ánimo —repuso ella—, pero te lo pregunto por una razón: es obvio que Dickie Bow sí lo reconoció, lo cual implica que Chernitsky estuvo destinado en Berlín.

—Por alguna razón lo llamaban el Zoo de los Espías —dijo Lamb—: cualquier barriobajero de tres al cuarto acababa pasando por ahí en algún momento. —Buscó los cigarrillos y se llevó uno a la boca—. Tienes una teoría, ¿verdad?

—Sí, yo...

—No he dicho que quiera oírla. —Encendió el cigarrillo; el olor a tabaco fresco llenó la habitación y desplazó al de tabaco rancio—. ¿Cómo va tu trabajo de día? ¿No tendría que haber unos informes en mi mesa?

—Cuando secuestraron a Dickie Bow... —dijo Catherine.

—Antes decíamos: «Cuando se lo llevó el hombre del saco.»

—Cuando el hombre del saco se llevó a Dickie Bow...

—¿En serio no tengo más remedio que escucharlo?

—... él contó que habían sido dos hombres, uno de los cuales se hacía llamar Alexander Popov. —Catherine despejó con la mano la nube de humo que se extendía ante su rostro—. Creo que Chernitsky era el otro: el matón de Popov. Por eso Bow lo dejó todo para seguirlo: no era un espía más de los viejos tiempos, sino alguien de quien Bow guardaba un recuerdo específico, alguien de quien incluso puede que quisiera vengarse.

A pesar del cigarrillo, daba la sensación de que Lamb estaba mordisqueando algo. A lo mejor era su propia lengua.

—¿Te das cuenta de lo que eso implicaría? —preguntó.

—Ajá.

—¿Ajá sí o necesitas que te aclare lo que implicaría para que luego puedas hacer ver que lo sabías desde el principio?

—Lo raptaron, lo obligaron a beber alcohol, lo soltaron... —respondió Catherine—. No tenía ningún sentido, salvo conseguir que él los viera para poder mostrarle un apetitoso hueso en el futuro, de modo que Dickie echara a correr tras él como un cachorro bien entrenado.

—Joder, Catherine. —Lamb soltó una bocanada de aire gris—. No estoy seguro de qué me inquieta más: la idea de que alguien elabore un plan a veinte años o el hecho de que tú hayas sido capaz de comprenderlo.

—Popov sacó a un espía británico de la calle hace veinte años sin más razón que usarlo como un timbre de alarma cuando llegara el momento oportuno.

—Popov no existía —le recordó Lamb.

—Pero quien se lo inventó sí. Y por lo visto todo esto formaba parte de su plan, junto con las cigarras: una célula durmiente.

—Cualquier plan inventado por un espía soviético hace dos décadas ha superado con creces su fecha de caducidad —repuso Lamb.

—Ya, pero a lo mejor no es el mismo plan. A lo mejor lo han adaptado. En cualquier caso, está en marcha. Ya no se trata de que tú andes persiguiendo fantasmas del pasado: ahora es un fantasma del pasado dando saltos ante nosotros y gritando: «¡Mírame!»

—¿Y eso por qué?

—No tengo ni idea, pero exige una respuesta más coherente que enviarles a River Cartwright. Chernitsky fue a Upshott por alguna razón, y la única razón lógica es que ahí está el cabecilla de su red. Y sea quien sea ese cabecilla, podrías jugarte la vida a que ya sabe que River no es quien pretende ser.

—También podría jugarme la vida de River... —dijo Lamb pensativo—. Para mí sería más cómodo y seguro.

—Esto no es una broma, Jackson. He revisado los nombres que salen en los informes de River: ninguno de ellos dice a gritos «agente soviético», pero de lo contrario no habrían conseguido pasar todo este tiempo bajo tierra.

—¿Sigues hablando conmigo o sólo estás pensando en voz alta? —Lamb dio una última calada al cigarrillo y tiró la colilla en una taza de café—. A Bow lo mataron; es triste, pero son cosas que pasan. Y el objetivo de matarlo era dejar un rastro. Sea cual sea el propósito de ese plan, no pasa por tenderle una trampa mortal a River Cartwright: alguien quiere tener allí a uno de los nuestros por alguna razón. Antes o después, probablemente antes, averiguaremos quién y por qué.

—Entonces, ¿no hacemos nada? ¿Ése es tu plan?

—Ah, no te preocupes. Hay mucho trabajo con el que entretenerse mientras tanto. ¿Te suena de algo el nombre de Rebecca Mitchell?

—Es la conductora que atropelló a Min.

—Exacto. Y como él iba borracho y ella es mujer, no me sorprende que los Perros lo dieran por bueno, pero no deberían haberlo hecho. —Sacó del bolsillo el sobre que le había dado Sam *el Malo* y lo lanzó a la mesa—. Revisaron sus últimos diez años, en los que ha sido una mujer impecable, quitando que mató a uno de mi equipo. Pero no tenían que limitarse a hacer eso: lo que tenían que hacer era coger su vida entera y sacudirla al viento.

—¿Para encontrar qué?

—Para encontrar que no era exactamente impecable: en los noventa se follaba cualquier cosa que se moviera y tenía una atracción particular por los eslavos: se tiró seis meses compartiendo piso con un par de galanes de Vladivostok que le montaron su negocio de *catering* antes de desaparecer. Aunque, por supuesto —añadió—, todo eso es circunstancial y puede que ella sea como Blancanieves; ¿tú qué opinas?

Catherine, que no solía rebajarse a la obscenidad, soltó un taco.

—Desde luego, yo pienso lo mismo. —Lamb cogió la taza de café, se la llevó a la boca y se dio cuenta de que era un cenicero—. ¡Como si no tuviera suficiente trabajo! Resulta que, cualquiera que sea la intención de esos oscuros cabrones rusos de Spider Webb, es lo suficientemente retorcida como para matar a Harper. —Soltó la taza—. Mejor ir paso a paso, ¿no crees?

Acompañaron a los rusos al hotel y luego se encaminaron al metro. Marcus sugirió tomar un taxi, Louisa señaló el tráfico, que estaba imposible. En realidad, lo había planeado: en un taxi no tendría más remedio que aguantar la conversación de Marcus, en el metro tenía más posibilidades de librarse. Ésa era la teoría; sin embargo, nada más entrar en la estación Marcus dijo:

—¿Qué opinión te merece?

—¿Pashkin?

—¿Quién si no?

—Es nuestro trabajo —dijo Louisa mientras pasaba la tarjeta. Se abrieron las puertas.

Un paso por detrás de ella, Marcus opinó:

—Es un mafioso.

Eso había dicho Webb: ex mafioso, aunque ahora formaba parte de la clase dirigente, o al menos tenía el dinero suficiente para aparentarlo, y ella no sabía bien cómo funcionaba eso en Rusia, pero en Londres, si eras rico, ser un mafioso era un delito menor, como llevar la corbata de un club al que no pertenecías.

—Buen traje, buenos modales y con un inglés mejor que el mío. Además, es el propietario de una compañía petrolífera, pero es un mafioso.

En lo alto de la escalera mecánica, un cartel advertía sobre la interrupción de algunos servicios durante la manifestación del día siguiente. Como era contra los bancos, lo más probable era que tuviera una buena convocatoria y acabara mal.

—Tal vez —contestó ella—, pero Webb nos ha pedido que lo tratemos como si fuera de la realeza, así que eso es lo que toca.

—Y qué significa, ¿que tendríamos que conseguirle unas masajistas menores de edad o que habría que chupársela a cambio de una papelina?

—Probablemente Webb no estaba pensando en esos miembros concretos de la casa real —respondió ella.

Ya en el metro, Louisa cerró los ojos. Una parte de su cerebro hacía juegos malabares con la logística: la manifestación sería un factor que debían tener en cuenta. No podías añadir al cuadro un cuarto de millón de ciudadanos cabreados sin que se complicaran las cosas. Pero esos pensamientos eran una coartada, desfilaban por su conciencia sólo por si acaso alguien había desarrollado una máquina para leer pensamientos. Al día siguiente, detalles como la ruta que seguirían para ir a la Aguja serían tan útiles como las galletas de la fortuna.

Marcus Longridge estaba hablando de nuevo:

—¿Louisa?

Ella abrió los ojos.

—Nuestra parada.

—Ya lo sé —contestó, pero él no dejó de mirarla con cara de perplejidad. Durante todo el ascenso desde el andén hasta la calle, se mantuvo uno o dos pasos por detrás de ella. Su mirada era como un foco caliente en el cogote.

«Olvídate de eso. Olvídate de mañana. Mañana no va a pasar.

»Esta noche sí.»

10

Cuando River entró en el pub, lo saludaron desde dos mesas distintas. Él pensó: «En Londres, podrías pasarte años empinando el codo en la barra del mismo pub y al morir no sabrían qué nombre poner en la corona fúnebre.» Pero a lo mejor el problema era él; a lo mejor, el que hacía nuevos amigos con facilidad no era River, sino el otro: el escritor por el que estaba haciéndose pasar. Devolvió los saludos y se detuvo en la mesa de los Butterfield: Stephen y Meg. Ninguno de los dos necesitaba que le rellenaran la copa. Kelly estaba en la barra, limpiando un vaso con un trapo.

—¡Me alegro de verte! —lo saludó.

Estaba jugando con él, pero no pasaba nada.

Pidió un agua mineral y ella alzó una ceja.

—¿Estás de fiesta?

Mientras Kelly iba a buscar el agua, River sintió una punzada; «que no sea mi conciencia», deseó. De haber conocido a Kelly en otras circunstancias, nada habría sido distinto: igualmente habría hecho todo lo posible para ir a dar al lugar donde habían estado esa tarde. ¿Por qué, entonces, estaba tan seguro de que si ella descubría que no era quien decía ser le cortaría los...?

—¿Huevos en escabeche?

—¿Perdón?

—Que si quieres unos huevos en escabeche. Son muy populares: una exquisitez local.

Por cómo pronunció esa frase, River entendió que insinuaba que ella misma era una exquisitez local; y muy popular, además.

—Suena tentador, pero voy a pasar —dijo él—. ¿El club de aviación no sesiona esta noche?

—Greg se ha pasado por aquí hace un rato. ¿Esperabas pillar a alguien en particular?

—No, no, a nadie.

—Las paredes oyen.

—En boca cerrada no entran moscas.

—Eso es —dijo ella—. Aún haremos de ti un buen espía.

River volvió a la mesa de los Butterfield con esa última frase resonándole en los oídos.

Stephen y Meg Butterfield, Padres de Damien: otro miembro del club de aviación. Él era un editor jubilado; ella era socia de una boutique en Moreton-in-Marsh. Vivían en el campo, pero no se habían vuelto paletos, como solía decir Stephen: estaban encantados de presentarse en Londres un par de veces al mes para comer, visitar a los amigos, ir al teatro, «reencontrarse con la civilización»; aunque también de colocarse una gorra de lana a cuadros, un jersey verde con cuello de pico y un bastón con empuñadura de plata. Mejor dicho: en el campo y bien ambientados.

—¿Qué tal la literatura? —le preguntó Stephen.

—Bueno, ya sabes: nada definitivo todavía.

—¿Todavía estás investigando? —preguntó Meg.

Aunque no dejaba de mirar a River, sus dedos largos y nerviosos jugueteaban con su parafernalia de fumadora: un paquete de tabaco para liar, papeles Rizla, un mechero desechable... Esa noche llevaba la larga melena rubia, que ya griseaba, recogida bajo un pañuelo negro de seda, lo cual, junto con las patas de gallo e incluso la ropa que llevaba puesta (una falda hasta los tobillos con hilos plateados, un cárdigan de lana negra con grandes bolsillos, un chal con flecos rojos que hacía pensar en una beduina en el exilio), la delataba como fumadora. En Londres,

River la habría identificado como una hippy supercaducada y habría tratado de evitarla; allí, le parecía más bien una bruja fuera de servicio. Se la imaginaba preparando un remedio para personas enfermas de amor, si es que algo así existía aún. Era probable que allí todavía la usaran. En la ciudad ya no tenía mucho sentido.

Meg y su marido estaban sentados en el mismo banco, lo que le pareció conmovedor.

—Es el noventa por ciento del trabajo —contestó; era curioso que le resultara tan sencillo hacerse pasar por un escritor experto—. Escribir es lo de menos.

—Hemos hablado de ti con Ray. ¿Ya has conocido a Ray?

No lo había conocido, aunque el nombre le resultaba familiar. Ray Hadley era el Palo de Mayo en torno al cual bailaba todo el pueblo: estaba en el consejo parroquial, en la junta de la escuela... en cualquier cosa para la que hiciera falta inscribir un nombre sobre una línea de puntos. Además, como piloto jubilado y dueño de la pequeña avioneta que guardaban cerca del campo de tiro del Ministerio de Defensa, era la eminencia gris del club de aviación. Y, sin embargo, resultaba de lo más huidizo.

—No, todavía no.

Porque siempre daba la sensación de que Hadley se acabara de ir o que se esperara su llegada en cualquier momento, aunque luego no apareciera. Aparte del pub, en Upshott no había demasiados lugares en los que esconderse, pero Hadley debía de haberlos utilizado casi todos durante las últimas semanas.

—Ray era superamigo de la gente de la base —siguió Meg—: siempre estaba entrando y saliendo de allí. ¿Verdad, cariño?

—De haber tenido ocasión, se habría alistado. En realidad, creo que aún hoy daría el huevo derecho por tener la oportunidad de volar en uno de esos cazas estadounidenses....

—No puedo creer que no hayáis coincidido todavía —dijo Meg—. Se estará escondiendo de ti.

—De hecho, quizá lo haya visto esta mañana cuando iba a la tienda. Un hombre alto y calvo, ¿verdad?

Justo en ese momento, sonó el teléfono de Meg. *Ave Satani.*

—Hijo y heredero —dijo—. Disculpadme. ¡Damien, cariño! Sí. No, no lo sé, pregúntaselo a tu padre. —Le pasó el teléfono a Stephen y luego se dirigió a River—: Perdona, querido. Me muero de ganas de fumar un pitillo. —Recogió su parafernalia y se encaminó hacia la puerta.

Stephen Butterfield emprendió lo que sonaba como una larga exposición de los problemas del coche de Damien mientras alzaba una ceja a modo de disculpa ante River, que le quitó importancia con un gesto y regresó a la barra.

El pub tenía vigas de madera con billetes pegados y paredes encaladas de las que pendían aperos de granja. En un rincón había fotos de Upshott a lo largo de los tiempos. La mayor parte se habían tomado en el parque y mostraban a grupos de gente que encarnaban desde la más estricta austeridad en blanco y negro hasta las modas afro de los setenta. En la más reciente aparecían nueve adolescentes más cómodos con su juventud y su belleza de lo que lo habían estado las generaciones anteriores. Estaban de pie en una pista de asfalto y entre ellos había tres mujeres, incluida Kelly Tropper, en el centro. Al fondo se veía una pequeña avioneta.

En su primera noche en el pub, River se había parado allí a mirar aquella misma foto y, justo cuando acababa de reconocer a la chica que le había servido una pinta de cerveza, se le había acercado un hombre. Sería más o menos de su misma edad, sólo que algo más grueso; llevaba el cabello rapado al uno, una pelusa igual en la barbilla y la zona del bigote y un brillo de astucia o suspicacia en los ojos. River había visto miradas similares en otros pubs: no siempre venían cargadas de problemas, aunque, cuando los problemas estallaban, los tipos como aquél solían estar justo en el centro.

—¿Y tú quién eres?

«Seamos educados», pensó River.

—Me llamo Walker.

—Walker, ¿eh?

—Jonathan Walker.

—Jonathan Walker —repitió el hombre con voz cantarina, para subrayar la naturaleza afeminada de cualquiera lo suficientemente blandengue como para llamarse Jonathan Walker.

—¿Y usted?

—¿A ti qué te importa?

Enseguida se sumó a la conversación la camarera, con un brusco «¡Eh, tú: pórtate bien!»

Luego se dirigió a River:

—Se llama Griff Yates.

—Griff Yates —dijo River—. ¿Debería repetirlo con voz de idiota? No estoy seguro de haber comprendido bien todavía las costumbres locales.

—Vaya, tenemos aquí a un listillo —replicó Yates.

Posó la pinta de cerveza en la mesa y River oyó en su interior la voz su abuelo: «Llevas cinco minutos de misión encubierta y te vas a meter en una pelea de bar. ¿Qué parte de "misión encubierta" no has entendido?»

—El último listillo que tuvimos por aquí debió de ser aquel atontado de la ciudad que alquiló la casa de James en verano. ¿Y sabes lo que le pasó?

River no tenía muchas opciones.

—No —contestó—, ¿qué?

—Se tuvo que joder y volverse a su ciudad, ¿no? —Griff Yates hizo una pausa y luego soltó una carcajada que parecía un rugido—. ¡Se tuvo que joder y largarse! —repitió, y siguió riéndose hasta que River se sumó a las risas y lo invitó a una cerveza.

Ése fue el primer encuentro de River en Upshott, algo más turbulento que los siguientes, aunque sería justo añadir que Griff Yates era el bicho raro del pueblo, en primer lugar porque era ganado local. Era un poco mayor que los del grupo conocido como el club de aviación, y su existencia discurría de forma tangencial a la de ellos; en parte por envidia, en parte por mero antagonismo.

En ese momento, de todos modos, Griff Yates no estaba allí.

Andy Barnett (conocido como Andy *el Rojo* por haber votado a los laboristas en el noventa y siete) ocupaba la barra; al menos técnicamente, porque su cerveza a medio beber y su Sudoku reclamaban la propiedad de la zona, aunque de hecho Andy *el Rojo* brillaba por su ausencia.

Nadie podía oírlos, así que Kelly, sonriente, volvió a saludarlo.

—Hola otra vez, tú.

River aún tenía su sabor en la boca.

—Nunca te he invitado a nada —le dijo.

—La próxima vez que esté en tu lado de la barra. —Señaló el vaso de River con una inclinación de cabeza—. Y no será agua mineral, eso te lo aseguro.

—¿Trabajas mañana?

—Y la noche siguiente.

—¿Y mañana por la tarde?

—¿Estás desarrollando un hábito? —Hay una cierta mirada que sólo una mujer que ha dormido contigo puede dedicarte, y Kelly se la lanzó en ese momento—. Ya te lo he dicho: mañana vuelo.

—Claro. ¿Y vas a algún sitio bonito?

Dio la impresión de que la pregunta le hacía gracia.

—Ahí arriba todo es bonito.

—O sea que es un secreto.

—Ya te enterarás, te lo aseguro. —Se echó hacia delante—. Pero aquí termino a las once y media. Si quieres volver a empezar donde lo hemos dejado...

—Ah, ojalá pudiera: estoy medio liado.

Ella enarcó una ceja.

—¿Medio liado? ¿Qué clase de lío se puede tener aquí después de la hora de cerrar?

—Uno ni remotamente parecido a nada de lo que estás pensando. Es que...

—Hola, joven. ¿Qué haces, ligando con el adorable personal de la barra?

Era Andy *el Rojo*, que volvía de fumarse un cigarrillo, a juzgar por el olor que aún llevaba pegado a la chaqueta.

—Andy —saludó River.

—He estado charlando con Meg Butterfield ahí fuera. —Se detuvo para terminarse la cerveza de un trago—. Otra como ésta, Kelly, querida. Y una para nuestro visitante. Dice Meg que has avanzado con el libro.

—Para mí nada, gracias. Estoy a punto de irme.

—Qué lástima: tenía ganas de oír tus progresos.

Andy Barnett era una pesadilla para cualquiera: un escritor local (él sí genuino) cuyas memorias autopublicadas habían constituido «todo un éxito de crítica», como se enteraba cualquiera a los dos minutos de conocerlo.

—Me encantará leer cualquier cosa que quieras enseñarme.

—Serás el primero de la cola.

River supo que acababa de entrar alguien porque sintió una corriente de aire en la espalda y porque Barnett dijo:

—Ahí viene un problema.

No tuvo que darse la vuelta para saber de quién se trataba.

Ya oscurecía cuando Louisa emergió en Marble Arch junto a una multitud de jóvenes turistas extranjeros. Se abrió paso entre gigantescas mochilas y respiró el aire del atardecer, en el que reconoció el humo del tráfico, perfumes, tabaco y un toque del follaje del parque. En lo alto de la escalera abrió un mapa de bolsillo: una excusa para detenerse. Después de inspeccionarlo durante un par de minutos, volvió a guardarlo. Si alguien conseguía seguirle la pista, no era ningún novato.

Tampoco es que hubiera una razón para seguirla: tan sólo era una más de las muchas chicas que salían por la noche, auténticos rebaños migratorios de mujeres jóvenes y frescas (algunas no tan frescas, algunas no tan jóvenes). Eso sí, aquella noche, Louisa era una mujer distinta de la que había sido en los últimos tiempos: se había puesto un vestido negro por encima de la rodilla y llevaba los hombros a la vista (o al menos los llevaría cuando se quitara la chaqueta, que ya tenía cuatro... no, cinco años, algo que se empezaba a notar, aunque no tanto como para que un hombre se diera cuenta), medias negras, el pelo recogido en la nuca con una cinta roja... Estaba guapa, y de todas formas los hombres solían ser fáciles.

Su bolso tenía el tamaño justo para alojar unos pocos objetos femeninos básicos, concepto que desde luego varía de una mujer a otra. En su caso, junto al móvil, el monedero, el pintalabios y una tarjeta de crédito, incluía también un espray de pimienta y un par de abrazaderas de plástico compradas en internet para utilizarlas como esposas si hacía falta. Como muchas cosas compradas en internet, no eran nada profesionales, y Louisa se preguntaba qué le habrían parecido a Min; aunque eso no tenía sentido porque, de vivir Min, ella no necesitaría unas esposas.

El Ambassador se veía distinto por la noche: antes le había parecido otro más de esos imponentes monolitos urbanos, todo acero y cristal y estética impecable. En ese momento resplandecía: sus diecisiete plantas reflejaban el torbellino del tráfico. Louisa lo llamó desde el vestíbulo y él contestó al segundo tono.

—Enseguida bajo —dijo.

Ella tenía la esperanza de que la hiciera subir. En fin, si no era entonces, sería más adelante: se aseguraría de que fuera así.

En aquel vestíbulo lleno de espejos era imposible no verse reflejada. Una vez más, ¿qué habría pensado Min? Le habría gustado el vestido y cómo lucían sus piernas, pero la mera idea de que se hubiera puesto guapa para otro le habría roto el corazón.

Ahí estaba el ascensor, del que había salido Arkady Pashkin. Solo, según comprobó Louisa con alivio.

Al cruzar el vestíbulo tuvo mucho cuidado de no mostrar la dentadura, pero había un brillo lobuno en sus ojos cuando le tomó la mano y, sí, se la llevó a los labios.

—Señorita Guy, está usted espléndida.

—Gracias.

Llevaba un traje oscuro y una camisa blanca sin cuello con el último botón desabrochado. Un pañuelo de seda de un rojo sanguíneo rodeaba su cuello.

—Me ha parecido que podríamos pasear un poco, si le parece bien —propuso—. No hace frío, ¿verdad?

—Hace una noche preciosa —contestó ella.

—Y yo tengo muy pocas oportunidades de ver la ciudad tal como debe verse —dijo él saludando con una inclinación de cabeza a la chica de la recepción mientras guiaba a Louisa hacia Park Lane—: todas las grandes ciudades, ya sea Moscú, Londres, París o Nueva York, se disfrutan más a pie.

—Ojalá mucha gente pensara lo mismo —dijo ella alzando la voz para hacerse oír por encima del tráfico; echó un vistazo a su alrededor, pero nadie los seguía—. Entonces ¿vamos los dos solos?

—¿Solos?

—¿Les ha dado la noche libre a Piotr y a...? Perdón, he olvidado su...

—Kyril.

—Eso: Kyril, gracias.

—Son estos tiempos: hay que tratar bien a la gente que trabaja para ti o se irán en busca de otros pastos.

—Incluso tratándose de unos matones.

Él la había tomado por el brazo al cruzar la calle, pero Louisa no notó que aumentara la presión; al contrario, la voz de Pashkin sonó alegre cuando contestó:

—Incluso tratándose de unos matones, como tú dices.

Había pasado a tutearla.

—Era broma.

—Me encanta que me hagan bromas... hasta cierto punto. No, les he dado la noche libre porque me ha parecido entender que durante esta velada no estaremos trabajando. Aunque me sorprendió tu llamada.

—¿En serio?

—En serio. —Sonrió—. No te voy a engañar: suelo recibir llamadas de mujeres. Incluso de mujeres inglesas, que por lo general pueden llegar a ser un poco... ¿la palabra adecuada es «reticentes»?

—Puede ser, sí —concedió Louisa.

—Y esta tarde parecías tan... profesional. No lo digo como una crítica: al contrario, aunque eso me hace preguntarme si he entendido bien.

—¿Lo de que esta noche no estaremos trabajando?

Ya habían cruzado la calle, pero él no le había soltado el brazo.

—Nadie sabe que estoy aquí, señor Pashkin: esto es estrictamente personal.

—Arkady.

—Louisa.

Estaban en uno de los senderos iluminados del parque. Hacía buen tiempo, tal como había afirmado Louisa, y el zumbido del tráfico iba quedando atrás. El invierno anterior había recorrido ese mismo sendero con Min de camino a la feria navideña. Había una noria, gente patinando, vino caliente, pasteles de carne... En una caseta de tiro, Min había fallado cinco veces seguidas. «Forma parte de mi tapadera», había dicho. «No quiero que nadie se entere de que soy un francotirador profesional...» «Borra ese recuerdo», pensó Louisa. «No te acuerdes de nada.»

—Parece que vayamos a algún sitio —dijo ella—. ¿Tienes un plan o vamos a ver adónde nos lleva el destino?

—Yo siempre tengo un plan —respondió él.

«Pues ya somos dos», pensó Louisa, y agarró con más fuerza el asa de su bolso.

Doscientos metros por detrás, fuera del alcance de la luz de las farolas, una figura los seguía en silencio con las manos en los bolsillos.

∙ ∙ ∙

Había mucha humedad en el ambiente y las nubes bajas recorrían el cielo: una masa gris que escondía las estrellas. Griff Yates caminaba a paso rápido, pero River le seguía el ritmo. No se habían cruzado con nadie en la carretera principal y había pocas casas iluminadas. No era la primera vez que River se preguntaba si aquel lugar existía en un pliegue del tiempo.

Puede que Yates le leyera la mente.

—¿Echas de menos Londres?

—Aquí hay paz y silencio: es un buen cambio.

—Morirse también.

—Si no te gusta, ¿por qué te quedas?

—¿Quién dice que no me gusta?

Pasaron por delante de la tienda de las pocas casas de campo que quedaban.

San Juan, convertida en una silueta negra, parecía ocultarse en una oscuridad mayor. Upshott desapareció enseguida entre la oscuridad de la noche. La carretera trazó una curva y no hizo falta más.

—Aunque no puedo decir lo mismo de algunas personas: me encantaría librarme de ellas.

—Los advenedizos —dijo River.

—Todos son advenedizos. Andy Barnett, por ejemplo, habla como si fuera un ganadero, pero no sabe ni por qué lado empieza una vaca.

«Eso depende de si eres un toro o un excursionista», pensó River.

—¿Y qué pasa con los aviadores?

—¿Qué pasa con ellos?

—Todos son muy jóvenes, ¿ninguno ha nacido aquí?

—Qué va: sus mamis y papis se mudaron a Upshott cuando ellos eran pequeños, para que pudieran «criarse en el campo». ¿Tú crees que los autóctonos de verdad tienen avionetas para jugar?

—Pero no deja de ser su pueblo.

—No, sólo es el lugar donde viven. —Yates se detuvo de manera abrupta y señaló hacia la oscuridad. River escudriñó las sombras, pero no vio nada: sólo la pista oscura, flanqueada por setos. Por encima asomaban algunos árboles que saludaban al cielo.

—¿Ves ese olmo?

—Sí —dijo River, aunque no tenía ni idea de a qué árbol se refería.

—Mi abuelo se colgó allí... cuando perdió la granja. ¿Te das cuenta? Eso es historia: significa que la sangre de tu familia se ha derramado por aquí. Un lugar no te pertenece sólo porque tus padres compraran un pedazo de tierra.

—Aunque en un sentido estrictamente legal... —repuso River; siguieron caminando—. Lo de tu abuelo es un cuento, ¿verdad?

—Sí.

Llegaron a una bifurcación y tomaron un camino de tierra (dos surcos con hierba en medio) que parecía llevar a una granja. Griff no disminuyó el paso, aunque el suelo era resbaladizo, y aquí y allá asomaban algunas rocas. River llevaba una pequeña linterna que no podía usar, en parte porque se estaban acercando a la base del Ministerio de Defensa, pero sobre todo porque Griff pensaría que era un gallina. La oscuridad era casi impenetrable. La luna tenía que estar por algún lado, pero River no tenía ni idea de por dónde ni en qué fase se encontraría en caso de aparecer. Mientras tanto, Griff seguía adelante sin tropezar ni aflojar el paso, como si con ello quisiera probar su teoría: aquél era su territorio y podía recorrerlo con los ojos cerrados. River apretó los dientes y procuró levantar las rodillas: así sería más difícil tropezar.

Griff se detuvo por fin.

—¿Sabes dónde estamos?

«Por supuesto que no, joder.»

—Dímelo tú.

Griff señaló a la izquierda y River entrecerró los ojos.

—No veo nada.

—Empieza desde el suelo y ve subiendo la mirada poco a poco.

River hizo lo que le decía y a unos tres metros del suelo apreció un cambio de textura: ya no era un seto. Un breve guiño de la luz, que procedía de a saber dónde, lo ayudó a entenderlo: se trataba del campo de tiro del Ministerio de Defensa, cerrado en todo su perímetro por una malla metálica rematada en lo alto por espirales de concertina.

—¿Hemos de pasar por ahí arriba? —dijo en un susurro.

—Si quieres, es posible, pero yo no pienso hacerlo —contestó Griff.

Siguieron adelante.

—Antes de la guerra esto eran tierras comunales —explicó Griff—, hasta que el gobierno alegó no sé qué rollos, una provisión de emergencia o algo así, y las usó para entrenar a las tropas. Luego, cuando se terminó la guerra, no nos las devolvieron: se las alquilaron a los yanquis y, cuando éstos se largaron, el puto Ministerio de Defensa las recuperó. —Carraspeó y lanzó un escupitajo—. Para seguir entrenando a las tropas, al menos eso dicen.

—Es un campo de tiro, ¿no?

—Se supone, pero eso podría ser una mera fachada.

—¿De qué?

—De investigación armamentística. Armas químicas, ¿lo pillas?, u otras cosas de las que no quieren que nos enteremos.

River contestó con un sonido lo más neutro posible.

—¿Crees que va en broma?

—Si te soy sincero —dijo River—, no tengo ni la más mínima idea.

—Bueno, pues aquí tienes una oportunidad para averiguarlo.

A River le costó unos segundos darse cuenta de que Yates estaba señalando una zona donde se entreveía una vegetación exuberante. No parecía muy distinta de cualquier otra zona por la que hubieran pasado durante la última media hora, pero para eso estaba Griff: para mostrarle una entrada que él nunca habría podido encontrar sin su ayuda.

—Tú primero —le dijo.

—Bueno, ¿cuánto hace que trabajas para el, esto... para el Departamento de Energía?

—Creía que habíamos acordado que no hablaríamos de trabajo.

—Perdón. Es uno de mis defectos: me cuesta relajarme... —Les echó un vistazo a sus pechos, una buena parte de los cuales quedaba bien a la vista—. No es que no pueda, sólo se me dificulta un poco.

—Habrá que ver qué podemos hacer al respecto —contestó ella.

—Algo que justifique un brindis.

Pashkin alzó la copa. Louisa ya había olvidado el nombre del vino que él había escogido, y la botella estaba en la cubitera, así que ni siquiera podía leer la etiqueta. Pero el ruso había especificado incluso el año: una absoluta novedad para ella. En su experiencia gastronómica contaban las fechas de caducidad, no las añadas.

—Me supo muy mal enterarme de lo de tu colega —dijo él—, el señor... ¿Harding?

—Harper —contestó ella de inmediato.

—Eso: Harper, disculpa. Te acompaño en el sentimiento, Louisa. ¿Estabais muy unidos?

—Trabajábamos juntos.

—Algunas de mis mejores amistades se han forjado en el trabajo —dijo él—. Estoy seguro de que lo echas de menos. Deberíamos brindar en su memoria.

Alzó de nuevo la copa. Louisa tardó unos segundos en levantar la suya, pero finalmente las entrechocaron.

—Por el señor Harper —dijo él.

—Por Min.

—Seguro que era un buen hombre. —Pashkin dio un buen trago.

Poco después, ella hizo lo mismo.

Llegó el camarero y empezó a poner platos en la mesa. A Louisa le entraron náuseas sólo de ver y oler la comida: acababa de brindar por el recuerdo de Min con el hombre que, estaba segura, estaba detrás de su muerte, aunque sólo fuera en última instancia. Pero no era un buen momento para vomitar: aún tenía que aguantar toda la velada. Mantenerlo dulce y feliz, mantenerlo anhelante hasta que volvieran a su suite. Entonces empezaría el negocio.

Quería saber quién y por qué: lo mismo que querría saber Min de haber estado allí.

—Bueno —dijo con una voz que le pareció lejana; se aclaró la garganta—, ¿estás contento con la organización de la reunión de mañana?

Él agitó un dedo en el aire con gesto de sacerdote decepcionado.

—Louisa, ¿en qué habíamos quedado?

—Estaba pensando en el edificio. Impresionante, ¿verdad?

—Por favor, tienes que probar esto.

Estaba sirviéndole a Louisa una porción del entrante, pero ella no tenía hambre: sentía un horrible vacío por dentro, pero no se arreglaba con comida. Forzó una sonrisa y pensó que debía de parecer grotesca, como si su boca tuviera anzuelos en las comisuras. Sin embargo, pese a su enorme riqueza, aquel hombre era demasiado caballeroso para hacer notar un detalle como aquél.

—Impresionante, sí —contestó Pashkin; Louisa tuvo que recapitular mentalmente: ¡se refería a la Aguja!—. El capitalismo en su más obvia desnudez alzándose por encima de la ciudad. Seguro que no hace falta que mencione a Freud.

—A estas horas probablemente no: la noche apenas ha empezado —se oyó decir Louisa.

—Y, sin embargo, es imposible evitarlo: donde hay dinero también hay sexo. Por favor. —Señaló el plato con el tenedor—. Come.

Era como si lo hubiera cocinado él mismo, y Louisa se preguntó si eso sería un síntoma de la riqueza: dar por hecho que eres la fuente de todas las necesidades y los placeres de tu acompañante.

Louisa comió: era una vieira rociada con una salsa que parecía de nueces; tenía tantos sabores a la vez que a su lengua le costaba procesarlos. Y, sin embargo, aquel dolor interior que la comida no podía aquietar se tumbó boca arriba y se aplacó. «Come, come un poco más.» Al fin y al cabo, tener hambre no era malo.

—Y donde hay sexo, llegan los problemas —iba diciendo él—. He visto pancartas por todas partes y he escuchado las noticias: esa manifestación contra el mundo financiero... ¿les preocupa a tus superiores del Departamento de Energía?

La broma podía dar mucho juego.

—La planificación de los tiempos no es la ideal, pero nuestra ruta está planeada para eludir la manifestación.

—Me sorprende que vuestras autoridades la hayan permitido entre semana.

—Supongo que a los organizadores de la protesta les ha parecido que no tenía mucho sentido arrodillar al mundo financiero en fin de semana, cuando todos los miembros de la City están fuera de la ciudad. —Sonó un zumbido en su bolso: sería un mensaje de texto; pero en ese momento no quería saber nada de nadie. No hizo caso y cogió otra vieira.

—¿Y no se les va a ir de las manos?

Algunas manifestaciones similares habían terminado con coches incendiados y escaparates destrozados, pero la violencia solía mantenerse a raya.

—Esas cosas van acompañadas de un control policial muy estricto. La coincidencia de fecha y horario es un problema, pero qué le vamos a hacer: ya encontraremos la manera de resolverlo.

Arkady Pashkin asintió con gesto pensativo.

—Confío en que tú y tu colega me llevaréis hasta allí y de vuelta sin problemas.

Ella volvió a sonreír. Esta vez le salió más natural, probablemente porque estaba pensando en que no había ninguna posibilidad de que Pashkin, después de esa velada, confiara en nada que ella pudiera hacer.

Eso suponiendo que siguiera vivo, claro.

Por alguna razón, River había esperado que el entorno del otro lado de la valla fuera distinto. Menos accidentado tal vez. Con un pavimento más firme. Sin embargo, tras seguir a Griff por el hueco más bien estrecho de vegetación puntiaguda para llegar a una sección de la valla recortada con tenazas y colgando, se encontró con que todo era muy parecido, salvo que ya no había ningún sendero definido y él estaba más lleno de barro.

—¿Y ahora, hacia dónde? —preguntó respirando sonoramente.

—El complejo principal queda a tres kilómetros. —River no alcanzaba a ver en qué dirección señalaba Griff—. Primero pasaremos por unos edificios abandonados, a menos de un kilómetro de aquí. Están en ruinas: cuando se deja de dar mantenimiento a un edificio, acaba pasando eso.

—¿Con qué frecuencia vienes?

—Cuando me apetece: es un buen sitio para cazar conejos.

—¿Y cuántas entradas como ésa hay?

—Ésta es la más fácil. Solía haber otra más cerca de Upshott, en la que podías levantar un poste y pasar por debajo de la valla, pero volvieron a fijar el poste con cemento.

Echaron a andar de nuevo. El suelo era resbaladizo y cuesta abajo; River perdió pie y habría ido a dar al suelo si Griff no lo hubiera sujetado.

—Cuidado.

Luego las nubes se abrieron un poco y un rayo de luz brilló tras una cortina traslúcida. River vio con claridad el rostro de Griff por primera vez desde que habían salido del pub. Al sonreír mostraba unos dientes tan grises como su piel picada y su calva llena de manchas: parecía que reflejara la luna.

Sombras más oscuras los esperaban al pie de la cuesta. River no alcanzaba a distinguir si eran árboles o edificios, pero luego entendió que eran ambas cosas. Había cuatro edificios, prácticamente destechados, y por sus paredes rajadas sobresalían largas ramas espectrales que se agitaron al viento como si lo invitaran a acercarse. Enseguida las nubes volvieron a cerrarse y la luz de la luna se desvaneció.

—Entonces —dijo River—, si viniera alguien buscando una entrada, lo más probable es que no la encontrara, ¿verdad?

—Acabaría encontrándola —contestó Griff—, a condición de que fuera lo suficientemente hábil o tuviera un poco suerte, o las dos cosas.

—¿Alguna vez te has cruzado con alguien por aquí?

Griff soltó una risita.

—¿Estás asustado?

—Me preguntaba cuán peligroso es andar por aquí.

—Hay patrullas, y en algunas zonas, trampas. Conviene evitarlas.

—¿Trampas?

—Cuerdas conectadas con luces y sirenas, pero la mayoría están cerca de la base.

—¿Hay alguna por aquí?

—Lo sabrás enseguida si tropiezas con alguna.

«Muy gracioso», pensó River.

Abriendo los brazos para mantener el equilibrio, siguió a Griff hacia los edificios destrozados.

—Tengo que preguntarlo —dijo Pashkin—, ¿estás casada?

—Sólo con mi trabajo.

—Y esos mensajes que estás recibiendo... ¿no son de algún amante indignado?

—No tengo ningún amante —dijo Louisa—, ni indignado ni de ninguna clase.

Había recibido tres mensajes de texto más, pero no los había leído.

Habían dado buena cuenta de los entrantes y los platos principales; se habían bebido la primera botella y casi toda la segunda. Era su primera comida de verdad desde la muerte de Min. Y bien cara, además. Aunque aquél no era un detalle que inquietara a Arkady Pashkin, dueño de una petrolífera. Louisa se preguntó si los condenados a muerte hacían alguna crítica de sus últimas cenas; si le enviaban felicitaciones al chef de camino al cadalso. Probablemente no: al fin y al cabo tenían la excusa de que estaban condenados.

Primero lo cegaría con el rociador de pimienta, después le pondría las abrazaderas de plástico en las manos y en los tobillos, entonces ya sólo necesitaría una toalla y una manguera de ducha. En la agencia te entrenaban para resistir ese tipo de interrogatorios, lo que suponía una manera encubierta de enseñarte métodos de interrogación. Pashkin era un tipo alto y robusto y parecía gozar de buena salud, pero Louisa imaginaba que apenas duraría cinco minutos. En cuanto ella se hubiera enterado de cómo se había producido la muerte de Min y de cuál de sus matones había acabado con él, su tortura terminaría. Seguro que encontraba algo que pudiera usar: un abrecartas, por ejemplo, o un alambre de los que se utilizan para colgar cuadros: en la agencia te enseñaban a aprovechar los recursos disponibles.

—Bueno —continuó él—, ¿no quieres saber lo mismo de mí?

—«Arkady Pashkin —recitó ella—: dos matrimonios y dos divorcios, aunque siempre hay alguna mujer atractiva cerca de él.»

Él echó la cabeza atrás y soltó una carcajada. Las miradas de todo el restaurante se volvieron hacia ellos y Louisa se dio cuenta de que, mientras los hombres fruncían el ceño, las mujeres parecían encontrarlo divertido. Algunas incluso se quedaban mirando más tiempo del necesario.

Él se limpió los labios con la servilleta y dijo:

—Parece que alguien me ha buscado en Google.

—Es el precio de la fama.

—Y eso no te..., es decir, esa imagen de playboy ¿no hace que te arrepientas de estar aquí?

—«... siempre hay alguna mujer atractiva cerca de él» —replicó ella—: me lo tomo como un cumplido.

—Y haces bien. En cuanto a eso de que «siempre», los periodistas exageran. Ya sabes: son capaces de cualquier cosa por un titular.

Llego un camarero y preguntó si la mademoiselle y el caballero querían ver la carta de postres. Cuando se retiró, Pashkin dijo:

—¿Te parece bien si volvemos por el parque ahora mismo?

—Pues creo que sí —dijo ella—, pero antes ¿me disculpas un momento?

Para ir al servicio había que bajar un tramo de escaleras. Con sólo llamarlo «servicio» el restaurante subía de categoría. Aquél tenía unas lujosas pilas antiguas de peltre encajadas en un mueble de madera, una luz tenue que lo aplanaba todo y toallas de algodón de verdad, nada de secadores. Estaba sola. De algún lugar le llegaba la percusión ahogada de la cubertería, el ronroneo conspiratorio de las conversaciones, el rumor grave de un purificador de aire... Se encerró en un cubículo, orinó y revisó el bolso. Las abrazaderas parecían poco resistentes y nada prácticas, pero cuando uno tiraba de ellas notaba enseguida la fuerza con que podían apretarse. Si las apretabas lo suficiente, el otro sólo podía soltarse cortándolas. En cuanto al rociador, la etiqueta advertía que si se aplicaba directamente a los ojos podía causar graves daños. «A buen entendedor, pocas palabras bastan.»

Salió del cubículo, se lavó las manos, se secó con la toalla de algodón de verdad. Se dirigió a las escaleras, donde alguien tiró de ella y la hizo entrar por otra puerta que daba a un espacio pequeño y oscuro. Un brazo le rodeó el cuello y una mano le tapó la boca bruscamente. Una voz le susurró al oído:

—A ver ese bolso.

Al final de la pendiente, el suelo era pedregoso y estaba cubierto de hierba. River oyó el murmullo de un riachuelo. Sus ojos empezaban a adaptarse mejor a la oscuridad de la noche, aunque tal vez sólo fuera porque había más cosas que ver. La primera casa quedaba justo delante de ellos, rota como un diente, con un costado derruido que dejaba ver el interior. Algunas vigas de madera aún sostenían un techo inexistente, y el suelo era un caos de ladrillos, baldosas, cristal y mampostería destrozada. Los demás edificios, el más lejano de los cuales quedaba a menos de cien metros de allí, parecían estar en condiciones similares. Desde el interior del siguiente, a River le llegó un leve rumor cuando el árbol se meció y las ramas arañaron lo que quedaba de las paredes.

—¿Esto era una granja? —preguntó.

Griff no contestó, miró el reloj y avanzó hacia el siguiente edificio.

En vez de seguirlo, River rodeó la primera casa. El árbol de dentro era tan grande que las ramas superiores asomaban por encima de la pared más alta que quedaba en pie. Se preguntó cuántos años tardaba un árbol en crecer tanto y calculó que la casa llevaría décadas en ruinas. No había ninguna señal de que en tiempos recientes hubiera pasado alguien por allí. Estaba pisando cenizas empapadas, restos de un incendio, pero sin duda alguna hacía mucho tiempo que se había apagado.

Si el propósito del Señor B realmente tenía alguna relación con la base del Ministerio de Defensa, quizá hubiese quedado allí con su contacto, en aquel hueco por el que habían entrado, para pasearse entre árboles victoriosos y casas destrozadas. Le hubiera gustado saber si era una zona patrullada o si los vigilantes sólo se fijaban en el perímetro. Seguro que Griff lo sabía, pero... ¿dónde se había metido Griff?

Regresó al lado de la fachada. No veía más allá de una docena de metros y no quería gritar. Arrancó un trozo de piedra y lo lanzó contra la casa. Chocó con un *cloc* lo suficientemente fuerte como para alertar a Griff, pero nadie apareció. Esperó un minuto y volvió a hacer lo mismo. Luego comprobó el reloj: faltaban apenas unos segundos para la medianoche.

De pronto, la oscuridad se dispersó como si alguien hubiera accionado un interruptor y una bola de fuego estalló en lo alto con un ruido sibilante. Se mantuvo suspendida en el cielo, desde donde lanzaba una luz fantasmagórica que, un segundo después, transformó el paisaje en algo extraño: las casas destrozadas con sus árboles intrusos, el suelo desigual y bacheado..., todo se volvió extraterrestre, de otro planeta. La luz era naranja con un halo verde. El ruido se acalló, pero... ¿qué coño? River dio media vuelta al oír un nuevo ruido que parecía rasgar el mundo: un chillido de bruja tan fuerte que lo obligó a taparse los oídos. Terminó con un estruendo a lo lejos, a una distancia que River no era capaz de determinar, y antes de que muriera el eco, otro estallido similar se produjo en medio de la oscuridad. Esta vez, el destello dejó flotando una cicatriz fantasmagórica ante sus ojos, y luego otra, y otra. La primera explosión había hecho temblar el suelo, y River se vio sacudido por un viento caliente; la segunda, tercera y cuarta lo obligaron a dar media vuelta en busca de refugio. Las ruinas no servirían de mucho, pero no tenía otra opción.

Saltó por encima de un pedazo de muro en ruinas y aterrizó en un montoncito de baldosas rotas. A continuación, se tumbó en el suelo, perseguido por los ensordecedores y furiosos ruidos que estallaban cerca de allí, y empezó a reptar para alcanzar la protección del árbol: lo más parecido a un refugio que era capaz de imaginar en ese momento. Cerró los ojos y se hizo tan pequeño como le fue posible. Muy por encima de su cabeza, el cielo de la noche vibraba y hervía con aquellas luces airadas.

«¡Por el amor de Dios!», pensó con la parte de su mente que no estaba muerta de miedo. Entre todas las noches posibles, había escogido una en la que estaban usando el campo de tiro.

Una nueva explosión lo dejó sin aliento y ya no pensó más.

11

Esa noche iba a romper algunos corazones.

Era un territorio nuevo, aunque Roderick Ho no carecía de experiencia en el noble arte de romper cosas: había arruinado calificaciones crediticias, desmontado currículums, alterado estados de Facebook y cancelado transferencias; había desmontado apaños en paraísos fiscales de un par de viejos amigos del cole («¿Y ahora quién es el mamón, eh, capullos?»), y en una ocasión incluso había partido un brazo (ella tenía seis y él ocho, y casi seguro fue un accidente), pero corazones no: de momento no había roto ninguno. Esa noche se pondría al corriente.

Roddy había conocido a Shana (seamos precisos: se había encontrado a Shana) en la calle Aldersgate: iban cada uno a su oficina y ella casi no se había fijado en él. Bueno, «casi» tal vez no sería la palabra: quizá debería utilizarse un simple «no». Pero Roddy sí se había fijado en ella, tanto que la segunda vez que se cruzaron él la estaba buscando y a la tercera ya la esperaba directamente, aunque ella ni lo veía. La siguió hasta su trabajo, que resultó ser una agencia de empleos temporales cerca de Smithfield. Luego, cuando volvió a la Casa de la Ciénaga, no le costó mucho echar un vistazo a intranet, repasar la lista de personal y encontrarla, con su foto sonriente y todo: Shana Bellman. A partir de ahí pudo saltar con facilidad a su página de Facebook donde, entre otras cosas, descubrió que Shana era una adicta al ejercicio, de modo que el siguiente paso consistió en obtener las listas de abonados de los gimnasios del barrio. En el tercero que probó, consiguió averiguar su dirección; al cabo de un par de horas eran amigos íntimos, lo que significaba que Roddy Ho sabía todo lo que se podía saber de Shana, incluido el nombre de su novio.

Y ahí era donde entraba lo de los corazones rotos: el novio tenía que desaparecer.

Sonrió ante la imagen de Shana (fue una de esas sonrisas anhelantes que preceden a la felicidad) y después minimizó esa ventana para ver el escritorio, entrelazó los dedos de ambas manos y los hizo crujir con satisfacción. ¡A trabajar!

La cosa iba a funcionar así: el novio de Shana iniciaría una amistad con un par de fulanas en un chat de internet, conversación que iría pasando de inadecuada a directamente gráfica en apenas media docena de intercambios, momento en que, con uno de esos errores de dedo que de tan torpes parecen voluntarios (como si el cabrón infiel de hecho quisiera que lo pillaran), incluiría accidentalmente a Shana en todo el hilo del chat. Y *sayonara*, novio.

Y, a partir de ahí, coser y cantar. Al día siguiente, o quizá un par de días después: es mejor dejar que se asiente el polvo, lo único que tendría que hacer Roddy al pasar junto a Shana de camino a Smithfield sería soltarle alguna observación amistosa: «Hola, preciosa, ¿por qué estás tan triste?», y luego: «Oye, los hombres son imbéciles, pero cuéntame.» Y luego, cuando ya se sintiera agradecida con él, después de una cena o un cine o lo que fuera: «Oye, pequeña, ¿te gustaría que te metiera mi...?»

—¿Roddy?

—¡Ay, Dios!

Catherine Standish hacía menos ruido que una corriente de aire.

—Siento molestarte ahora que tienes tanto trabajo —dijo—, pero necesito que hagas una cosa.

Si se situaba en el centro de su sala, Spider Webb quedaba exactamente a tres pasos del mueble más cercano, que a su vez gozaba de un montón de espacio a su alrededor. Se trataba de su sofá, un sofá enorme en el que uno podía tumbarse cuan largo era sin ocuparlo por completo. Y aún tenías que dar un par de pasos desde el sofá hasta la pared, donde perfectamente podías apoyar la espalda y abrir los brazos tanto como fueras capaz sin encontrar ningún obstáculo. Y una vez allí, ya puestos, podías regodearte en la vista que ofrecían los ventanales que daban al balcón: copas de árboles y cielo, con los árboles ordenados en hilera porque bordeaban un canal por el cual desfilaban silenciosas barcazas decoradas con los verdes y rojos de la realeza. «A ver quién supera eso», pensó. Era una frase comodín, aplicable a cualquiera que se pusiera delante, aunque en el léxico particular de Spider Webb solía tener un destinatario específico.

«Supera eso, River Cartwright.»

River Cartwright ocupaba un pequeño apartamento de una sola habitación en el East End. Sus vistas eran una hilera de puertas de garajes, y tenía tres pubs y dos clubs a distancia de vómito, lo cual significaba que, incluso después de negociar el paso entre currelas, putas, borrachos y consumidores de meta, seguía sin poder dormir por culpa del ruido que hacían hasta que les llegaba la hora de irse a casa dando tumbos. Así se resumía el estado de las cosas: River Cartwright era un puto perdedor, mientras que James Webb escalaba las alturas como si fuera el hermano listo de Spiderman.

Podría haber sido distinto. En otra época, incluso fueron amigos. Habían hecho juntos la formación, iban a ser las nuevas estrellas rutilantes de la agencia, pero he aquí lo que pasó: Spider se había visto empujado a adoptar un papel protagónico en la degradación de River a caballo lento; consecuentemente, muchos meses después,

River había demostrado su condición de pobre puto perdedor partiéndole la cara a Webb con la culata de un arma cargada.

Aun así, el dolor de aquella herida sólo había durado un tiempo. Mucho tiempo, sí, pero ahí estaban los hechos: Spider vivía en aquel piso, trabajaba en Regent's Park y figuraba en la lista de personas con las que Diana Taverner mantenía contacto a diario, mientras que River soportaba días interminables en la Casa de la Ciénaga, seguidos de noches insomnes y ruidosas en el culo de la ciudad: había ganado el mejor.

Y ahora el mejor se iba a encontrar con Arkady Pashkin en el edificio más nuevo y elegante de Londres a la mañana siguiente, y si todo salía como estaba previsto reclutaría al agente más importante para la agencia en veinte años: un posible líder futuro de Rusia, y a él aquel negocio no iba a costarle más que algunas promesas.

A partir de ahí, la lista de contactos diarios de Lady Di parecería una chuchería y, además, cualquiera que estableciera una alianza a largo plazo con ella acabaría condenado a la irrelevancia de los segundones. No, la mejor apuesta era pegarse a Ingrid Tearney. Al estar a su lado, lo percibirían como un recién consagrado. Y con todas las políticas de modernización que estaba preparando la agencia, eso contaba mucho.

Así que todas las opciones estaban abiertas y él lo había hecho todo bien: desde el momento en que Pashkin se había puesto en contacto, había manejado la situación como lo que era: un asunto en el que había mucho en liza; y además lo había acompañado la suerte: la auditoría de seguridad de Roger Barrowby había jugado a su favor otorgándole la coartada perfecta para encargar los detalles de seguridad a la Casa de la Ciénaga, cuyos zánganos seguirían sus órdenes sin que sus actividades dejaran rastro alguno en los libros de cuentas de Regent's Park. Incluso el lugar se había arreglado con rapidez: Pashkin había pedido la Aguja y a Webb sólo le había costado tres días conseguir la planta setenta y siete, administrada por una consultora de altos vuelos que en ese momento negociaba una venta de armas entre una empresa británica y una república africana, y, por tanto, se mostró encantada de cooperar con un agente del MI5. La fecha, escogida para encajar con los compromisos de Pashkin, también había sido razonable. Webb se pasó la lengua por sus dientes casi nuevos, recordatorio tangible de la agresión de River Cartwright. Todos los detalles habían encajado a la perfección. De no ser por la muerte de Min Harper, aquella operación habría sido de libro de texto.

Pero Harper había muerto porque iba borracho y punto. Como nada parecía sugerir que pudieran producirse problemas de última hora, Webb podía apoyar la cabeza en el respaldo de su sofá y dormir el sueño de los justos, lleno de agradables ensoñaciones y del brillo de un éxito que a River Cartwright le habría parecido un recuerdo de otra vida.

Así que eso iba a hacer. Pronto. Enseguida.

Mientras tanto, siguió paseando la mirada por su bien equipado piso, felicitándose por su venturosa existencia y esperando que no pasara algo que lo jodiera todo.

Desde su despacho, Shirley vio que Catherine Standish entraba en el de Ho y cerraba la puerta a su espalda. Algo estaba pasando. Siempre sucedía lo mismo: cuando podía ser útil en algo, le echaban encima cualquier trabajo cutre; el resto del tiempo la dejaban fuera, pasando frío.

Hasta Marcus Longridge estaba más conectado que ella: había ocupado el lugar de Min Harper, al menos en lo que concernía al trabajo. En lo tocante a Louisa Guy, Shirley dudaba que nadie pudiera ocupar su lugar en mucho tiempo: Louisa se había convertido en un fantasma desde la muerte de Harper, como si prolongara activamente una relación simbiótica: como él estaba muerto, ella era un fantasma. Aun así, estaba en la calle, en alguna misión, mientras Shirley echaba vistazos por encima de su monitor a una puerta que acababa de cerrarse.

Había encontrado al Señor B; y no sólo una, sino dos veces. Lo había seguido hasta Upshott y lo había pillado en Gatwick, que era como encontrar una aguja en un pajar. Pero no sabía qué consecuencias acabarían teniendo esos triunfos porque nadie le dirigía la palabra.

Era tarde y hacía ya un par de horas que debería haberse ido a casa, pero no tenía intenciones de hacerlo aún: quería averiguar qué estaba pasando.

Ella mejor que nadie sabía lo que era ir de un lado a otro sin que nadie le prestara atención, así que ni siquiera intentó desplazarse con sigilo: caminó a grandes zancadas hasta el pasillo, pegó el oído a la puerta de Ho y consiguió distinguir un murmullo, aunque no entendió nada: Catherine hablaba en voz baja y Ho solamente intercalaba unos cuantos silencios. El único sonido claro era un crujido, un crujido muy leve. La cosa es que sonaba detrás de ella.

Se dio la vuelta lentamente.

Desde el rellano superior, Jackson Lamb la miraba como un lobo que acabara de conseguir que una oveja se separase del resto del rebaño.

Caminaron de vuelta por el parque. El tráfico zumbaba como un insecto y los aviones trazaban círculos en el cielo mientras esperaban pista en Heathrow. Arkady Pashkin llevaba a Louisa del brazo. Su bolso pesaba menos que antes. Cuando la golpeaba en la cadera, sólo notaba la carga habitual: el móvil, el pintalabios, el monedero..., pero su corazón latía enloquecidamente.

Pashkin señaló las siluetas de los árboles y comentó que las luces de la calle, al bailar tras las hojas temblorosas, hacían parecer que los rondaba un fantasma. Sonaba muy ruso al decir eso. Cuando una moto aceleró con estrépito, le apretó el brazo, aunque no hizo ningún comentario. Poco después volvió a apretar, como si quisiera dejar claro que aquel ruido no lo había perturbado en absoluto, que sólo había coincidido con su decisión de apretarle el brazo.

—Debe de ser tarde —comentó ella. Su voz sonó como si estuviera en el otro extremo de un laberinto de espejos.

Llegaron a la acera. Los taxis pasaban a toda velocidad en un fluir sólo interrumpido de vez en cuando por un autobús. Tras las ventanas tintadas, los rostros contemplaban Londres como si fuera un desfile lleno de luces.

—¿Estás bien, Louisa? —dijo Pashkin, o tal vez lo repitió.

¿Lo estaba? Se sentía como si la hubieran drogado.

—Tienes frío.

Le echó su chaqueta por encima de los hombros como un caballero de esos que ya no se encuentran, salvo que estén tratando de impresionarte para después quitarte la ropa.

Llegaron al exterior del hotel, un amplio espacio pavimentado y bordeado de tiestos de arcilla. Louisa se detuvo, pero Pashkin tardó un segundo en darse cuenta y le dio un leve tirón en el brazo.

Tenía una cortés expresión de perplejidad.

—Debería irme —dijo ella—. Mañana hay mucho que hacer.

—¿Una copita rápida?

Se preguntó en cuántos idiomas Pashkin sabría decir esa frase.

—No es el mejor momento.

Se quitó su chaqueta con una sacudida y él la aceptó con una mirada fría, como si estuviera repasando la conversación de toda la velada para convencerse de que no había cometido ningún error básico, y todo se debía, más bien, a que ella había enviado señales incorrectas.

—Espero que puedas disculparme.

Pashkin hizo una leve reverencia.

—Por supuesto.

«Tenía la intención de subir...»: a Pashkin, un hombre con más dinero que la reina de Inglaterra, no le habría sorprendido oír algo así. «Tenía la intención de subir, tomar una copa y follar contigo si hacía falta: cualquier cosa con tal de ponerte en un estado en el que pudiera atarte como a un pollo en domingo y arrancarte algunas respuestas. Como: ¿qué fue lo que Min averiguó? ¿Por qué tuvisteis que matarlo?»

—Te busco un taxi.

Ella le dio un beso en la mejilla.

—Esto no ha terminado —le prometió, aunque por fortuna él no tenía ni idea de a qué se refería.

Ya en el taxi, le pidió al conductor que la dejara a la vuelta de la esquina. El hombre suspiró teatralmente, pero se detuvo al advertir la expresión de Louisa. Apenas un minuto después de bajarse, el aire de la noche la golpeó como si fuera algo totalmente nuevo con un sabor oscuro y amargo. El taxi se alejó. Oyó pasos, pero no se volvió.

—Has recuperado el sentido común.

—No tenía otra opción. Sobre todo después de que me quitaras lo que necesitaba.

Joder: sonaba como una colegiala petulante.

Probablemente a Marcus también se lo parecía.

—Ya, bueno, es que no contestabas al teléfono —dijo—. Podría haber dejado que lo intentaras, pero creo que habrías salido mal parada. Incluso es posible que te mataran.

Louisa no contestó. Se sentía sucia y cansada, lista para meterse bajo las sábanas con la esperanza de que nunca llegara el día siguiente.

El tráfico atronaba a lo largo de la cercana Park Lane mientras en los cielos oscuros los aviones seguían surcando las nubes con sus luces brillantes como rubíes.

—Al metro se va por aquí —dijo Marcus.

Shana era sólo un recuerdo, el novio había sido indultado, la parejita podía seguir viviendo en el paraíso de los idiotas porque Roddy Ho tenía otras cosas que hacer.

Algún día iba a pillar a Catherine Standish y a explicarle detalladamente por qué no tenía que hacer todo lo que ella le decía. Sería una conversación breve que sin duda terminaría con ella llorando, y estaba deseando mantenerla mientras introducía en su ordenador los nombres que ella le había dado y hacía todo lo que le había pedido.

Y como Roddy Ho era quien era, las tareas digitales que tenía por delante relucieron ante él y eclipsaron el resentimiento que ardía en su interior. Catherine se alejó por el retrovisor y luego desapareció mientras aquella lista de nombres se convertía en el siguiente nivel del juego en la red que Ho dominaba como nadie.

Como siempre, jugaba para ganar.

Lamb dijo:

—Estaba fuera, escuchando, mientras tú hablabas con Ho.

—Y yo estaba dentro cuando la has pillado —dijo Catherine—; ¿cómo es posible que no te haya oído destriparla?

—Es que tenía una excusa.

Catherine esperó.

—Quería oír de qué hablabais —añadió Lamb.

—Eso lo explica todo —admitió Catherine—. ¿Crees que es un topo de Lady Di?

—¿Tú no?

—No es la única posibilidad.

—Entonces das por hecho que el topo es Longridge. ¿Qué pasa, Standish, eres racista?

—No, yo...

—Eso es peor que creer que Shirley es lesbiana —dijo Lamb.

—Es fascinante verte organizar nuestros prejuicios según su gravedad.

—¿Ho está echando un vistazo al zoológico de Upshott?

Catherine estaba acostumbrada a que Lamb cambiara de tema.

—He llegado hasta donde he podido yo sola. Hay un montón de candidatos, pero ningún sospechoso obvio.

—¿No habría sido más rápido recurrir a él desde el primer momento?

—Para empezar, se suponía que yo no me iba a encargar de esto —respondió ella—. ¿River se ha puesto en contacto?

—Hoy a primera hora.

—¿Está bien?

—¿Por qué no iba a estarlo? Sea lo que sea lo que está ocurriendo, no es un plan meticulosamente elaborado para matar a un tipo como Cartwright.

—Lo de Pashkin, la «cumbre», es por la mañana...

—Y tú crees que hay una conexión —dijo él en tono inexpresivo.

—Arkady Pashkin, Alexander Popov —replicó ella—, ¿no te llama la atención la coincidencia?

—No digas tonterías: yo tengo la misma inicial que... Jesucristo, pero no me enrollo con eso: no estamos en una novela de Agatha Christie.

—Me da lo mismo si es de Dan Brown. Si ambas cosas están conectadas, va a ocurrir algo en Upshott, y pronto. Deberíamos avisar a Regent's Park.

—Si Shirley Dander es el topo de Taverner, ya lo saben. Salvo que te empeñes en darle vueltas a eso de las iniciales. —Lamb se rascó la barbilla con gesto pensativo—. ¿Crees que convocarán a una reunión del comité COBRA en el cuarto de guerra del gobierno?

—Tú fuiste el que puso esto en marcha, ¿te vas a quedar esperando a ver qué pasa?

—No, sólo voy a esperar la llamada que Cartwright hará cuando haya vuelto de su incursión a la base del Ministerio de Defensa. ¿Acaso crees que estoy aquí a estas horas de la noche porque no tengo nada mejor que hacer?

—La verdad, sí —dijo Catherine—. ¿Qué pasa en la base del ministerio?

—Probablemente nada, pero quienquiera que haya dejado esa pista no lo hizo para mantener en secreto lo que va a ocurrir, así que doy por hecho que Cartwright encontrará una pista en algún lugar. Ahora lárgate y déjame en paz.

Catherine se levantó y se encaminó hacia la puerta, pero se detuvo en el umbral.

—Espero que tengas razón —dijo.

—¿En qué?

—En que el plan, sea cual sea, no puede consistir en asesinar «a un tipo como River». Ya hemos perdido a Min.

—Nos envían a todos los inútiles, Catherine —le recordó Lamb—: no creo que tardemos mucho en tener de nuevo la plantilla al completo.

Catherine salió del despacho.

Lamb inclinó la silla hacia atrás y contempló un rato el techo, luego cerró los ojos y se quedó dormido.

Ho rechinaba los dientes y chasqueaba la lengua mientras trabajaba. Lo que había hecho Standish con los datos era de la vieja escuela: los había procesado en busca de un hilo conductor: eso se podía hacer incluso más deprisa imprimiéndolo y leyéndolo bolígrafo en mano.

«Volver a las cavernas», lo llamaban. Algo que podía aplicarse a la propia Standish: una mujer que llevaba sombreros.

Su método, en cambio, no tenía nombre, o al menos a él no se le ocurría cómo llamarlo: lo hacía con la naturalidad de un pez en el agua. Tomó los nombres y las fechas de nacimiento, ignorando el resto de material que le había pasado Standish, y pasó los datos a ciegas por distintos buscadores, tanto legales como clandestinos. En los legales salía todo lo que fuera de dominio público más lo que había en las bases de datos del gobierno a las que Ho podía acceder porque contaba con el permiso de la agencia: declaraciones de impuestos, números de identificación fiscal, datos de la tarjeta sanitaria y del carnet de conducir... Un montón de cosas que él consideraba pura paja.

La parte clandestina era más potente. Para empezar, tenía una trampilla que le permitía acceder al servidor de la Agencia del Crimen Organizado. Ho se limitaba a breves incursiones porque la seguridad estaba mejorando, pero ahí obtenía resúmenes casi instantáneos e incluso vínculos periféricos con investigaciones criminales. No era probable que apareciese ningún espía con una buena cobertura, pero tampoco imposible, y a Ho le encantaba mantener aquel hábito. Luego llegaba la primera división. En los tiempos en que Ho era un aprendiz de analista en Regent's Park, le habían dado una clave para un solo acceso en la red del Cuartel General de Comunicación del Gobierno que él había clonado. A partir de ahí, no le había costado otorgarle a su cuenta privilegios de administrador para poder consultar todo el historial de cualquier nombre que escogiera, y ese historial incluía no sólo actividades subversivas, entre las que se contaban relaciones con extranjeros en la lista de sospechosos, viajes a países enemigos, como Francia (por razones históricas), y cualquier contacto de cualquier clase e incluso una mera cercanía geográfica con alguien que figurase en una de las listas de vigilancia, que se actualizaban cada día, sino también huellas digitales, uso del teléfono móvil, valoración crediticia, historial judicial, propiedad de mascotas... Es decir: todo. Si al Cuartel General de Comunicación del Gobierno le diera por vender sus listas de usuarios a las empresas de publicidad digital, podrían financiar la guerra contra el terrorismo y aún les sobraría dinero. «De hecho, algún autónomo emprendedor podría sacar provecho de esa información», pensó Ho. Era un asunto que merecía la pena investigar, aunque quizá no fuera el mejor momento.

Entró, introdujo los nombres de la lista, creó una carpeta para que los resultados fueran acumulándose allí y salió: no tenía sentido quedarse mientras Matrix hacía su trabajo, que consistía en acumular, confirmar y regurgitar datos con los elementos en común claramente resaltados, de tal manera que hasta los cavernícolas pudieran distinguirlos sin problemas. Era como jugar al Tetris: todos los bloquecitos de información encajados en su sitio sin dejar huecos.

—¿Por qué me has detenido?

El metro estaba medio vacío: sólo unos cuantos pasajeros que regresaban a casa, una mujer solitaria enchufada a su pequeño mundo electrónico, un borracho junto a las puertas... Aun así, Louisa habló en voz baja, porque nunca se sabe.

—Tal como te he dicho —dijo Marcus—, intentar cargarte a Pashkin tú sola es una buena manera de acabar mal.

—¿Y a ti qué te importa?

—Yo fui agente operativo: allí aprendíamos a cubrirnos las espaldas unos a otros. —No parecía ofendido—. Crees que mató a Harper, ¿verdad?

—O que ordenó que lo mataran; ¿según tú me equivoco?

—No necesariamente, pero ¿no te parece que alguien lo habrá investigado?

—Bajo la atenta mirada de Spider Webb.

—Que no es sincero con nosotros.

—Es de los trajeados: es de Regent's Park. No sería sincero ni si le metieras un poste del telégrafo por el culo. —Se levantó—. Tengo transbordo aquí.

—¿Te vas a casa?

—¿Ahora eres mi padre?

—Dime que no vas a dar media vuelta para intentarlo de nuevo.

—Me has quitado las esposas y el espray, Longridge: no voy a intentarlo de nuevo con las manos vacías.

—Y estarás en tu puesto por la mañana.

Ella se lo quedó mirando fijamente.

Él abrió las manos: «Mírame, no tengo nada que esconder.»

—Tal vez se cargó a Min, tal vez no, pero aún tenemos una misión que cumplir.

—Ahí estaré —respondió ella rechinando los dientes.

—Mejor así, y una cosa más, ¿vale?

El tren entró en la estación y en todas las ventanas aparecieron baldosas blancas y carteles chillones.

—Mañana yo me ocupo de la seguridad, y mi trabajo consiste en neutralizar cualquier amenaza que pueda sufrir el objetivo principal. ¿Entiendes lo que eso significa?

—Buenas noches, Marcus —respondió ella saliendo al andén.

Cuando el tren arrancó, ya había desaparecido por una de las escaleras que llevaban a la salida.

Marcus permaneció en su asiento. Otras dos personas se habían bajado en la misma parada que Louisa, tres se habían subido, y él sabía perfectamente cuáles eran. Pero como ninguna de ellas representaba una amenaza, cerró los ojos mientras el metro aumentaba su velocidad. A cualquiera que se hubiera fijado en él le habría parecido que estaba durmiendo.

Ho se despertó, se incorporó un poco y el hilillo de baba que trazaba un puente entre la comisura de su boca y su hombro se partió y se derramó en la pechera de su camisa. Se limpió la boca con gesto soñoliento, se frotó la camisa con los dedos y se secó los dedos en la camisa. Luego volvió a concentrarse en la pantalla de su ordenador.

Emitía un murmullo de satisfacción: el ruido amistoso que solía hacer después de terminar alguna tarea que él le hubiera encargado.

Se levantó despegándose de la silla. Se detuvo en el pasillo. La Casa de la Ciénaga estaba en silencio, pero no parecía vacía. Lamb, supuso, y probablemente también Standish. Bostezó y se arrastró hasta el aseo; consiguió que casi todo el chorro cayera dentro de la taza y luego se arrastró de nuevo hacia su despacho y se desplomó una vez más en la silla. Se volvió a secar los dedos en la camisa y bebió un trago de una bebida energética. Después movió un poco la pantalla plana para ver mejor el resultado de sus búsquedas.

A medida que iba bajando el cursor, se fue inclinando hacia delante. A él sólo le interesaba la información que pudiera resultarle provechosa, y los datos que tenía delante no cabían en esa clasificación, pero sí le interesaban a Catherine Standish. Esperaba que entre los nombres que había procesado estuviera el del contacto del Señor B, un soviético dormido desde los viejos tiempos. Si averiguaba quién era, la impresionaría. Por otro lado, ella ya sabía que él era la hostia para estas cosas, y aunque no dejaba de ser cierto que era más simpática con él que todos los demás el hecho era que lo había chantajeado para...

Algo le llamó la atención. Dejó de bajar con la ruedecilla, subió un poco y revisó un dato en el que acababa de fijarse. Luego volvió a bajar a la posición anterior.

—Mmm.

Se subió las gafas con un dedo, luego se olisqueó el dedo e hizo una mueca. Se lo secó en la camisa y volvió a centrar la atención en la pantalla. Unos segundos después, había dejado de subir y bajar.

—Será una broma —murmuró; bajó un poco más y se detuvo—. Tiene que ser broma. —Se quedó pensativo. Luego tecleó una frase en el menú de búsqueda, le dio al enter y miró fijamente los resultados—. Tiene que ser una puta broma —dijo.

Esta vez, la ropa no se le pegó a la silla.

12

Oyó una voz.

—Walker...

Seguían sonando explosiones, pero sólo en su cabeza: un pulso como de un tambor de metal; a cada golpe, una estrella nacía, moría y volvía a alzarse en el cielo. Su cuerpo, hecho un ovillo, parecía un puño enorme con los nudillos pelados.

—Jonathan Walker.

River abrió los ojos y descubrió que lo había capturado un enano.

Estaba donde había estado siempre: acurrucado al pie de aquel árbol indestructible, lo único que fijaba la tierra al cielo. El edificio en ruinas se había encogido (o todo lo demás había crecido) y su corazón parecía querer escaparse de su jaula.

¿Cuánto llevaba allí? ¿Dos minutos? ¿Dos horas?

¿Y quién era ese enano?

Se incorporó un poco. El enano llevaba una gorra roja y le guiñaba el ojo con malicia.

—¿Te ha gustado el espectáculo?

River habló, pero las palabras se inflaban al salir de su boca: tenía la cabeza metida en un globo.

—¿Griff? Hace rato que se fue.

River habría jurado que el enano se balanceaba sobre los pies como uno de esos juguetes que no se pueden tumbar. Volvió a inclinarse hacia el rostro de River.

—No era razonable quedarse por aquí durante unas prácticas de artillería, ¿no crees?

Ayudó a River a ponerse en pie y resultó que no era un enano, sino un hombre de estatura media. A menos que River se hubiera encogido: eso lo podía provocar el terror. Sacudió la cabeza, pero cuando dejó de hacerlo el mundo seguía temblando. Alzó la mirada, lo que supuso otro error, aunque al menos el cielo se había calmado: ya no lo rasgaba ninguna cicatriz nueva. Volvió la mirada hacia el ex enano.

—Te conozco —dijo, y en esta ocasión se podía decir que su voz más o menos se comportó.

—Será mejor que nos larguemos de aquí.

River se presionó las sienes con ambas manos: eso suprimió todo movimiento durante unos instantes.

—¿Aquí corremos peligro?

—La noche es joven.

El hombre de la gorra roja (puede que no fuera un enano, pero seguía teniendo gorra) dio media vuelta y avanzó con dificultad entre los cascotes, dejando atrás el refugio del edificio. River lo siguió a trompicones.

Lamb se frotó la cara con sus carnosas manos.

—Espero que sea algo importante.

Había echado una cabezadita en su silla y parecía bastante adormilado, aunque había abierto los ojos de golpe cuando Roderick Ho apareció en el umbral con un papel en la mano. Por un momento, Ho se sintió como el conejo que se ha metido sin querer en la jaula del león.

—He encontrado algo —dijo.

Catherine Standish apareció en la puerta: si también había estado durmiendo, no se le notaba tanto como a Lamb, cuyo rostro estaba cubierto de manchas rojas.

—¿Algo de qué tipo, Roddy?

Era la única persona que lo llamaba así y le costaba decidir si ya le parecía bien que sólo lo hiciera ella o si preferiría que todos los demás hicieran lo mismo.

—No lo sé —dijo—, pero es algo.

—Esa cabezadita que he echado no ha sido la mejor de mi vida —intervino Lamb—, pero si me has despertado para jugar a las veinte preguntas, en cuanto vuelva Cartwright te pongo a compartir despacho con él.

—Es el pueblo: Upshott. La población se dispersó...

—Es un pueblo muy pequeño, Roddy —intervino Catherine.

—Es un jodido pueblo de juguete con pocas comodidades. ¿Tienes información que no conozcamos ya?

—Exacto, pocas comodidades. —Ho empezaba a recuperar la confianza: recordó que era un ciberguerrero—. No hay nada allí. Cuando lo había era sólo por la base estadounidense, y ninguno de los nombres de esta lista tiene nada que ver con aquella base.

Lamb se encendió un cigarrillo.

—El primero del día —dijo al ver que Catherine le lanzaba una mirada: apenas pasaban diez minutos de la medianoche—. Mira, Roddy —añadió en tono amable—, toda esa mierda que te tiro encima... los insultos... las amenazas...

—No pasa nada —dijo Ho—, ya sé que no lo dices en serio.

—Cada maldita palabra va en serio, hijo mío; pero todo eso te parecerá banal en comparación con lo que va a pasar si no empiezas ya mismo a decir algo que tenga sentido. *Capisce?*

El ciberguerrero se desvaneció de pronto.

—Ninguno de ellos tenía ninguna relación con la base aérea: algo distinto debió de atraerlos a Upshott; pero allí, sin embargo, no hay nada. Por lo tanto...

—¿Éxodo rural? —preguntó Lamb—. Es lo que ocurre cuando las ciudades se llenan de gente indeseable. —Se detuvo—. Sin ánimo de ofender.

—Sólo que eso ocurre de manera gradual —dijo Ho—, y esto no.

El humo del cigarrillo de Lamb parecía estar inmóvil en el aire.

—¿Qué quieres decir, Roddy? —preguntó Catherine.

Y ahí obtuvo su gran triunfo de la noche, aunque no incluía tantas rubias como él hubiera deseado.

—Se instalaron todos en el pueblo en cuestión de pocos meses: un montón de gente.

—¿Cuántos? —preguntó Lamb.

Ho le pasó las hojas impresas a Catherine y dijo:

—Diecisiete familias sólo entre marzo y junio de 1991.

Y por una vez, tuvo la satisfacción de ver que Lamb no conseguía darle una respuesta inmediata.

River tuvo que pararse a descansar mientras trepaba dificultosamente la cuesta por donde antes había bajado con Griff Yates, pero el latido de su cabeza era mucho menos intenso y empezaba a sentirse vivo de nuevo, cuando perfectamente podría haber terminado difuminado por el paisaje como una fina bruma roja.

La idea de encontrarse de nuevo con Griff también le daba ánimos.

Un hombre de gorra roja parecía estar esperándolo en lo alto de la colina. Era poco más que una silueta oscura, pero el cerebro de River estaba en marcha de nuevo y disparó un nombre.

—Eres Tommy Moult. —Moult se ponía delante de la tienda del pueblo a vender paquetes de semillas en la cesta de su bicicleta: de eso lo conocía River, aunque nunca habían hablado, más allá de cruzar un par de palabras al saludarse—. ¿Qué haces aquí a estas horas de la noche?

—Recoger animales extraviados.

Por la gorra de Moult asomaban mechones de pelo blanco. Debía de tener unos setenta años, tenía un rostro agradable y vestía como si viviera debajo de un seto, con una viejísima chaqueta de lana que olía a campo y unos pantalones atados en los tobillos. River supuso que los llevaba así para montar en su bicicleta, aunque se le ocurrían posibilidades menos higiénicas. Hablaba con un rudo carraspeo: el acento local fluyendo entre guijarros. No parecía en absoluto un salvador, pero ahí estaba.

—Pues te lo agradezco.

Moult asintió, dio media vuelta y echó a andar. River fue tras él, aunque no tenía ni idea de adónde se dirigían: su brújula interior se había puesto a girar enloquecidamente.

Tommy Moult miró a River sin dejar de andar.

—En las ruinas estabas a salvo: nunca apuntan a los edificios. De lo contrario, ya serían puro escombro, y los árboles, cerillas. ¿Has visto los montículos de tierra que hay ahí atrás?

—No.

—Bueno, pues son túmulos de la Edad del Bronce. El ejército no apunta con su artillería hacia esa zona: la gente los machacaría.

—Supongo que Griff también lo sabe.

—No tenía planeado que te hicieran añicos, si te refieres a eso.

—Lo tendré en cuenta la próxima vez que lo vea.

—Sólo quería que te cagaras de miedo. —Moult se detuvo con tal brusquedad que River casi chocó con él—. Tal vez deberías saber que Griff ha estado enamorado de Kelly Tropper desde que ella le quitó las ruedecillas a la bicicleta. Así que, como ella y tú estáis tan cariñosos, incluso a plena luz del día..., en fin, se puede entender que se lo haya tomado mal.

—Joder —dijo River—. Pero si eso... eso ha sido esta tarde. —Tommy Moult miró al cielo—. Bueno... ayer por la tarde. ¿Y él ya lo sabe, y tú también?

—¿Te suena la expresión «aldea global»?

River se lo quedó mirando.

—Bueno, pues Upshott es la versión pueblerina de esa expresión. Todo el mundo lo sabe todo.

—El muy cabrón podría haberme matado.

—Supongo que, desde su punto de vista, no sería él quien te matara.

Moult continuó avanzando seguido de River.

—Parece más lejos que antes —dijo al cabo de un rato.

—Siempre ha estado a la misma distancia.

River captó la ironía.

—No estamos volviendo hacia la carretera, ¿verdad?

—Sería una lástima haber hecho todo este esfuerzo —dijo Moult volviéndose de nuevo para mirarlo—, y además haberse cagado de miedo, para luego volver directamente a casa con el rabo entre las piernas.

—Entonces ¿adónde vamos?

—A buscar la única cosa de por aquí que merece la pena encontrar —dijo Moult—. Ah, y por cierto: es *top secret*.

River asintió y siguieron caminando en plena oscuridad.

—De acuerdo —dijo Lamb finalmente—. Será por estas cosas que no te he echado todavía. Y ahora, vuelve a tus juguetes, hijo. Si son una célula durmiente, quiere decir que son espías falsos de largo recorrido, y «falsos» es la palabra importante, así que sus papeles estarán en regla, pero tiene que haber una rendija por donde se cuele un rayito de luz. Búscalo.

—Es más de medianoche...

—Gracias —dijo Lamb—: por lo que veo, mi reloj adelanta. Y cuando termines con eso buscas los antecedentes de Arkady Pashkin, que se escribe exactamente como acabo de pronunciarlo. —Se detuvo—. ¿Hay alguna razón para que sigas aquí?

—Buen trabajo —intervino Catherine—. Bien hecho, Roddy.

Ho salió del despacho.

—¿Tanto te costaría decirle que lo ha hecho bien?

—Si no cumple con su trabajo, sólo está ocupando espacio.

—Ha descubierto esto. —Catherine sacudió los papeles impresos—. Y por cierto... ¿«un rayito de luz»?

Se hizo un silencio.

—Joder, me estoy haciendo viejo —dijo Lamb—. No se lo hagas notar: ha sido sin querer.

Catherine se fue a la minúscula cocina y encendió el hervidor. Cuando regresó, Lamb se había repantingado en la silla y estaba mirando al techo con un cigarrillo apagado en la boca. Catherine esperó y Lamb finalmente abrió la boca:

—¿Qué conclusión sacas?

Parecía una pregunta genuina.

—Doy por hecho que descartamos la casualidad.

—Bueno, tampoco es que Upshott se pusiera en venta en bloque. Y, tal como ha dicho Ho, no parece que haya ninguna razón obvia para mudarse allí.

—O sea que una célula durmiente entera se dirigió a un pueblecito de los Cotswolds y... ¿qué? ¿Lo conquistó?

—Suena como una historia de La dimensión desconocida, ¿verdad?

—¿Y por qué allí? Es básicamente un pueblo para jubilados.

Lamb no contestó.

El agua había empezado a hervir y Catherine volvió a la cocina para hacer un té. Regresó con dos tazas y le dejó una a Lamb sobre la mesa. Él no dijo nada.

—Ni siquiera es un pueblo dormitorio —insistió Catherine—. No hay tren directo a Londres ni a ningún sitio. Tiene una iglesia, una tienda y un par de depósitos de venta por catálogo. Hay una alfarería... y un pub. Pídeme que pare cuando empiece a sonar como un posible objetivo.

—Cuando ellos se mudaron, la base seguía allí.

—Lo cual sugiere que, si su presencia tenía algo que ver con la base, a estas alturas ya se habrían ido. O habrían hecho lo que tenían que hacer mientras estuvo operativa. Además, ¿quién se compra una casa para realizar una operación encubierta, por el amor de Dios? La mitad pidieron hipotecas: por eso los ha encontrado Ho.

—No, no, por favor, sigue hablando —dijo Lamb—: el silencio me resulta opresivo.

Sin apartar la vista del techo, empezó a rebuscar el mechero.

—Si lo enciendes, abro una ventana, aquí apesta.

Lamb se quitó el cigarrillo de la boca y lo sostuvo por encima de la cabeza haciéndolo rodar entre sus dedos. Catherine casi podía oír sus pensamientos.

—Diecisiete —dijo él.

—Diecisiete familias. O al menos en algunos casos son familias. ¿Tú crees que los hijos lo saben?

—¿De cuántos estamos hablando?

Catherine repasó los papeles.

—Una docena, más o menos. La mayor parte ya son veinteañeros, pero al menos cinco mantienen fuertes lazos con el pueblo. Dice River... —Lamb se incorporó de golpe y Catherine se detuvo como si hubiera perdido el hilo—. ¿Qué?

—¿Por qué damos por hecho que cada uno conoce la existencia de los otros?

—Ah... —respondió ella—. ¿Por qué llevan todos veinte años allí?

—Ya. Seguro que sale el tema en todas las fiestas. —Alzó la voz un punto más—. ¿Te he contado alguna vez que Sebastian y yo espiamos para el Kremlin? ¿Quieres un poco más de Chablis? —Reanudó la búsqueda del mechero—. Los durmientes operan solos: no despachan con un superior, simplemente tienen un número al que llaman para que les digan: «haz esto o aquello, cambio y fuera». Pueden pasar años sin que tengan contacto con nadie.

Su rostro había adoptado su típica expresión de rana mugidora. Encontró el mechero y encendió el cigarrillo, pero lo hizo con el piloto automático. Ni siquiera dijo nada cuando Catherine cruzó el despacho, subió la persiana y abrió la ventana. El aire de la oscura noche entró de golpe, ansioso por explorar aquel nuevo espacio.

—Piénsalo bien: cae el muro, la URSS se desmorona... Fuera cual fuese la función de la célula, a esas alturas está hecha polvo, así que la cabeza pensante que la dirige, y estamos dando por hecho que es el mismo tipo que se inventó en sueños a Alexander Popov, decide ponerlos a descansar. Pero en vez de mandarlos de vuelta a casa, los manda al campo. ¿Por qué no?

Catherine se sumó a sus pensamientos.

—Se han pasado años introduciéndose en la sociedad inglesa tal como los topos cavan sus madrigueras. Todos tienen trabajo, cada uno ha tenido éxito en lo suyo... y entonces reciben la orden de mudarse al campo, algo que hace mucha gente de éxito de clase media. A lo mejor ya no son durmientes: a lo mejor han acabado convirtiéndose en quienes fingían ser...

—Viven vidas normales —agregó Lamb.

—Así que yo tenía razón: es un pueblo para jubilados.

—Aunque parece que alguien tiene la intención de ponerlos a trabajar otra vez.

—En cualquier caso —dijo Catherine—, creo que no sería mala idea contárselo a River.

Moult abrió la nevera y sacó del congelador una botella tan escarchada que River fue incapaz de leer la etiqueta. Después cogió unos vasos de un estante y los puso sobre una mesa de trabajo. Finalmente, abrió la botella, llenó ambos vasos y le pasó uno a River.

—¿Y ya está? —dijo River.

—¿Qué esperabas, una rodajita de limón?

—¿Hemos caminado más de diez kilómetros por un auténtico páramo en una noche sin luna y resulta que tu *top secret* es que sabes dónde se puede beber gratis?

—No han sido más que tres kilómetros —señaló Moult— y la luna está en cuarto creciente.

Mientras caminaban por el «auténtico páramo» habían tenido que echarse al suelo cuando pasó un jeep que parecía ir recortando pedazos de noche con sus faros. De vez en cuando, en uno de esos pedazos podían verse insectos brillantes como esquirlas de cristal flotando y estrellándose contra los faros. Poco después, River y su acompañante habían cruzado la valla, pero no en el mismo punto que había usado Griff Yates para entrar: esta vez habían aparecido en una tira de asfalto por la que habían caminado durante más de un minuto hasta que River se dio cuenta de que no era una carretera, sino una pista de aterrizaje. Entonces cobró forma el edificio que había más adelante, que resultó ser el hangar en el que el club de aviación guardaba su avioneta. Junto a éste había una construcción más pequeña que le servía como sede al club, aunque era poco más que un garaje con algunas comodidades añadidas: la nevera que había asaltado Moult, unas cuantas sillas, un viejo escritorio atestado de papeles, un montón de cajas de cartón medio cubiertas por una lámina de plástico... La luz procedía de una bombilla pelada. La llave de todo aquel tesoro estaba en una repisa encima de la puerta: el primer lugar en el que River la habría buscado si Tommy Moult no hubiera sabido que se guardaba allí.

Tommy Moult, que ahora miraba su vaso como si intentara averiguar cómo era posible que ya estuviera vacío.

—Tengo la sensación de que no eres socio de pleno derecho del club, ¿no?

—Es que no es un club de ésos —dijo Tommy—: no tiene reglas ni hay que ser socio.

—Entonces la respuesta es no.

Tommy se encogió de hombros.

—Si quisieran mantener la puerta cerrada, guardarían la llave donde nadie pudiera encontrarla.

Había varios tíquets y recortes de periódico sujetos a la nevera con imanes; y también fotos. Una mostraba a Kelly lista para volar, con mono, casco, enorme sonrisa... otras, a los amigos de Kelly: Damien Butterfield, Jez Bradley, Celia y Dave Morden, y a algunos otros que River no conocía. Un tipo mayor posaba junto a la aeronave que constituía el orgullo y la alegría del club con los pantalones bien planchados, un *blazer* de botones plateados, el pelo blanco cuidadosamente peinado y los zapatos abrillantados: parecía un piloto profesional.

—Ése es Ray Hadley, ¿no?

—Ajá —contestó Tommy.

—¿Cómo ha podido permitirse tener avioneta propia?

—A lo mejor le tocó la lotería.

Hadley era el fundador del club, si es que un club que no era un club podía tener un fundador. Animados por él, Kelly y los demás habían tomado lecciones de vuelo; gracias a él, sus vidas se habían centrado en torno a aquel garaje y el hangar contiguo.

En una de sus primeras conversaciones, River le había preguntado a Kelly cómo se las habían arreglado para pagar las lecciones y demás, y ella, con una leve sombra de perplejidad en el rostro, le había explicado que sus padres lo habían pagado todo.

—No ha sido mucho más caro que unas clases de equitación.

En la pared situada detrás del escritorio había un calendario con algunos días tachados con un grueso marcador rojo. «El sábado y el martes anteriores», observó River, «... y mañana». Debajo del calendario había unas postales pegadas con Blu-Tack: playas y puestas de sol; todas bien lejos de allí.

Su móvil vibró en su bolsillo.

—Estaré aquí fuera —le dijo a Tommy. Al salir, comprobó el número antes de contestar.

Era Catherine Standish, no Lamb.

—Te va a sonar raro —le advirtió ella.

En cuanto Catherine salió de su despacho, Lamb cerró la ventana, bajó la persiana, sacó la botella de Talisker que guardaba (fiel al tópico) en el cajón de su escritorio y se sirvió un buen vaso. Al beber, cerró los ojos: quien lo hubiera visto habría creído que se disponía a echar una cabezadita alentada por el alcohol, pero Lamb, cuando dormía, no se limitaba a cerrar los ojos. Lamb, dormido, solía moverse repentinamente llevado por el pánico y a veces hasta maldecía en varias lenguas. Este Lamb, en cambio, permanecía quieto y en silencio, aunque le brillaban los labios: era Lamb interpretando el papel de un pedrusco.

Al fin, ese Lamb dijo en voz alta:

—¿Por qué Upshott?

De haber estado Catherine, habría contestado: «¿Por qué no? En algún lugar tenía que ser.»

—Y de haber sido en otro lugar, ¿estaría yo preguntando por qué allí? —contestó Lamb.

Pero no era en otro lugar: era en Upshott.

Y quien fuera que hubiese decidido que sería allí, tenía un cerebro del Kremlin dentro de una cabeza del Kremlin, lo que significaba que no elegía ni el desayuno sin medir las consecuencias, lo que, a su vez, significaba que había tenido una razón para elegir Upshott; vaya: que no lo había escogido poniendo a girar una peonza encima de un mapa.

Con los ojos cerrados, Lamb recorrió mentalmente el mapa de la agencia cartográfica nacional que estudiaba una vez al día desde que había enviado a River Cartwright a Upshott. Era un pueblo pequeño entre otros más grandes, ninguno de los cuales tenía una importancia estratégica, sino un simple interés para turistas y fotógrafos con ganas de visitar el corazón de la campiña inglesa: pueblos a los que uno va a comprar antigüedades y jerséis caros hechos a mano, lugares a los que puede ir cuando se harta de las ciudades o después de haber visto el palacio de Buckingham, el Big Ben y el Parlamento, simplemente para llevarse una imagen más completa de Inglaterra.

«O al menos», se corrigió, «eran lugares que a una mente del Kremlin dentro de una cabeza del Kremlin se le podían ocurrir al pensar en la pérfida Albión».

Lamb se removió para incorporarse. Se sirvió otro whisky y se lo bebió: ambas acciones eran dos mitades idénticas de un solo gesto continuo. Luego se toqueteó el cuello con la mano regordeta para confirmar que llevaba puesto el abrigo.

Era tarde, pero él seguía en pie y, en su mundo, si él seguía en pie había pocas razones para que los demás cabrones estuvieran durmiendo.

Y como necesitaba recurrir a un cerebro ruso, salió de la Casa de la Ciénaga y se encaminó hacia el oeste.

—¿Cómo dices? —preguntó River.

Catherine repitió exactamente las mismas palabras:

—La mitad de los nombres que has mencionado: Butterfield, Hadley, Tropper, Mor...

—¿Tropper?

Catherine se detuvo.

—¿Alguna razón especial para que ese Tropper sea importante?

—... No. ¿Quién más?

Le leyó la lista completa: Butterfield, Hadley, Tropper, Morden, Barnett, Salmon, Wingfield, James y los demás... Diecisiete nombres de personas a las que, en la mayoría de los casos, River había conocido. Wingfield... había conocido a una señora Wingfield en la iglesia de San Juan. Tendría unos ochenta años; era una de esas viejecillas que parecen estar emparentadas con los pájaros: mirada clara y pico afilado. Había sido alguien en la BBC.

—¿River?

—Sigo aquí.

—Si, tal como creíamos, el Señor B había ido a Upshott a encontrarse con su contacto, su contacto podría haber sido cualquiera de esas personas: parece que la red de las cigarras realmente existe, y está ahí mismo, en este momento.

—¿Sale un tal Tommy Moult en esa lista? M – O – U – L – T.

La oyó barajar los papeles.

—No —dijo Catherine—, ningún Moult.

—Ya me lo parecía. Vale. ¿Cómo está Louisa?

—Sigue igual. Mañana es la cumbre de tu viejo amigo Spider Webb y sus rusos. De todos modos...

—¿Qué?

—Lamb ha averiguado los antecedentes de la mujer que atropelló a Min y parece que los Perros se precipitaron un poco al clasificarlo como accidente.

—Joder —exclamó River—, ¿lo sabe Louisa?

—No.

—Vigílala, Catherine: ella cree que a Min lo asesinaron, y si encuentra pruebas...

—La vigilaré, pero ¿cómo sabes que cree eso?

—Porque yo también lo creería —contestó—. Bueno, tendré cuidado. Aunque lo cierto es que hasta ahora he tenido la sensación que Upshott es justo lo que parece en el mapa: una pequeña porción de tierra perdida en la bella campiña inglesa.

—Roddy sigue cavando, te volveré a llamar.

River se quedó un rato más en la oscuridad. «Kelly», pensó. «Kelly Tropper: su padre tal vez... Sí: en otros tiempos había sido un abogado importante de la capital, eso cuadraba con el tipo de durmiente a largo plazo que el Kremlin habría puesto en el tablero de juego en los viejos tiempos. Pero su hija había nacido justo cuando cayó el muro: no había ninguna razón para sospechar que ella pudiera formar parte de la célula. ¿Qué posibilidades había de que en aquel rincón del mundo se estuviera formando una nueva generación de soldados de la Guerra Fría? Y en caso de que así fuera, ¿cuál podía ser su objetivo? ¿La resurrección de la Unión Soviética?

Vio por la ventana que Tommy Moult se servía más vodka y luego se sacaba algo del bolsillo, se lo metía en la boca y daba un buen trago de aguardiente para conseguir pasarlo. No se había quitado la gorra roja y el pelo que asomaba por los lados le daba un aspecto cómico. La curtida piel de su rostro estaba punteada por una incipiente barba blanca: sus ojos tenían un brillo vivaz, pero todo en él tenía cierto aire de fatiga. La gorra le daba un toque de desenfado que se contradecía con todo lo demás.

River se dio la vuelta y miró hacia el hangar. Las grandes puertas que daban a la pista de aterrizaje estaban cerradas con candados, pero había una entrada lateral que no estaba asegurada. Entró y escuchó atentamente, pero sólo captó los sonidos propios de una gran estructura vacía, y cuando barrió el interior con su linterna de bolsillo nada buscó escabullirse de su luz. La avioneta se alzaba entre las sombras: una Cessna Skyhawk... Nunca había estado tan cerca de una como ésa; sólo la había visto surcar los cielos en lo alto de Upshott, donde parecía el juguete de un niño. Ahora no le parecía mucho más que eso: apenas lo doblaba en altura y tal vez fuera el triple de larga. Un solo motor y espacio para cuatro pasajeros, pintura blanca y azul... Cuando apoyó la mano en una de las alas la encontró fría al tacto, pero con una promesa de calidez: la calidez de la potencia agazapada. Hasta ese momento, no había registrado de verdad que Kelly volaba: lo sabía, pero no lo había sentido, y en ese instante se dio cuenta de lo que significaba.

El resto del hangar, con todo el material apilado en torno a las paredes, era sobre todo espacio diáfano. Había un carrito de plataforma arrinconado como un caballito de juguete, y su contenido estaba tapado con una lona; la lona, por su parte, estaba atada al carro con cuerda de tender. River tuvo que ponerse la linterna en la boca y esforzarse durante un buen rato para deshacer el nudo. Después, le costó unos segundos descifrar qué era lo que había allí, apilado en tres niveles. Puso una mano encima: igual que la avioneta, estaba frío, pero con la misma promesa de calidez.

Sintió como si un par de dardos lo alcanzaran en el cuello.

Y de pronto, un fogonazo de luz incendió su cerebro y el mundo se convirtió en humo.

La Academia Wentworth de inglés estaba en silencio y no se veía ninguna luz encendida en sus oficinas, dos plantas por encima de una papelería cerca de High Holborn

Street. A Lamb ya le parecía bien: prefería encontrarse a Nikolai Katinsky dormido. Despertarlo a esas horas seguro que le espabilaba la memoria y lo predisponía mejor a un pequeño interrogatorio.

La puerta principal, como la de la Casa de la Ciénaga, era negra, pesada y estaba ajada por el tiempo, pero, a diferencia de esta última, se usaba a diario: la cerradura no protestó cuando Lamb la abrió con una ganzúa, las bisagras no chirriaron. Una vez dentro, esperó un largo minuto hasta que se acostumbró a la oscuridad y a la respiración del edificio y luego emprendió el ascenso por la escalera.

A menudo se comentaba que Lamb era capaz de moverse en silencio cuando quería; Min Harper, sin embargo, aseguraba que, si bien conocía cada tabla suelta del suelo y de la vieja escalera del edificio, era porque él mismo las había manipulado. Pero qué iba a saber Harper, si estaba muerto. Lamb subió sin hacer ruido y forzó la puerta (aunque pretendiendo que simplemente estaba echando un vistazo a través de la ventana esmerilada).

Lamb cerró la puerta a sus espaldas tan silenciosamente como la había abierto y volvió a detenerse durante unos segundos, esperando que la perturbación atmosférica que podía haber provocado su entrada se calmara, pero fue una precaución innecesaria porque allí no había nadie: el único ser vivo era el propio Lamb. Finas tajadas de luz de la calle se filtraban por las persianas y, cuando sus ojos se fueron adaptando a la penumbra, Lamb alcanzó a distinguir la forma del camastro plegado bajo la mesa como si fuera el diagrama de una imposible postura de yoga.

Lamb no llevaba linterna: la luz de una linterna en un edificio a oscuras induce a pensar en un robo, así que se limitó a encender la lámpara de mesa, que derramó su luz amarillenta sobre la superficie del escritorio y llenó el resto de la estancia de charquitos de luz. Todo tenía el mismo aspecto que en su visita anterior. Abrió cajones y rebuscó entre papeles. Casi todo eran facturas, pero también halló una carta manuscrita, que asomaba por la solapa tímidamente levantada de un sobre. Una carta de amor, ni más ni menos; ni siquiera era muy explícita, sólo expresaba tristeza por la separación. Al parecer, a Nikolai le había parecido oportuno ponerle fin a una relación. Muy bien: ni que lo hiciera ni que de entrada se hubiera metido en esa relación sorprendió a Lamb. Lo que sí le pareció curioso fue que Katinsky dejara la carta en un lugar donde, en realidad, quedaba a la vista: bastaba con que alguien entrara y rebuscara en su escritorio. Katinsky nunca había sido un activo importante (era uno de tantos analistas especializados en códigos; de hecho, en Regent's Park apenas sabían de su existencia antes de su deserción), pero aun así la vida en los servicios de inteligencia debía de haberle enseñado las normas de Moscú, y las normas de Moscú no se olvidan nunca.

Dejó la carta en su sitio y examinó una agenda que estaba sobre la mesa. Ninguna cita anotada para el día... ni para el resto del año. Repasó las páginas anteriores y encontró algunas anotaciones: breves recordatorios, iniciales, lugares y horas. Volvió a dejar la agenda donde estaba. En la pequeña oficina contigua había un archivador lleno de ropa y, en un estante, una taza con una maquinilla de afeitar y un cepillo de dientes. Vio una camisa colgada en la parte de atrás de la puerta y, en un rincón, una nevera azul que contenía un frasco de aceitunas a medias, una tarrina de hummus, algunas lonchas de jamón y un mendrugo de pan mohoso. En un armario pequeño encontró un montón de botellitas de medicamentos vacías. «Xemoflavin», ponía la etiqueta de una de ellas. Se la guardó en el bolsillo y luego repasó con la mirada una vez más la diminuta estancia. Sí, Katinsky vivía allí, aunque por lo visto no estaba en ese momento.

Lamb apagó la luz del escritorio y salió cerrando la puerta tras de sí.

13

Londres dormía, pero sólo a ratos y con un ojo abierto. La cinta de luz en lo alto de la Telecom Tower se desplegaba una y otra vez, las luces de los semáforos parpadeaban incesantemente mientras los carteles electrónicos colocados en las paradas de autobús rotaban y se detenían, rotaban y se detenían, ofertándole hipotecas imbatibles a un público ausente. Había menos coches, pero llevaban la música más alta: los graves quedaban retumbando en la calzada un buen rato después de que hubieran pasado. Desde el zoo se filtraban chillidos y gruñidos ahogados, y en una acera oscurecida por los árboles, apoyado en una barandilla, un hombre estaba fumando (la punta de su cigarrillo brillaba y se atenuaba, brillaba y se atenuaba, como si también él latiera con el corazón de la ciudad).

Miradas inadvertidas lo observaban: aquel trozo de acera nunca estaba desatendido. Lo raro era que lo hubieran dejado permanecer allí tanto rato sin molestarlo. Pasó media hora hasta que por fin apareció un coche y se detuvo. El conductor bajó la ventanilla y le dijo algo. Sonaba cansado, quizá por la hora, aunque también podía ser hastío, y en ese caso tendría que ver con el hombre con el que se había visto obligado a encontrarse.

—Jackson Lamb —dijo.

Lamb tiró el cigarrillo por encima de la barandilla.

—Mucha prisa no te has dado —replicó.

• • •

Cuando River recuperó el conocimiento, estaba mirando al cielo. La tierra pasaba debajo de su cuerpo como una cinta sin fin. Iba en una carretilla; sin duda, la misma que había visto en el hangar. De hecho, iba atado con la cuerda de tender. Atado como Gulliver: muñecas, tobillos, a través del pecho, alrededor del cuello... Tenía en la boca un pañuelo apretujado que una cinta mantenía en su lugar.

Tommy Moult era quien empujaba la carretilla.

—He usado una pistola táser —le dijo—, por si te interesa.

River arqueó la espalda y flexionó las muñecas, pero la cuerda se mantuvo firme y se le encajó en la piel.

—Quédate quieto si no quieres que vuelva a utilizar la pistola —sugirió Moult—: se me han acabado los cartuchos, pero puedo darte una descarga por contacto. Son muy dolorosas.

River se quedó quieto.

—Bien hecho.

Tommy Moult era el único que no aparecía en la lista de Catherine, así que no se le había pasado por la cabeza preguntarse qué hacía allí Moult un martes por la noche, cuando normalmente sólo se lo veía los fines de semana.

Una rueda topó con una piedra y River no salió disparado simplemente porque iba atado y bien atado. La cuerda se le encajó en el cuello y él lanzó un gruñido indescifrable: una mezcla de dolor, furia, frustración, todo ahogado por la mordaza.

—¡Ups!

Moult dejó de empujar y se secó las manos en los pantalones. Dijo algo más, pero se lo llevó el viento.

River movió la cabeza para intentar aflojar la presión en el cuello. Estaba a menos de un palmo del suelo y sólo veía hierba negra.

Volvió a pensar en lo que había encontrado en el hangar, empaquetado en la carretilla a la que en ese momento iba atado... Lo que significaba que aquello ya no estaba allí.

Dio por hecho que a esas alturas ya estaría en la avioneta.

Se quedaron sentados en el coche. Nick Duffy tenía la almohada marcada en la mejilla.

—¿Qué pensabas que iba a pasar? —preguntó—. Son las dos de la madrugada y estás delante de la puerta principal de Regent's Park fumando como un loco y sin hacer absolutamente nada: tienes suerte de que no te hayan soltado a los Conseguidores.

Los Conseguidores eran los tipos de negro que aparecían justo antes de que la cosa se pusiera violenta.

—Tengo autorización —aseguró Lamb.

—Sólo con la condición de que nunca la uses —contestó Duffy—. Total, que me han sacado de la cama porque a los que están de turno les preocupa que estés a punto de levantar una tormenta como la del año pasado: todos recuerdan el susto que nos diste con la bomba.

Lamb asintió con gesto complaciente.

—Está bien saber que no lo olvidan a uno.

—Ah, es que tu recuerdo perdura... como el herpes. —Duffy señaló el edificio con la cabeza—. No hay ninguna posibilidad de que entres, así que lo que sea que estés buscando ya puedes escribirlo en un informe. A Lady Di le fascinará. Y ahora, como soy una persona fantástica, te voy a llevar hasta la parada de taxis más cercana; bueno, sólo si me pilla de camino a casa.

Lamb aplaudió una, dos, tres, cuatro veces, hasta que aquel gesto dejó de ser gracioso; sólo entonces dijo:

—Ay, perdón. Ya habías terminado, ¿no?

—Que te den, Jackson.

—Luego, a lo mejor, después de que me dejes entrar en Regent's Park.

—¿No me estabas escuchando?

—Hasta la última palabra. Mira, podemos hacer esto a tu manera, pero entonces tendré que volver caminando desde la parada de taxis y hacer las cosas de un modo menos sutil. Eso implica montar un gran lío y... ah, sí, de paso joderte la carrera.

Sacó el paquete de cigarrillos, vio que estaba vacío y lo tiró al asiento trasero.

—Depende de ti, Nick. Llevo meses sin joderle la carrera a nadie. Es divertido, aunque el papeleo siempre es un poco agobiante.

Duffy miraba hacia la calzada como si el coche estuviera en marcha y la circulación se hubiera complicado.

—Si no fuera porque sabes que la cagaste, ya estaríamos moviéndonos. —Lamb alargó un brazo y le dio una palmadita en la mano, que estaba un poco más blanca de lo normal porque Duffy apretaba con fuerza el volante—. Todos cometemos errores, hijo. El último tuyo fue firmar lo de Rebecca Mitchell sin haberla investigado a fondo.

—Estaba limpia.

—Poco te faltó para decir que era virgen. Y tal vez lo sea ahora, pero en otro tiempo no era el caso, sobre todo cuando se dedicaba al juego de la botella con un par de tipos de... ¿de dónde eran? Ah, sí, de Rusia. Y da la casualidad de que va y arrolla a Min Harper, que estaba vigilando a un gorila de... ¡joder! ¡También de Rusia! ¿De verdad quieres que rellene yo los huecos?

—Taverner se quedó contenta con el informe.

—Y estoy seguro de que lo seguirá estando hasta que alguien coja una lámpara y le enseñe las grietas.

—¿No lo pillas, Lamb? Estaba-contenta-con-el-informe. —Marcó el ritmo de las palabras en el volante—. Me dijo que lo envolviera con una cinta y lo archivara, así que no es a mí a quien estás jodiendo, sino a ella. Que tengas buena suerte.

—Madura de una vez, Nick: fuera cual fuese la orden, fuiste tú quien la ejecutó. Así que, si van a echar a alguien a los leones, ya puedes imaginarte a quién será.

Permanecieron unos segundos en silencio. Duffy seguía marcando las palabras no pronunciadas en el volante. Luego fue perdiendo el ritmo y terminó deteniéndose como si incluso mentalmente le faltaran las palabras.

—Joder —dijo al fin—. Mi error ha sido coger el teléfono después de la medianoche.

—No —respondió Lamb—: tu error fue olvidar que Min Harper era uno de los míos.

Salieron del coche y caminaron hacia la entrada de Regent's Park.

Mucho antes de que terminase el viaje, hasta el último nervio del cuerpo de River clamaba por la liberación: se sentía como una pandereta que alguien más hacía repiquetear.

A Moult también parecía que lo hubiera pillado una apisonadora: cada cinco minutos tenía que pararse a descansar. No volvieron a cruzarse con ninguna patrulla como la que poco antes los había obligado a esconderse. Estaba claro que Moult conocía las rutinas de los patrulleros: fuera quien fuese, sabía lo que estaba haciendo.

En cuanto adónde iban, se lo tenía bien callado.

Se detuvo, se rascó la cabeza por encima de la gorra y su expresión cambió completamente, como si se le hubiera caído un tornillo. Vio que River lo estaba mirando y le dedicó una sonrisa malvada.

—Ya casi hemos llegado.

—Archivos. —Ahora que estaban dentro, Lamb se dio cuenta de que Duffy estaba muy pálido: estaba tan evidentemente tenso que hacía pensar en uno de esos globos mal atados que de un momento a otro sueltan el aire entre pedorretas hasta convertirse en un trozo de goma arrugado—. Archivos —repitió.

—Siguen estando abajo, ¿verdad?

Duffy oprimió el botón del ascensor como si fuera la tráquea de Lamb.

—Creía que tu chico, ese tal Ho, estaba trabajando en uno de esos archivos de recopilación de datos.

—Ya, bueno, tal vez no haya hecho tanto como ha querido hacerme creer.

Unos cuantos pisos más abajo —aunque todavía lejos de la última planta— salieron a un pasillo iluminado con luz azulada. En el fondo había una puerta abierta y la luz que salía de allí era más cálida, como la de una biblioteca. Una parte de ella quedaba bloqueada por una figura achaparrada y suspicaz: una mujer en silla de ruedas, bastante rolliza, con una melena de canas alborotadas y la cara casi tan blanca de maquillaje como la de un payaso. Cuando se acercaron, su expresión pasó de la suspicacia a la alegría, y para cuando los dos hombres llegaron hasta donde estaba tenía ya los brazos abiertos.

Lamb se agachó para abrazarla y Nick Duffy se los quedó mirando como si presenciara un aterrizaje extraterrestre.

—Molly Doran —dijo Lamb cuando la mujer aflojó un poco el abrazo—, no has envejecido ni un día.

—Uno de los dos tiene que mantenerse en forma —dijo ella—. Has engordado, Jackson, y con ese abrigo pareces un vagabundo.

—Pues es nuevo.

—¿Nuevo de cuándo?

—De la última vez que te vi.

—O sea que ya tiene unos quince años. —La mujer lo soltó del todo y se volvió a Duffy—. Nicholas —dijo en tono amable—, date el piro: no quiero Perros en mi planta.

—Nosotros vamos a donde nos...

—Nada. —La mujer sacudió un dedo corto y regordete—. No. Quiero. Perros. En. Mi. Planta.

—Ahora se va, Molly —la tranquilizó Lamb y se volvió hacia Duffy—. Estaré por aquí.

—¡Pero si es mediano...!

—Puedes irte si quieres.

Duffy se lo quedó mirando y finalmente negó con la cabeza.

—Sam Chapman siempre me decía que tuviera cuidado contigo.

—También a mí me dijo un par de cosas sobre ti —contestó Lamb—; hace poco, además: después de revisar el historial de Rebecca Mitchell en este mismo archivo. En fin. —Sacó el botecito de píldoras que había cogido en la oficina de Katinsky—. Ya que estás, haz que analicen esto.

Cualquiera que fuese la respuesta de Duffy, se perdió al cerrarse las puertas del ascensor.

Lamb se volvió hacia Molly Doran.

—¿Cómo es que te tienen en el turno de noche?

—Para que no asuste a los jovencitos. Me miran, ven su futuro y se largan corriendo a la City.

—Me lo imaginaba.

Aquella silla de ruedas, que era de color rojo cereza con unos gruesos reposabrazos de terciopelo, giraba con la facilidad con que se gira un dónut. Molly Doran dio la vuelta ahí mismo y llevó a Lamb a una gran estancia flanqueada de altísimos armarios. Estaban dispuestos sobre raíles como si fueran vagones de tranvía, de manera que podían empujarse hacia atrás cuando no se usaban. Era una enorme estructura con forma de acordeón, y cada hilera contenía filas y filas de documentación polvorienta, a veces tan antigua que el último que la había consultado también se había convertido ya en polvo. Allí estaban los más antiguos secretos de Regent's Park; unos secretos que, de haber recibido aquel departamento el presupuesto necesario, cabrían en un espacio equivalente a la cabeza de un alfiler.

Arriba, las reinas de la base de datos mandaban en su universo digital. Abajo, Molly Doran era la guardiana de la historia negligida.

El escritorio de Molly estaba en un cuchitril. Delante había un taburete de tres patas y detrás todo el espacio necesario para su silla de ruedas.

—Así que has terminado aquí...

—Como si no lo supieras.

—No hago muchas visitas: nunca he sido muy sociable.

—Creo que ninguno de los dos está cortado por ese patrón, Jackson. —Maniobró para ocupar su lugar habitual y se anticipó a las reservas de Lamb—. No te preocupes: aguantará tu peso.

Lamb tomó asiento en el taburete con la mirada fija en el carruaje tapizado de Molly.

—Según para quién, no está tan mal, ¿no?

Ella soltó una carcajada sorprendentemente cantarina.

—No has cambiado nada, Jackson.

—Nunca lo he creído necesario.

—Parece que todos esos años encubierto, fingiendo ser quien no eres, han terminado por dar al traste con tu capacidad de fingir. —Meneó la cabeza como si recordara algo—. En fin, ¡ya han pasando quince años! ¿Qué necesitas?

—Nikolai Katinsky.

—Un don nadie —contestó Molly.

—Ya.

—Analista administrativo, especializado en cifrados: uno más del montón. En los años noventa había muchos como él.

—Venía con una pieza de un puzle —dijo Lamb—, pero no encajaba en ningún sitio.

—No era una pieza lateral, menos aún esquinera: apenas un trozo de cielo.

Ahora que habían llegado al centro del asunto, el rostro de Molly se había alterado: sus mejillas, maquilladas con exceso y extravagancia, se veían más rosadas porque por debajo asomaba su color natural.

—Decía que había oído hablar de las cigarras —dijo Molly—: aquella red fantasma montada por otro fantasma.

—Alexander Popov.

—Alexander Popov, sí. Pero sólo era uno de esos juegos que tanto le gustaban a la Central de Moscú... hasta que se inclinó el tablero.

Lamb asintió. Ahí abajo hacía calor y empezaba a sentir pegajoso el cuerpo.

—Entonces, ¿qué papeles tenemos sobre él?

—¿No está en la Bestia?

La Bestia era el nombre colectivo que Molly Doran les daba a las distintas bases de datos digitalizados de la agencia. Se negaba a establecer diferencias entre ellas porque tenía la teoría de que, cuando se colapsaran (algo que antes o después sucedería irremediablemente), no habría manera de distinguirlas: todas se reducirían a una pantalla oscura.

Y ella sería la que aguantara la vela.

—Necesito detalles sueltos —dijo Lamb— y las cintas de su interrogatorio. Ya sabes cómo va eso, Molly: los jovencitos están convencidos de que un vídeo de veinte minutos vale por mil palabras, pero tú y yo sabemos que no es así, ¿verdad?

—¿Estás intentando camelarme, Jackson Lamb?

—Si es necesario...

Ella volvió a reír y el sonido aleteó en el aire como una mariposa.

—Antes solía dudar de ti, sobre si te pasarías al enemigo.

Lamb parecía ofendido.

—¿A la CIA?

—Me refiero al sector privado.

—Ah, ya. —Lamb bajó la vista y se fijó en su camisa manchada y con el faldón derecho suelto, en sus zapatos desgastados y en la cremallera levemente abierta, y pareció disfrutar de un momento de conciencia de sí mismo—. No creo que me recibieran con los brazos abiertos. —No se tomó la molestia de subirse la cremallera del todo.

—Sí, ahora que te veo, creo que no debería haberme preocupado por eso, ¿eh? —Molly se apartó de la mesa de un empujón—. Voy a ver qué tenemos. Mientras tanto, haz algo útil: pon en marcha el hervidor. —Cuando se alejaba, llegó su voz flotando—: Y como te atrevas a encender un cigarrillo te convertiré en comida para buitres.

• • •

Ya estaban allí otra vez.

¿Se había dormido River? ¿Era posible que se hubiera dormido en una situación así? Se le habría ido la cabeza por algún anestésico producido naturalmente por su cuerpo, que se negaba a aceptar más tormentos. Le habían pasado por la cabeza varias imágenes de pesadilla. Entre ellas, la página del cuaderno de Kelly Tropper que mostraba un perfil urbano estilizado con un rascacielos recibiendo el impacto de un rayo zigzagueante.

Y ya volvían a estar allí, con cada uno de sus huesos crujiendo... salvo que ese ruido lo hiciera el árbol al mecer sus ramas al viento y arañar las paredes de la vieja granja en ruinas.

—«Hogar, dulce hogar» —dijo Tommy Moult.

Lamb chupeteaba un bolígrafo que había cogido por ahí mientras hojeaba el archivo de Katinsky. No le llevó mucho tiempo.

—No es que haya gran cosa —dijo.

—Si no llega a mencionar lo de las cigarras —explicó Molly—, a éste lo hubieran mandado de vuelta a casa. Pero tuvo suerte y consiguió un trato de bajo nivel. El estudio de antecedentes estableció que era quien decía ser y enseguida pasaron a peces más gordos.

—Nació en Minsk y trabajó allí, en administración de transportes, antes de que lo reclutara un cazatalentos del KGB. Luego se pasó veintidós años en la Central de Moscú.

—La primera vez que supimos de su existencia fue en diciembre del setenta y cuatro, cuando conseguimos un diagrama de rotación prevista del personal.

—¿Y no se hizo ningún seguimiento? —dijo Lamb.

—Si lo hubiéramos hecho, el archivo sería más grueso.

—Qué raro, lo normal habría sido echarle un vistazo.

Dejó el expediente en el escritorio de Molly y fijó la mirada en los altos armarios. El bolígrafo que llevaba en la boca se alzó lentamente, bajó y volvió a alzarse. Lamb parecía no darse cuenta; distraídamente, metió la mano por la cremallera abierta y empezó a rascarse.

Molly Doran bebió un trago de té.

—Vale —dijo Lamb por fin. En Archivos solía reinar el silencio, pero en aquel momento, mientras Molly contenía la respiración, casi podía cortarse—. ¿Y si no es un don nadie? ¿Y si es un pez gordo que se hace pasar por un don nadie? ¿Habría funcionado algo así, Molly?

—Sería una cosa de lo más singular; ¿por qué iba nadie a disimular su importancia y correr el riesgo de que lo mandaran de vuelta a casa junto con otras basurillas?

—Sería de lo más singular —convino Lamb—, pero... ¿te parece posible?

—¿Fingir que era un mero desencriptador? Sí, claro. Con más razón si era un pez gordo.

Intercambiaron una mirada.

—Crees que es uno de los que desaparecieron, ¿no? —dijo Molly—. Uno de esos cuya pista perdimos cuando la Unión Soviética se desmoronó.

Hubo unos cuantos. Algunos probablemente habían terminado en tumbas casi a ras del suelo; otros, se sospechaba, se habían reinventado y seguían su camino bajo disfraces variados.

—Bien podría ser uno de esos cerebros del Kremlin que tantos problemas nos dieron: los que querían salir cuando la guerra terminó, pero no querían pasar el resto de su vida soportando que los vencedores hicieran lo que quisieran con ellos.

—Para eso tendría que haber incluido su nombre en ese diagrama de rotación algunos años antes, y sin garantía alguna de que nosotros acabaríamos dando con ella. —En ese momento se detuvo—. Oh...

—Exacto —convino Lamb—. ¿Alguna idea de cómo llegó esa lista a nuestras manos?

—Puedo buscar... —dijo Molly dubitativa—. Tal vez encuentre algo.

Él negó con la cabeza.

—No es una prioridad, no en este momento.

—Pero el argumento sirve igual: tendría que haber hecho que lo incluyeran en ese diagrama años antes de saber que le sería de alguna utilidad. Y estamos hablando de diciembre del setenta y cuatro, entonces nadie podía ni imaginar que las cosas terminarían como terminaron.

—No hacía falta —repuso Lamb—: bastaba con saber que era posible. —Miró el bolígrafo que tenía en la mano como si se preguntara de dónde había salido—. No hay nada que le guste más a un espía que saber que tiene las salidas bien controladas.

—Hay algo más, ¿verdad? Te lo noto en la cara.

—Ah, sí —repuso él—, hay algo más.

Tommy Moult ya había recuperado el aliento. Había empujado el carrito por encima de los escombros de lo que en otro tiempo había sido el suelo de la casa, un recorrido que a punto estuvo de partirle los huesos a River, quien empezaba a tener la sensación de que se le habían aflojado los dientes. Incluso después de que Moult se detuviera seguía temblando. Le ardían las zonas en las que se le había clavado la cuerda y los oídos le latían al compás de la sangre acelerada. Lo único que lo mantenía entero era la rabia contra sí mismo por haber sido tan estúpido dos veces en una misma noche. Empezaba a imaginar lo que planeaba Moult y no se lo podía creer, pero tampoco podía dejar de creérselo.

Su captor le arrancó la cinta de la boca y le quitó el pañuelo. De pronto, River se encontró tragando bocanadas de aire nocturno para compensar la escasez de las raciones anteriores; respiraba tan hondo que casi se atragantaba.

—Buena falta te hacía —dijo Moult.

River ya casi podía hablar.

—¿Qué coño... vas a hacer?

—Creo que ya lo sabes, Walker. Por cierto: «Jonathan Walker», menudo nombre. Muy poco original, ¿no crees?

—Es el mío.

—No, como mucho será el que te sugirió Jackson Lamb. De todas formas, no vas a usarlo mucho tiempo, ¿verdad?

Conocía a Lamb, sabía que él era un espía: no tenía mucho sentido seguir haciéndose el inocente.

—Se supone que tenía que ponerme en contacto... hace una hora. Vendrán a buscarme.

—¿En serio? ¿Te saltas una llamada y mandan a los guardacostas? —Moult se quitó la gorra roja y con ella desapareció el pelo: aquellos mechones blancos que asomaban por debajo. Era calvo, o casi, con apenas un cerco mal afeitado en torno a las orejas—. Si te saltas la de mañana a lo mejor se preocupan, aunque a esas alturas tendrán otras cosas en que pensar.

—He visto lo que tenías en ese carrito, Moult.

—Bien, así tienes algo en que pensar.

—¿Moult? —Pero Moult ya no estaba en su ángulo de visión, tan sólo oía sus pisadas sobre el suelo roto—. ¡Moult!

Y luego ya ni siquiera eso.

Con todo el cuidado posible, River movió la cabeza para mirar al cielo de nuevo. Respiró hondo y gritó con todas sus fuerzas al tiempo que arqueaba la espalda, como si intentara expulsar la rabia que tenía almacenada en el estómago. El carrito se sacudió, pero la cuerda se le clavó un poco más y su grito se convirtió en un bramido que se alzó hacia las ramas y rebotó entre los muros medio derruidos que lo rodeaban. Cuando dejó de gritar, seguía atado en su sitio, boca arriba en un carrito sumido en la oscuridad. No estaba más cerca de escaparse y no había nadie que pudiera oírlo.

Y el tiempo, ya se había dado cuenta, se le estaba acabando.

• • •

Bajo el maquillaje extendido con generosidad, como mantequilla sobre una tostada, el rostro de Molly Doran no movió ni un solo músculo. Tal vez esperaba que Lamb dijera algo más, el caso es que siguió guardando silencio durante al menos un minuto. Finalmente dijo:

—Y tú crees que fue él, Katinsky, quien en su momento secuestró a Dickie Bow.

—Sí.

—Y ha esperado todos estos años para hacer su segundo movimiento.

—No: fuera cual fuese el plan de entonces, quedó obsoleto con el fin de la Guerra Fría. No, ahora pretende otra cosa, pero Dickie Bow le ha sido igualmente útil.

—¿Y las cigarras? ¿También son reales?

—El mejor disfraz para cualquier célula durmiente consiste en hacer creer al enemigo que no se trata más que fantasmas: nadie se puso a buscar en serio la célula de Alexander Popov porque todos creímos que no era más que una leyenda, como el propio Popov.

—Que de hecho era una invención de Katinsky.

—Sí. Y a todos los efectos —dijo Lamb—, eso indica quién es: Nikolai Katinsky es Alexander Popov.

—Joder, Jackson. Has despertado al hombre del saco, ¿no es así?

Lamb se echó hacia atrás. Bajo aquella luz suave parecía más joven, quizá porque estaban en los terrenos de la historia antigua.

Molly lo dejó pensar. Las sombras habían crecido en los montones de papeles, aunque, en aquel sótano sin luz solar, la experiencia le decía que eso se debía a que su mente le tendía trampas ajustando su entorno a los ritmos de un día normal. Fuera, estaba llegando la mañana: Regent's Park, que nunca dormía del todo, pronto empezaría a sacudirse los escalofríos de la noche: esas enmarañadas sensaciones que ocupan los edificios cuando están a oscuras y que alarmarían al turno de día si tuviera noticias de ellos.

Cuando Lamb se movió, Molly lo provocó con una pregunta:

—Bueno, y entonces ¿qué plan tiene Popov?

—No sé ni de qué puede tratarse, ni por qué justamente ahora.

—Ni por qué agrupó a su célula en Upshott.

—Tampoco.

—Leones muertos —dijo Molly.

—¿Qué?

—Es un juego para fiestas infantiles: tienes que hacerte el muerto, quedarte quieto, no hacer nada.

—¿Y qué pasa cuando se acaba el juego? —preguntó Lamb.

—Pues supongo que se arma la de Dios.

Tenía el móvil en el bolsillo.

En cuanto información, equivalía a conocer los hábitos de apareamiento de los pingüinos: no es que prefiriera no tenerlo, claro, pero allí no le servía absolutamente de nada. Lo extraño era que Moult no se lo hubiera quitado. En cualquier caso, habría dado lo mismo que estuviera en una rama del árbol que tenía a la vista.

Había dejado de forcejear porque lo único que lograba era hacerse daño: prefería repasar todo lo que sabía, o creía saber, sobre las intenciones de Moult. Se preguntaba por qué lo habría llevado hasta aquel lugar, si contenía secretos que quería proteger, y qué papel podía tener un tipo como ése en una comunidad de agentes soviéticos durmientes. Pero a medida que la luz se iba filtrando en el cielo las preguntas iban pasando cada vez más a un segundo plano y la imagen de aquellos sacos de fertilizante químico ocupaba su lugar.

En las condiciones adecuadas, ese fertilizante podía usarse perfectamente como una bomba.

Y él lo había visto preparado junto a una avioneta como si fuera un montón de equipaje.

Lamb salió a fumar, pero al llegar a la acera recordó que ya no tenía cigarrillos, así que tuvo que caminar hasta la estación del metro y comprar un paquete en un quiosco abierto las veinticuatro horas. Cuando ya estaba cerca de la puerta delantera de Regent's Park, se encendió otro con la colilla del primero y alzó la vista al cielo, que se iba iluminando poco a poco. El tráfico ya era un ronroneo constante. Los días empezaban así: con una acumulación gradual de detalles. Cuando era joven, en cambio, empezaban con una campanada.

Nick Duffy apareció de nuevo, igual que antes: salió de un coche aparcado y se unió a Lamb en la acera.

—Fumas demasiado —le dijo.

—Olvidé cuál es la cantidad adecuada, ¿tú la sabes?

En la otra acera, los árboles se agitaban como si tuvieran pesadillas. Duffy se frotó la mejilla: tenía los nudillos rojos de tan magullados.

—Le dan a esa mujer un talón cada mes —dijo—. Y de vez en cuando le hacen algún encarguillo: ofrecer una cama y un lugar donde esconderse a alguien que pasa por aquí de incógnito; recibir algún correo o hacer de contestador telefónico. Todo de bajo perfil. Una verdadera mierda, según sus propias palabras.

—Hasta que le pidieron lo de Min Harper.

—La llamaron a última hora, utilizando el código al que ella tiene que responder, y le ordenaron llevar el coche al garaje subterráneo de detrás de Edgware Road. Allí se encontró con dos tipos que, según sus palabras, llevaban a un tío borracho en andas y una bicicleta.

—¿Los había visto antes?

—Dice que no.

Se detuvo de nuevo, pero a continuación le explicó a Lamb lo que Rebecca Mitchell le había confesado finalmente: que uno de aquellos dos le había roto el cráneo a Min Harper contra el suelo de cemento del aparcamiento mientras el otro daba marcha atrás con su coche. Lo siguiente había sido un juego de niños: montar al tipo en la bicicleta y sostenerlo mientras soltaban el coche de la tal Rebecca contra él. Una vez seguros de que estaba bien muerto, habían cargado el cadáver y la bici en su propio coche y se lo habían llevado al cruce en cuestión.

Al terminar, Duffy se quedó contemplando los árboles, como si sospechara que el roce de sus hojas era una conversación secreta en la que se hablaba de él.

—Deberíais haberlo detectado.

—Tomaron fotos: colocaron la bicicleta y el cadáver en la calzada tal como habían caído en el aparcamiento.

—Aun así, deberíais haberlo detectado. —Lamb tiró el cigarrillo, que soltó algunas chispas—. Hicisteis una chapuza.

—No hay excusa.

—Desde luego. —Se frotó la cara con una mano que olía a tabaco—. ¿Estaba dispuesta a hablar?

—No mucho.

Lamb gruñó.

Al cabo de un momento, Duffy añadió:

—Probablemente vio algo que no debería haber visto.

«O a alguien», pensó Lamb. Volvió a gruñir y entró por la puerta principal.

En esta ocasión, nada más salir del ascensor lo recibió un muchachote con una sudadera en la que se leía PROPIEDAD DE ALCATRAZ y unas gafas negras de montura gruesa.

—¿Es usted Jackson Lamb? —le preguntó.

—¿En qué se nota?

—En el abrigo, sobre todo. —Sacudió el botecito de pastillas que Lamb le había entregado antes a Duffy—. Quería saber qué es esto, ¿no?

—¿Y?

—Se llama Xemoflavin.

—Ya. Ojalá se me hubiera ocurrido leer la etiqueta.

—Sí, es un método básico de investigación —contestó el muchacho—. Aun así, más allá del nombre tampoco es que sea gran cosa: aspirina con una capa de azúcar y un poco de naranja...

—No sigas —lo interrumpió Lamb—. Se vende por internet, ¿no?

—Bingo.

—¿Para curar qué?

—Cáncer de hígado —dijo el muchacho—, aunque no funciona, claro.

—Vaya sorpresa.

El muchachote soltó el botecito en la mano atenta de Lamb, se subió un poco las gafas y se metió en el ascensor.

Con los labios apretados, Lamb caminó de vuelta al Archivo.

Molly Doran estaba en su cuchitril. Había hecho más té y sostenía una taza entre las manos; el vapor se alzaba en finas espirales y desaparecía en la oscuridad.

—Revisé su agenda —dijo Lamb sin más preámbulos—. ¿Te lo había dicho? Por lo visto, no tiene planes de futuro.

Molly bebió un trago de té.

—Y ha dejado a la mujer con la que estaba saliendo.

Molly puso la taza en la mesa.

—Y está tomando un remedio de curandero para el cáncer.

—Vaya, hombre —se lamentó Molly.

—Sí. —Lamb tiró el botecito a la papelera—. Sea lo que sea lo que esté preparando, al menos ya sabemos por qué lo hace: se está muriendo y todo esto es su último «¡hurra!».

14

Mañana. Luz. Sorprendentemente fuerte, capaz de atravesar las cortinas. Aunque en las últimas semanas había hecho mucho sol: un calor impropio de la estación. Verano en abril, lleno de promesas nada fiables. Si uno le daba la espalda demasiado tiempo, la temperatura lo traicionaba.

Más que despertarse, Louisa cayó finalmente en la cuenta de que llevaba un rato despierta: los ojos abiertos, una especie de tarareo en el cerebro... nada especialmente coherente: tan sólo pequeños cartelitos mentales con las tareas del día: antes que nada levantarse, ducharse, tomar café... Luego cosas más importantes: salir del piso, reunirse con Marcus, recoger a Pashkin... Todo lo demás, como la noche anterior, era poco más que una masa negra que bullía por allí: un trasfondo que había que ignorar el mayor tiempo posible, como las nubes que anuncian tormenta en un día de sol.

Se levantó, se duchó, se vistió y se tomó un café. Luego salió al encuentro de Marcus.

Catherine estaba de vuelta en la Casa de la Ciénaga tan pronto que era casi como si no se hubiera ido. Aun así, en su viaje hasta allí había cruzado una ciudad que tenía la mecha encendida. El metro iba lleno de gente conversando; algunos llevaban letreros: DETENGAMOS A LA CITY era uno de los favoritos, y también: BANQUEROS: NO. En la parada del Barbican alguien se había encendido un cigarrillo. La anarquía flotaba en el aire: ese día habría cristales rotos.

Sin embargo, por muy pronto que fuera, Roderick Ho se le había adelantado. No era algo poco frecuente (a menudo parecía que Ho viviera allí: ella sospechaba que prefería que sus actividades en la red provinieran de una dirección de la agencia), pero esta vez era distinto: estaba trabajando. Cuando ella pasó por delante de su puerta abierta, Ho alzó la mirada.

—He descubierto más cosas —dijo.

—¿Sobre la lista que te di?

—Sobre la gente de Upshott. —Le mostró una hoja—. Al menos, sobre tres de ellos. He seguido la pista hasta donde he podido. Hay un montón de papeles; de hecho, les salen papeles por las orejas pero, sobre todo al principio de sus vidas, hay muchos zapatos y ninguna huella.

—Es una de esas expresiones que circulan por internet, ¿verdad?

Ho le dedicó una sonrisa. Eso sí que era raro, mucho más que ver gente conversar en el metro.

—Ahora sí.

—¿Y significa...?

—Bueno, pues mira el caso de Andrew Barnett, por ejemplo: según su currículum, estudió en la Escuela de Secundaria Saint Leonard's de Chester en los años sesenta. Ahora es pública y tiene un buen departamento de informática, uno de cuyos proyectos consiste en subir a la red los historiales del colegio...

—Y él no aparece por ningún lado —terminó Catherine.

Ho asintió como diciendo: «Exacto.»

Además de a Barnett, Ho les había seguido el rastro a Stephen Butterfield y Anne Salmon, y las conclusiones eran las mismas: había muchas lagunas en sus primeros años, y sin duda las habría también en las biografías de los otros catorce integrantes de la lista. Así que todo era cierto: una célula durmiente soviética había arraigado en un diminuto pueblo inglés, tal vez porque ya no tenía propósito alguno, o por alguna otra razón que aún tenían que averiguar.

—Todo esto es muy interesante, Roddy.

—Ya.

Puede que Catherine hubiera pasado demasiado tiempo con Lamb porque a continuación añadió:

—Nada que ver con pasarse el día navegando por la red.

—Ya, bueno... —Ho desvió la mirada y se sonrojó—. Toda esa mierda del archivo podría resolverla en una noche, dejarla lista en una sentada. Esto es distinto.

Catherine esperó a que sus miradas volvieran a encontrarse.

—Buen trabajo —le dijo—. Gracias. —Miró el reloj: eran las nueve. Louisa y Marcus debían de estar a punto de recoger a Arkady Pashkin, lo cual le hizo recordar algo—: ¿Has buscado los antecedentes de Pashkin?

En ese momento, Ho volvió a poner la cara de resentimiento que tan familiar le resultaba a Louisa. De algún modo, pasarse la vida entre ordenadores contribuía a prolongar la adolescencia. Seguro que algún estudio lo confirmaba... y seguro que ese estudio estaba en la red.

—He estado bastante ocupado...

—Bueno, pues hazlo ahora.

Era una pena abandonarlo con esa amargura, después de todo, pero es que Roddy Ho tenía la manía de seguir su propio guión.

Se reunieron cerca del hotel poco después de las nueve. Los metros iban llenos, las calles estaban abarrotadas; había una ingente presencia policial, por no hablar de las unidades móviles y las furgonetas de las agencias de noticias, o de los mirones. Desde Hyde Park, donde la multitud crecía por momentos, llegaban flotando los olores de un centenar de variaciones de la noción de desayuno. Un altavoz bramaba instrucciones: «Este evento tiene el código CO11, lo que significa que estará controlado en todo momento por la policía», pero la música y el parloteo se imponían. Había un ambiente de excitación creciente, como si la mayor fiesta del mundo estuviera esperando a su DJ.

—Parece que algunos andan buscando problemas —le dijo Marcus a manera de saludo, y señaló con un gesto a un grupo de veinteañeros que se dirigía al parque sosteniendo en alto una pancarta con el lema A LA MIERDA LOS BANCOS.

—Son ciudadanos indignados, eso es todo —contestó Louisa—. ¿Estás listo?

—Por supuesto.

Aquella mañana, Marcus llevaba un traje gris, corbata de un rosa asalmonado y gafas de sol modernas; ella se fijó en que estaba guapo igual que se habría fijado en cualquier otro detalle irrelevante.

—¿Y tú?

—Estoy bien.

—¿Seguro?

—Lo acabo de decir, ¿no?

Doblaron la esquina.

—Mira, Louisa —dijo él—, lo que dije anoche...

Le sonó el móvil.

«Eso no puede llamarse "dormir"», pensó River. «La noche entera dando vueltas y vueltas, como un argumento atrapado en una lavadora.» Ciertamente, habría sido más apropiado llamarlo «agobiarse». El caso es que dio vueltas una y otra vez hasta que el ritmo lo hizo perder la consciencia y caer en un pozo de construcción propia. En aquella oscuridad circular, los mismos hechos, si bien algo mordisqueados, lo acosaron como el tábano: el fertilizante cargado en la avioneta con la que Kelly iba a surcar los aires aquella misma mañana, el dibujo que ella había hecho de la silueta de la ciudad con ese rayo alcanzando el rascacielos... Una avioneta era en sí misma una bomba, pero eso no era lo primero que te venía a la cabeza al verla: sólo si estaba cargada de sacos de fertilizante rico en nitrógeno se subrayaba su explosividad esencial.

Y una y otra vez en el tambor rotatorio de su mente se repetía la misma imagen: Kelly Tropper (¿por qué ella?) pilotando su orgullo y su alegría hacia el edificio más alto de Londres; chamuscando una nueva Zona Cero ante los ojos del mundo.

Una y otra vez, hasta que al fin River perdió la noción del aquí y ahora y (tras haberse secado a base de gritos durante un largo rato) cayó en la inconsciencia.

Mientras Marcus hablaba por teléfono, Louisa contempló los preparativos de la manifestación: era como ver una mente colmena ir conformándose a partir de muchísimas cabezas distintas. Era probable que Marcus tuviese razón: más adelante habría jaleo, pero eso era algo que debía dejar a un lado, otro trasfondo que era mejor ignorar. Se preguntó si al final resultaría que su única oportunidad de pillar a Pashkin a solas había sido la de la noche anterior. Si se largaría en su avión en cuanto acabaran las conversaciones, dejándola para siempre en la ignorancia y sin poder averiguar la razón por la que había muerto Min.

—Lo siento —se disculpó Marcus.

—¿Has terminado? Estamos en una misión, no en un paseo.

—No volverá a sonar —aseguró—. Y no vas a tirar a Pashkin por ninguna ventana, ¿vale?

Louisa no contestó.

—¿Vale?

—¿Eso te lo ha encargado Lamb?

—No conozco a Lamb tan bien como tú, pero no me sorprendería que el bienestar de su equipo sea su prioridad.

—Ah, así que estás ocupándote de mi bienestar, ¿eh?

—Esos gorilas de Pashkin... no son sólo parte del espectáculo: si intentas atacar a su jefe, te descuartizarán.

—Como hicieron con Min.

—Lo que pasó con Min ya lo aclararemos, pero no tiene ningún sentido vengarse si el coste es todo aquello que te interesa. Y, créeme, ése era el precio de lo que tenías planeado anoche. Cualquier cosa que no te hubieran hecho los matones de Pashkin, te la habría hecho luego la Agencia.

La gente coreó algo en la otra acera y un vendaval de risas cruzó la calle.

—¿Louisa?

—¿Por qué estás en la Casa de la Ciénaga?

No sabía que iba a preguntar eso hasta que se oyó decirlo.

—¿Qué importancia puede tener?

—Ya que te estás atribuyendo el papel de jefe de equipo, es muy importante. Porque a mí lo que me han contado es que perdiste el control, que no aguantaste la presión, así que esa preocupación por mi bienestar sólo significa que quieres asegurarte de que tu vida permanece estable bajo tus pies y yo no te creo problemas.

Marcus se quedó unos instantes mirándola fijamente por encima de las gafas de sol. Luego se las subió y, cuando por fin habló, lo hizo en un tono más suave de lo que prometía su expresión.

—Bueno, suena plausible. Una chorrada, pero plausible.

—Entonces no perdiste los nervios.

—No, joder. Lo que pasa es que me va el juego, nada más.

• • •

Alguien dijo su nombre.

Sonaba como su nombre; no lo era, pero sonaba muy parecido. En cualquier caso, sacó a River de la oscuridad de un tirón y, al abrir los ojos, vio que la luz del día rellenaba los huecos entre las ramas. El cielo estaba completamente despejado y tuvo que volver a cerrarlos y apretarlos bien para protegerse de su brillo azulado.

—¿Walker? ¿Jonny?

Unas manos se le echaron encima y, de pronto, las ataduras se soltaron y pudo moverse con normalidad, lo cual provocó una nueva punzada de dolor que recorrió de arriba abajo sus extremidades.

—Joder, tío. Estás hecho polvo.

Su salvador era una figura borrosa: vagos fragmentos que se sostenían juntos de algún modo; algo así como un test de Rorschach con patas.

—Déjame sacarte de esa carretilla de mierda.

Unos brazos tiraron de él hacia arriba y todo su cuerpo gritó, pero al mismo tiempo se sentía bien: liberándose de los calambres gracias al dolor.

—Ya está.

Le pusieron una botella en los labios y sintió el agua derramarse en su boca. Tosió y se inclinó hacia delante; escupió, casi vomitó. Luego tanteó a ciegas en busca de la botella, la agarró y se bebió el resto del contenido con frenesí.

—Joder, tío —le dijo Griff Yates—. Estás hecho una puta mierda, en serio.

—Lo que pasa es que me va el juego, nada más —dijo Marcus Longridge.

—¿Qué?

—El juego: los naipes, las carreras de caballos, etcétera, etcétera.

Louisa lo miró fijamente.

—¿Y ya está?

—De hecho, no es poca cosa: resulta incompatible con la eficiencia operativa, por lo visto. Lo cual es como un chiste porque el espionaje puede ser el mayor juego de todos.

—¿Y por qué no se limitaron a echarte?

—Un error táctico: uno de los jefes de Recursos Humanos decidió que sufría una forma de adicción y me envió con un... en fin, con un consejero.

—¿Y?

—Pues que me aconsejó.

—¿Y?

—Bueno —contestó Marcus—, yo no diría exactamente que funcionó; no al ciento por ciento, desde luego. Ese que acaba de pasar es un corredor de apuestas, por cierto. —Su voz desapareció bajo una ráfaga de bocinazos: una sinfonía improvisada que probablemente se convertiría en la banda sonora del día en cuanto el tráfico tuviera que dejar lugar a los manifestantes; Marcus continuó—: En cualquier caso, resultó que, como me habían enviado a terapia con un psiquiatra, ya no podían echarme, por temor a líos legales y esas cosas. Total, que en vez de eso...

Total, que en vez de eso se había convertido en un caballo lento.

Louisa echó un vistazo hacia el hotel, cuyas grandes puertas de cristal tendrían que cruzar muy pronto.

—¿Eres el topo de Taverner en la Casa de la Ciénaga?

—No, ¿por qué iba a necesitar un topo?

—Catherine cree que tiene un topo.

—Pues no veo por qué —replicó Marcus—: somos básicamente el retrete exterior de Regent's Park. Si quiere saber algo, ¿no le basta con preguntárselo a Lamb?

—A lo mejor prefiere no hacerlo.

—Pues me parece muy bien, pero yo no soy ningún chivato, Louisa.

—Vale.

—¿Eso significa que me crees?

—Significa «vale». ¿Y lo del juego no representa un problema?

—El año pasado estuve quince días en Roma con Cassie y los críos, todo pagado por mi «adicción». —Volvió a subirse las gafas de sol—. Así que, que se jodan.

No era la primera vez que Marcus mencionaba a su familia delante de ella. Se preguntó si lo haría para ganarse su confianza.

Marcus miró el reloj.

—Vale —volvió a decir Louisa; a esas alturas ya significaba que le creía, al menos en parte. No podían perder más tiempo, así que se dirigieron hacia el vestíbulo del hotel.

«Ya que vamos a trabajar juntos, más me vale no hacerle perder los nervios», pensó.

De todos modos, aquella mañana tocaba hacer de niñeros: tampoco iba a hacer mucha falta recurrir a su experiencia como agente operativo.

Catherine llamó a River y le salió una grabación que anunciaba que el número no estaba disponible; luego llamó a Lamb y obtuvo el mismo resultado. Después, hojeó los papeles que le había impreso Ho. «Muchos zapatos y ninguna huella...» Cuanto más peso llevamos, mayor es la marca que dejamos, pero, al menos en sus primeros años, aquella gente de Upshott no habría dejado huella ni en la cobertura de un pastel.

Stephen Butterfield había tenido una editorial, y bastaba con echar un vistazo por internet para verlo entre la flor y nata de los eternos opinantes: siempre dispuestos a influir en los asuntos del día, en Radio 4 o en el *Observer*. Había participado en una comisión parlamentaria sobre analfabetismo, era el administrador de una organización de beneficencia que enviaba libros a países en vías de desarrollo... Pero si buscabas un poco más atrás, su vida se disolvía en la niebla, y lo mismo ocurría con todos aquellos cuyos antecedentes había investigado Roddy: personas de sustancia entre leve y moderada incrustadas en un *establishment* que las invitaba a sus mesas para cenar con los capitanes de la industria y los ministros del gobierno. El control tenía que ver con la influencia...

Con un sobresalto, se dio cuenta de que Ho estaba en el umbral de su despacho. No tenía ni idea de cuánto tiempo llevaba allí.

—Estás de broma, ¿no? —dijo él.

—¿De broma? ¿A qué te refieres?

Ho parecía desconcertado.

—Que me estás gastando una broma.

Catherine no necesitó respirar hondo para dar la impresión de que lo había hecho: en los últimos días le daba por hacer eso.

—¿Cuál sería la broma, Roddy?

Él se lo dijo.

—Se suponía que iba a ser una broma.

Pues menuda broma.

—Nunca disparan hacia las casas viejas. Cuando ya sabes a lo que vas es bastante espectacular, de hecho.

Las palabras clave eran «cuando ya sabes a lo que vas».

—Y no me puedo creer que Tommy...

A River le dolía todo el cuerpo y no podía moverse tan rápido como quería; iban cuesta arriba, no había cobertura.

—¿Y todo esto ha sido por Kelly?

Joder: tenía la voz de un viejo de noventa años.

Yates se detuvo.

—No lo entiendes, ¿verdad?

—Lo entiendo —dijo River—, lo que pasa es que no me importa.

—Ella es lo único que...

—Madura un poco, Griff.

«Ella es libre de elegir», estuvo a punto de decir, pero consideró las pocas opciones que Kelly tenía en Upshott y prefirió cerrar la boca. Volvió a probar su móvil tecleando rápidamente con los dos pulgares, pero seguía sin cobertura. Le llegó el sonido de un motor y alzó la mirada esperando ver a Kelly surcando el cielo con su bomba voladora; aunque, si iba a llevar a cabo esa misión, ya no estaría sobre Upshott.

A esas horas estaría en el aire: tenía que dar la alarma.

«Un avión va a sobrevolar la Aguja: será nuestro propio 11-s.»

Precisamente ese día, un oligarca ruso con ambiciones políticas estaría en la planta setenta y siete.

Claro que, si se estaba equivocando, aquella cagada en la estación de King's Cross parecería, en comparación, el mejor momento de su carrera.

Y si tenía razón y la alarma no llegaba a tiempo se pasaría el resto de su vida lamentando incontables muertes.

—Vamos.

—No es por ahí —le dijo Griff.

—Ah, es verdad.

El hangar: tenía que llegar al hangar y comprobar si no se equivocaba con los sacos de fertilizante.

Un par de pasos más allá, el móvil empezó a zumbar en su bolsillo: ya había cobertura.

Delante de ellos, un jeep coronó una loma.

Cuando Pashkin salió del ascensor, no dio la menor señal de que lo de la noche anterior hubiera ocurrido nunca: estaba claro que no había dejado la misma huella en él que en Louisa. Se había puesto un traje distinto: camisa blanca reluciente con el cuello abierto, destellantes gemelos de plata, colonia...

Llevaba un maletín.

—Señorita Guy —saludó—, señor Longridge.

El vestíbulo tenía el eco de una iglesia.

—El coche debe de estar esperándonos.

Y lo estaba. Se sentaron del mismo modo que el día anterior y el vehículo arrancó. La situación en las calles también era similar: tráfico denso, vehículos parados...

«Pero ¿qué más da?», pensó Louisa. Aunque llegaran cinco minutos tarde, sólo los esperaba Webb. Para una supuesta reunión de alto nivel, era un perfil muy bajo, la verdad. De todos modos, le mandó un mensaje para hacerle saber que estaba en camino.

En un cruce en los límites de la City, el coche pasó ante tres furgones negros de la policía con las ventanillas tintadas. Dentro acechaban algunas siluetas: formas humanas distorsionadas por el uniforme y el casco, como los jugadores de fútbol americano, absurdamente acolchados para estarse pasando una pelotita.

—Así que se esperan problemas...

Louisa se dio cuenta de que no confiaba en su propia voz cuando Pashkin estaba delante. Él añadió:

—Sus valores liberales se toman un descanso cuando se amenaza a los bancos y a los grandes edificios.

—No estoy muy seguro de tener valores liberales —replicó Marcus.

Pashkin se lo quedó mirando, interesado.

—Más allá de eso, lo cierto es que sólo les partirán la cabeza a unos cuantos liantes, o los harán pasar la noche en una celda: tampoco estamos hablando de Tiananmén.

—¿No hay una frase hecha para eso? ¿«Esto es sólo el principio» o algo así?

Ya habían dejado atrás los furgones de la policía, pero en las aceras seguía habiendo mucha presencia policial. La mayoría de los agentes llevaban chalecos fosforescentes en vez de ropa de combate: siempre se mostraba primero el rostro del poli bueno; el poli malo sólo aparecía cuando se complicaba la cosa.

«Aunque estas manifestaciones suelen acabar mal», pensó Louisa. Los bancos no eran el único objetivo de los que se manifestaban: su enemigo era la codicia empresarial en todas sus formas, todos los símbolos visibles del incesante enriquecimiento de los más ricos mientras que para los demás no había sino recortes de salarios y deudas crecientes, sin poder participar jamás de la prosperidad.

Pero ése no era su problema. Ese día no: ese día tenía batallas propias que pelear.

Piotr dijo algo y Pashkin respondió en un idioma tan denso como la melaza. Un interrogante apareció en la expresión de Louisa y, una vez más, Pashkin decidió dirigirse fundamentalmente a ella.

—Dice que ya estamos terminando.

—¿Terminando?

—Que ya casi llegamos.

A Louisa le pareció que aquello no tenía mucho sentido. Aunque era cierto que ya estaban al pie de la Aguja, acercándose a su enorme sombra, en la que se sumergirían para dirigirse a los aparcamientos subterráneos.

La matrícula aparecía a nombre de un contratista; oficialmente, el grupo tenía una cita con uno de los supervisores culinarios del hotel en un cuarto de servicio, debajo del vestíbulo.

De su entrada en la Aguja no quedaría ningún registro.

James Webb había entrado del mismo modo unos minutos antes. Ahora estaba arriba, en la planta setenta y siete, considerando la mejor ubicación. El problema era que no estaba del todo claro cuál era la cabecera de aquella mesa ovalada. Probó la silla que daba a la ventana y no vio más que un solitario avión que dejaba una cicatriz en el cielo azul: había días en los que, sentado en el mismo lugar, uno podía estar en el corazón de una nube, en el interior del cielo.

Aunque todavía no había volado tan alto como quería.

«Bien, señor Pashkin, ¿cómo podemos facilitarle las cosas?»

Así era como tenía pensado empezar: el Pashkin de aquel momento no tenía nada que pudiera interesarle a Webb; primero había que allanarle el camino. Después, cuando llegara el momento de cobrar los favores, ya le sugerirían formas de retribuir la amabilidad de los extranjeros. Aunque no se le hicieran favores tangibles, el simple hecho de encontrarse con Webb comprometía a Pashkin, pero ése era el precio de la atracción del poder: la ambición suele anidar en los temerarios, y Webb planeaba explotar esa veta.

«Estoy aquí para ayudar. Oficialmente, no vengo en nombre del gobierno de Su Majestad», un pequeño carraspeo de modestia en este punto, «pero cualquier petición por su parte encontrará un oído amistoso entre los que pueden hacer más por usted».

Una ayuda puramente cosmética: eso era lo que Pashkin querría. Ser visto en compañía de los que mueven las cosas, los que hacen temblar el mundo: ser considerado una fuerza de la naturaleza. Sesión de fotos con el primer ministro, copas en el número 10 de Downing Street, un poco de atención por parte de la prensa. Una vez que te tomaban en serio, te tomaban en serio: si su buena estrella se alzaba por el oeste, centellearía sobre el este.

Sonó su teléfono. Era Marcus Longridge: estaban en el aparcamiento subterráneo. Webb escuchó y luego dijo:

—¡Venga ya! Es un huésped distinguido, no una amenaza. Un poco de sentido común, por favor.

Después de colgar, se levantó, caminó alrededor de la mesa y probó el otro lado, poniéndose de cara a la habitación con las increíbles vistas a su espalda.

«Sí», decidió: eso era. Dejarle los ventanales a Pashkin para que su mirada se perdiera en el horizonte. Mostrarle que el cielo era el límite y luego aguardar a que picara.

Se dirigió al vestíbulo para esperar el ascensor.

Detrás, en la distancia, el sol reverberó en el ala de un pequeño aeroplano que por un instante pareció más grande de lo que era.

—Ese tío, Arkady Pashkin —dijo Roddy Ho.

Catherine no quería preguntar, pero...

—¿Qué pasa con él?

—¿Leíste el artículo? ¿El que supuestamente apareció en el *Telegraph*?

—«Supuestamente» —repitió ella sin mostrar ninguna emoción.

—¿Lo leíste con detenimiento? —dijo Ho.

—Lo leí, Roddy, lo leímos todos.

Revolvió papeles, apartó una carpeta y lo encontró. No era el periódico como tal, sino una copia impresa de la web. Agitó la hoja en el aire.

—Aquí tienes, el *Telegraph* del siete de julio del año pasado. ¿Cuál es tu problema?

—No tengo ningún problema. —Se lo quitó de la mano. Tres páginas, fotografía incluida—. Mira. —Le dio unos golpecitos con el dedo a la dirección que aparecía en la parte superior de la página—. ¿Lo ves?

—Roddy... ¿de qué estás hablando?

—Se ve como el *Telegraph*, suena como el *Telegraph*, y si uno quiere arrugarlo y comérselo, probablemente sepa como el *Telegraph*, ¡pero no es el *Telegraph*! Lo sacaste de la página web de este hombre, pero ¿se te ocurrió buscarlo en el archivo del diario?

—Está por todas partes —dijo ella sin emoción.

—Por supuesto que sí: porque algún menda lo puso por todas partes. Pero ¿sabes dónde no está? En los archivos del diario.

—Roddy...

—Es falso, te lo digo yo. Y si lo quitas de la red, ¿sabes cuánta evidencia queda de que Arkady Pashkin exista siquiera, ya no digamos de que sea un oligarca ruso?

Formó un cero con el índice y el pulgar.

—Ay —dijo Catherine.

—Hay algunas referencias, cierto: el menda tiene presencia en Facebook y una página de Wikipedia; está en muchos sitios donde, con sólo aparecer, todo el mundo asume que eres alguien. Pero si rastreas las menciones, te darás cuenta de que sólo se remiten unas a otras. La red está llena de hombres de paja. —El color le subió a las mejillas: debía de ser la emoción—. Y ese menda es uno de ellos.

—Pero ¿cómo?...

Aunque ella ya sabía cómo: Pashkin debía de haber buscado a Webb y, como la sección de Antecedentes de Regent's Park estaba bloqueada por culpa de la maldita auditoría, el propio Webb debía de haberlo investigado por su cuenta...

—Esa reunión en la Aguja —dijo—: quién sabe qué andará buscando Pashkin, pero no puede ser bueno. Hay que detenerla..., ve ahora mismo.

—¿Yo?

—Llévate a Shirley. —Él se quedó mirando como si hubieran comenzado a hablarle en otra lengua. —Haz lo que te digo, ¿vale? —El teléfono sonó en ese instante y Catherine descolgó, pero antes de que Ho saliera añadió—: Y otra cosa, Roddy: deja de decir «menda», ¿vale?

Y contestó a la llamada.

—¿Catherine? —dijo River—. Llama a Regent's Park: probable Código Septiembre.

A kilómetros de allí, en algún lugar entre los dos extremos de aquella llamada, Kelly Tropper pilotaba la Cessna Skyhawk azul y blanca por un cielo despejado. Frente a ella, franjas enteras de nada: así se sentía. Era como surcar una ausencia que iba sanándose a sí misma tan pronto como ella pasaba y la dejaba atrás. Y si una verdad dolorosa amenazaba con entrometerse, por ejemplo que las cicatrices que iba dejando en su estela eran tan permanentes como invisibles, se las arreglaba para tapar aquella revelación, sofocándola bajo la convicción de que nada que formara parte sustancial de su ser podía ser malvado.

Echó una mirada a su copiloto, que había accedido a acompañarla en gran parte por la atracción que sentía hacia ella, y se preguntó si él sabría que la tarde anterior se había acostado con el nuevo residente de Upshott. Era muy probable que lo supiera: tratándose de la vida privada, los pueblos eran tremendamente porosos. En cualquier caso, contárselo añadiría emoción a los escalofríos que ya estaba sintiendo. Al día siguiente la gente la vería en todas las portadas: leería acerca de ella, se la imaginaría y sabría que Kelly Tropper había hecho algo de lo que pocos eran capaces. Algunos incluso recordarían haberla visto pasar por encima de sus cabezas.

Otro escalofrío. Su copiloto la miró con curiosidad.

La tierra era un recuerdo, y Kelly Tropper estaba donde tenía que estar: en el más luminoso de los elementos, con un compañero de armas.

Los dos solos... con su cargamento incendiario.

15

A medida que florecía una mañana despejada en Londres (en medio del cielo azul, las escasas nubes parecían punzadas de la conciencia), iba siendo evidente que aquel día cumpliría con los pronósticos: sería el más caluroso de lo que iba de año. Pocos de los telediarios de la tarde dejarían de mencionar ese hecho.

La muchedumbre avanzaba hacia el este. En líneas generales, se trataba de una muchedumbre altamente organizada, controlada en todo momento por la policía, pero ansiosa por mostrar ante las cámaras (que ya se agolpaban en las inmediaciones) que representaba un estallido espontáneo de ira colectiva, no una cínica manipulación de la inquietud colectiva. La encabezaba un contingente vociferante, armado con pancartas, que marchaba al son de los tambores. En las pancartas, rotuladas con plantillas, se leía: PAREMOS LA CIUDAD, APLASTEMOS A LOS BANCOS y NO MÁS RECORTES. También mostraban caricaturas de gatos gordos con sombrero de copa que encendían puros con billetes de cincuenta libras, y aquí y allá sobresalían muñecos de trapo y yeso con trajes de raya diplomática, bombín y muecas de codicia insaciable en la cara. Altavoz en mano, los delegados de los sindicatos gritaban con voz ronca a intervalos irregulares y, en los flancos, revoloteaban radicales vestidos con ropa de trabajo que vendían ejemplares del *Socialist Worker*. Pero por cada manifestante con rastas, o con cara de malhumor y chaqueta de cuero llena de imperdibles, había media docena de jóvenes de apariencia lozana y ropa informal de verano. Era una coalición variada de enfadados, y sus cantos aumentaban de volumen a medida que progresaba la marcha.

El grupo del medio era más plácido; sus pancartas estaban hechas a mano y repletas de referencias culturales y juegos de palabras: ABAJO TODO, sacado de *El padre Ted*, una serie de televisión irlandesa, o ¿SALVAR BANCOS? ¡QUE SE SIENTEN A ESPERAR! Entre el gentío había un montón de niños que se habían pintado la cara de gatos, perros, brujas o hechiceros en Hyde Park, y cuyos rostros verdes y rosa se iluminaban de asombro. Correteaban por todas partes pidiéndoles a los policías que los llevaran a caballo mientras sus padres se entregaban a la nostalgia del disenso público de la época de Margaret Thatcher. Porque, hasta cierto punto, esta manifestación era una especie de viaje al pasado, como demostraban algunas tímidas iniciativas de corear canciones de Bob Marley. Cuando un helicóptero los sobrevoló, el grupo estalló en vítores, aunque nadie supo muy bien por qué.

Finalmente, en la cola del grupo venían los que no parecían tan comprometidos, para los cuales aquella manifestación era menos una posibilidad de airear su descontento que de dar una vuelta por un Londres sin tráfico. Saludaban a las cámaras, posaban para los turistas, conversaban con los policías asignados a labores de pastoreo y, en general, lanzaban besos al mundo que los observaba. De todas formas, infiltrados en ese contingente, al igual que en el resto de la marcha, había gente con pasamontañas en los bolsillos y el corazón lleno de indignación ante la maldad y el permanente latrocinio de los bancos y los banqueros, convencida de que ni uno solo de aquellos millonarios chupasangres corregiría su vida por una simple manifestación. No: para que hubiera reformas, era necesario romper cristales, y ese día habría mucho de eso.

Aunque ni siquiera los anarquistas sabían en qué momento.

La manifestación siguió adelante por Oxford Street y comenzó a subir por High Holborn.

—Señor Pashkin.

—Señor Webb.

—Llámeme Jim, por favor. Bienvenido a la Aguja.

Dos necedades: a Spider nadie lo llamaba Jim y Pashkin ya había estado allí. Pero Pashkin no pareció advertir nada raro: se limitó a poner el maletín en el suelo para tomar la mano de Webb entre las suyas. No era el abrazo del oso que Webb había esperado, pero sí un firme apretón.

—¿Puedo ofrecerle algo? —dijo Webb—. ¿Café, pastas?

Ambos olores llegaban de la cocina.

—Nada, gracias. —Y luego, como para validar retrospectivamente el comentario de Webb, Pashkin echó una mirada a su alrededor con la actitud del que visita un lugar por primera vez—. Este sitio es realmente magnífico.

Webb lanzó una mirada al resto del grupo: Louisa Guy, Marcus Longridge, los dos rusos, y señaló hacia la cocina con un gesto.

—Si quieren tomar café...

Nadie quería un café.

Abajo, en los aparcamientos subterráneos, Marcus y Louisa habían registrado a Kyril y a Piotr para ver si llevaban armas y, a cambio, permitieron que ellos los registraran a su vez. Acto seguido, Marcus le preguntó a Arkady Pashkin si le importaba que revisara su maletín.

—Me temo que sí —respondió Pashkin con voz amable—. Hay documentos... en fin, supongo que no tengo que explicarle.

Marcus miró a Louisa.

—Llama a Webb —dijo ella.

Y fue entonces cuando Webb le dijo:

—¡Venga ya! Es un huésped distinguido, no una amenaza. Un poco de sentido común, por favor.

Y ahora Pashkin ponía sobre la mesa el maletín que nadie había revisado. De pronto, les ladró algo a sus hombres en su lengua común y Piotr y Kyril se apartaron del grupo. Marcus reaccionó instintivamente agarrando por el brazo al que le quedaba más cerca: era Kyril, que dio un salto atrás con los puños levantados. En cuestión de segundos, los dos estaban preparados para romperse el alma... hasta que los paralizó un grito de Pashkin:

—¡Por favor!

Kyril bajó los puños, Marcus le soltó el brazo.

Piotr se rió.

—Eres rápido, tío.

—Os pido disculpas —dijo Pashkin—, sólo les he pedido que revisen las cámaras.

—Están apagadas —contestó Webb—. ¿No es así?

Louisa miró a Pashkin.

—Están apagadas, tal como le dije.

Él asintió con solemnidad.

—Por supuesto, pero aun así...

Marcus alzó una ceja, pero Webb vio la oportunidad de recuperar la iniciativa y replicó:

—Como prefiera.

Ante la mirada de todos, Piotr y Kyril manipularon las cámaras que había sobre la puerta y en las esquinas, sacando los cables de sus revestimientos de una forma que no parecía provisional.

—Espero que entienda las circunstancias de mi situación —dijo Pashkin.

Webb parecía intentarlo, aunque se preguntaba si la destrucción de los equipos de seguridad podría traerle algún problema. Pashkin, mientras tanto, abrió el maletín y extrajo lo que parecía un micrófono. Cuando lo puso sobre la mesa, el aparato cobró vida.

—Pensé que todo estaba aclarado —dijo Marcus con una mano en la otra como si se masajeara los nudillos después de golpear a alguien. Con un gesto, señaló el aparato—: Nada de esto se está grabando.

—Desde luego —dijo Pashkin—, pero ahora todos podemos estar seguros de ello.

El aparato vibraba suavemente convirtiendo en ruido blanco todo lo que pudiera captar un equipo de escucha.

Agarrándose las manos igual que Marcus, Kyril estudiaba a su contrincante. Parecía estar divirtiéndose.

—¿Hay algo más en ese maletín de lo que debamos estar al corriente? —dijo Louisa.

—Nada que deba alarmarlos —dijo Pashkin—. Pero, por favor —añadió con un gesto repentinamente expansivo, como el de quien libera a una paloma—, sentémonos y comencemos. —Echó una mirada a su reloj—. Bueno, ahora sí que me tomaría ese café.

River aún sostenía el móvil contra la oreja cuando el jeep los alcanzó y un soldado saltó a tierra. Era joven, de aspecto atlético y hombros anchos.

—¿Catherine?

—¿Puede dejar el móvil, por favor?

—¿Algún problema? —Dijo Griff Yates—. Estamos dando un paseo y la verdad es que nos hemos perdido.

—Llama a Regent's Park: probable Código Septiembre.

—Señor. El móvil, por favor.

El soldado se acercó.

—Hoy, esta misma mañana.

—El móvil, ahora mismo.

Cuando el soldado le puso una mano encima, todo el miedo y la tensión de la noche pasada encontraron brevemente una vía de escape. River le abrió los brazos de un golpe, le propinó una patada en la rodilla y luego lo agarró por la garganta con su mano libre cuando el soldado perdía ya el equilibrio.

—¡Dios mío! —exclamó Griff en el momento en que el otro soldado saltaba del jeep desenfundando una pistola.

—River —Catherine hablaba con voz serena—, necesito que sigas el protocolo.

—¡Baje el móvil! ¡Las manos arriba! ¡¡¡Ahora!!!

Palabras gritadas, no dichas; o bien los habían entrenado para proceder así o bien el segundo soldado estaba perdiendo el control.

—Mand...

Un tiro cortó su frase.

—Vale —dijo Ho—. ¿Tienes coche?

—¿Estás de broma?

No lo estaba. Buscó un taxi en Aldersgate, miró hacia un lado y hacia el otro... Cuando volvió a mirar a Shirley Dander, ella estaba ya al otro lado de la calle, corriendo.

«Mierda.»

Se quedó allí un segundo más, esperando que ahora fuera ella quien bromeara, pero cuando desapareció tras la esquina tuvo que aceptar la triste verdad: iban a ir corriendo hasta la Aguja.

Y, maldiciendo a Shirley Dander, maldiciendo a Catherine Standish, Roderick Ho también echó a correr.

—Mand...

«Mandarín» era la primera palabra del protocolo de River Cartwright, las otras eran «dentista» y «tigre», pero cuando Catherine volvió a llamar sólo oyó una frase: «Número no disponible.»

«Código Septiembre.» Esa parte la había completado. «Probable Código Septiembre. Hoy, esta misma mañana.»

Catherine estaba sola en la Casa de la Ciénaga. Lamb no había aparecido todavía, y Ho y Shirley Dander se acababan de marchar a la carrera.

Código Septiembre... No era una designación oficial, pero la usaban con frecuencia; la referencia era obvia:

Código Septiembre no significaba simplemente que iba a producirse un acto terrorista, significaba que alguien pretendía estrellar un avión contra un edificio.

Aquella posibilidad la hizo dar un respingo. Sólo tenía dos opciones: podía suponer que River se había vuelto loco o podía lanzar una respuesta masiva a una alerta de la que no tenía ninguna evidencia concreta.

Llamó a Regent's Park.

La manifestación se había convertido en una larga y sinuosa lombriz que serpenteaba por el corazón de Londres. La cabeza había cruzado el viaducto de Holborn, la punta de la cola estaba todavía en Oxford Street. Los contingentes parecían no tener ninguna prisa; cada vez estaba más claro, según aumentaba el calor.

En Centre Point, sin embargo, unas barreras de construcción bloqueaban el paso a Charing Cross Road, y el sonido de las excavadoras ahogó los cánticos. Justo en esa estrecha intersección, un niño pequeño tomó a su padre de la mano y señaló el cielo. El hombre volvió la vista hacia arriba y, entornando los ojos, alcanzó a ver una especie de relámpago, un rayo de luz que se reflejaba en una ventana de la lejana Aguja. Hizo reír a su hijo al levantarlo para ponérselo sobre los hombros. Siguieron su camino.

Cuando el segundo soldado disparó, River dejó caer el móvil. El disparo pasó por encima de su cabeza, pero era imposible saber a ciencia cierta adónde había apuntado el tirador. El primer soldado se zafó y le lanzó un puñetazo a River, que, al esquivarlo, resbaló y cayó de rodillas. Una pesada bota aplastó su móvil. Griff Yates dio un grito de furia o de inocencia y River trató de buscar su identificación del servicio secreto...

—¡Las manos arriba!

—¡Pare!

—¡Al suelo! ¡Ahora!

River se tiró sobre la hierba.

—¡Muestre las manos! ¡Muestre las manos!

Tenía las manos vacías.

Con una naturalidad aterradora, el segundo soldado le propinó un culatazo a Griff Yates con su pistola y éste cayó de rodillas con la cara ensangrentada.

—¡Soy de la Inteligencia británica! —gritó River—. Del MI5. ¡Hay una emergencia nacional a punto de...!

—¡Cállese! —le gritó el primer soldado—. ¡Cállese ahora mismo!

—¡... estallar y ustedes no están ayudando...!

—¡Cállese!

River se puso las manos en la cabeza.

La voz de Yates, entre sollozos, apenas se alcanzaba a oír:

—¡Pero qué coño haces! ¡Me has partido la ceja, hijo de...!

—¡¡¡Cállese!!!

—¡... puta!

Antes de que River pudiera añadir nada más, el segundo soldado golpeó de nuevo a Griff Yates.

En Regent's Park, una de las innumerables mujeres elegantes, a la moda e increíblemente eficientes contestó al teléfono, escuchó con atención, puso la llamada en espera y llamó al Cuartel General de Comunicaciones: al despacho de paredes de cristal donde Diana Taverner llevaba dos horas sin disfrutar en absoluto de la mañana porque no estaba sola. Roger Barrowby, que en esos días revisaba los movimientos económicos diarios del núcleo operacional del Servicio, estaba compartiendo despacho con ella como si le hiciera un favor. Últimamente le había dado por llegar a Regent's Park tan temprano como la mismísima Lady Di. Solía ir con el escaso pelo peinado de manera que pareciera tener más del que tenía, el prominente mentón afeitado con sutileza y frotado con agua de colonia, y su cuerpo de hombre maduro sutilmente encajado en un traje de raya diplomática. La intención de todo ello era, al menos en apariencia, dar la impresión de que Taverner y él «estaban en el mismo barco», de que «juntos eran los puntales de esa institución». Diana empezaba a pensar, un tanto preocupada, que aquello podía ser una especie de ritual de cortejo. A Barrowby no le importaba la capacidad financiera del Servicio: sólo demostrar que era él quien tiraba de los hilos que hacían bailar a los demás, y lo que más disfrutaba era de tirar de los hilos de la Taverner, tal vez por el hecho de que ella parecía ofrecer cierta resistencia.

Esa mañana, Barrowby, más que ocupar el sillón de los visitantes, de cuero negro y estructura de cromo, que Taverner había heredado del titular anterior de su oficina, parecía estudiarlo.

—¿Es realmente un Mies van der Rohe?

—¿Tú qué crees?

—Es que son terriblemente caros: no quisiera pensar que en estos tiempos de estrecheces el presupuesto del Servicio se va en mimarle el trasero a la gente.

«Mimar traseros» era una de esas frases que caracterizaban a Barrowby: tenía momentos de tanta picardía que Stephen Fry habría parecido un pestiño a su lado.

—Roger, es una copia de Ikea. La única razón por la cual no está metida en un contenedor es porque en estos tiempos de «estrecheces» el presupuesto del Servicio «no me permite» reemplazarla.

Sonó el teléfono.

—¿Me disculpas un momento?

Él se acomodó en el objeto de la discusión.

Conteniendo un suspiro, Taverner contestó. Un instante después, dijo:

—Pásemela.

• • •

El pavimento palpitaba bajo los pies de Shirley Dander al mismo ritmo que su corazón. Pronto tendría que ralentizar el paso. ¿No había leído en los manuales que debía correr, luego bajar el ritmo y caminar un tramo para después acelerar de nuevo?

Tal vez en los libros de *jogging*, pero no en el manual del servicio secreto.

Se arriesgó a echar una mirada atrás: Ho se había rezagado unos cientos de metros; corría como un borracho con los tobillos de mantequilla y probablemente a esas alturas ni siquiera estaría en condiciones de alzar la cabeza para mirar hacia donde estaba ella, así que se detuvo a respirar un poco con una mano en las costillas y la otra apoyada en la pared. Estaba en un pequeño parque, rodeada de árboles, matorrales, césped. Un grupo de madres (sus crías estarían amarradas en sus carritos o balanceándose en los columpios) bebían café en un puesto de comidas cerca del pasaje que daba a Whitecross Street. Shirley lo atravesó y sólo entonces levantó la vista: allí estaba la punta de la Aguja, visible incluso desde aquel desfiladero rodeado de edificios.

Algo estaba ocurriendo allí, aunque Shirley no tenía ni idea de qué se trataba. En cualquier caso, por fin la habían incluido en alguna operación.

Tomó aire y volvió a ponerse en marcha. No había señales de Ho, pero tampoco importaba mucho: si tenías problemas con el arranque de Windows, Ho era el hombre indicado, el resto del tiempo no era más que un estorbo.

Con la cabeza vibrando como su corte de pelo, Shirley siguió corriendo.

En la entrada del mismo parque, Roderick Ho se aferró a la verja y rezó. No estaba seguro de por qué rezaba, pero así tal vez convenciera a sus pulmones de que lo perdonaran. Para ellos, era como si Ho hubiera estado tragando fuego.

Un coche se detuvo detrás de él.

—Oiga, ¿se encuentra bien?

Ho se dio la vuelta y vio el milagro que había estado esperando: un taxi, un bellísimo taxi, grande y negro, y además disponible.

Ho se desplomó en el asiento trasero y logró decir con voz entrecortada:

—A la Aguja.

—Ahora mismo.

Y se pusieron en marcha.

River parpadeó.

El segundo soldado le lanzó otro puñetazo a Griff Yates, pero él lo esquivó con una maniobra sorprendente, lo agarró del brazo, le retorció la muñeca, le quitó la pistola y lo tumbó boca abajo en suelo. Cualquiera hubiera jurado que era una coreografía: la sangre que le cubría la cara era como la máscara de un demonio. Por un instante, River pensó que iba a disparar, pero en vez de eso le apuntó al primer soldado.

—¡Suelta el arma! —le gritó—. ¡Ahora!

El soldado era apenas un jovencito; igual que su compañero. La pistola le temblaba en la mano. River se la arrebató sin esfuerzo.

Acto seguido, le dijo a Yates:

—Tú también.

—¡Este cabrón me ha partido la cara!

—Dame la pistola, Griff.

Griff le dio la pistola.

—Soy del MI5 —dijo River.

Y esta vez los soldados le prestaron atención.

El edificio se había llenado de vida en las últimas horas, pero en la planta de Molly Doran sólo se oía el gorgoteo de las viejas y laberínticas cañerías. La elegante y esplendorosa superficie de Regent's Park enmascaraba el viejo exoesqueleto sobre el cual se había erigido y, como si se tratara de una nueva propiedad construida sobre un cementerio, a veces podía oírse el rumor de fantasmas que no descansaban en paz.

O eso decía Molly.

—Pasas mucho tiempo sola, ¿verdad? —dijo Lamb.

Las probabilidades de descubrir algo nuevo se habían agotado: todo lo que sabían de Nikolai Katinsky, de Alexander Popov, cabía en una hoja de papel. «Una serie de mentiras conectadas entre sí», pensó Lamb, «como uno de esos acertijos visuales: ¿era la silueta de un jarrón o de dos personas hablando?» La verdad estaba en la línea misma del dibujo: no era ninguna de las dos cosas, sólo un trazo pensado para engañar.

—¿Y ahora qué? —preguntó Molly.

—Necesito pensar —dijo él—. Me voy a casa.

—¿A casa?

—Quiero decir, a la Casa de la Ciénaga.

Ella alzó una ceja y en su maquillaje aparecieron pequeñas grietas.

—Si lo que necesitas es un poco de silencio, te puedo facilitar un rinconcito.

—No necesito un rinconcito —dijo Lamb distraídamente—: necesito otro par de oídos.

Ella sonrió, aunque con cierta amargura.

—Como prefieras. ¿Hay alguien especial que está esperándote?

Lamb se puso de pie y el taburete crujió como si lo agradeciera. Miró a Molly: la cara demasiado pintada, el cuerpo robusto, las ausencias debajo de las rodillas...

Se limitó a decir:

—¿Y tú qué tal? ¿Cómo lo has llevado?

—¿Te refieres a cómo me ha ido a lo largo de estos quince años?

—Sí. —Con el pie le dio un golpecito a la rueda que tenía más cerca—. Desde que acabaste en este cacharro.

—Este cacharro —contestó ella— me ha durado más que la mayoría de mis relaciones.

—¿Tiene vibrador?

Ella se rió.

—Por Dios, Jackson. Si repites eso por ahí arriba, te juro que te llevan a juicio. —Inclinó la cabeza. —No te culpo, ¿sabes?

—Pues qué bien.

—Por mis piernas, quiero decir.

—Yo tampoco me culpo.

—Pero te alejaste.

—Pues sí: pensé que una vez montada en este coche nuevo querrías tiempo para disfrutar de cierta privacidad.

—Vete ya, Jackson —dijo ella—. Y hazme un favor, ¿quieres? Vuelve sólo cuando necesites algo, aunque sea en quince años.

—Cuídate, Molly.

En el ascensor, se puso el cigarrillo en la boca, preparándose para salir al aire libre. Ya estaba contando los segundos.

—¿Por qué viniste a buscarme? —le dijo River a Griff.

Estaban en la parte trasera del jeep. Los soldados iban en los asientos delanteros: les habían devuelto las pistolas, lo que era un poco arriesgado porque cabía la posibilidad de que les pegaran un tiro y los enterraran en algún lugar remoto; pero en cuanto River les mostró su identificación del servicio secreto los chicos entraron en modo cooperativo. Uno de ellos estaba hablando por radio, el hangar pronto se llenaría de militares.

Yates seguía cabreado: parecía que un carnicero hubiera usado su pañuelo y aun así no había conseguido limpiarse, sólo embadurnarse la cara de sangre.

—Ya dije que lo sentía, que...

—Eso no me importa, quiero saber por qué viniste a buscarme.

—Por Tommy Moult... —respondió Yates.

—¿Qué pasaba con él?

—Lo vi allí arriba, en el pueblo: me preguntó si habías vuelto sano y salvo y entonces pensé que tal vez estuvieras... En fin, ya sabes, que tal vez hubieras sufrido alguna herida.

Quería decir que tal vez hubiera salido volando en pedazos.

—Mierda —dijo River—. Fue idea suya, ¿verdad? Lo de llevarme de excursión al campo de tiro y dejarme allí.

—Jonny...

—¿Fue idea suya o no?

—Es posible que lo sugiriera.

El jeep no tenía puertas: no le habría costado ni un segundo empujar a ese cabrón y echarlo fuera.

—Tommy Moult sabe todo lo que pasa en Upshott —explicó Yates—. Uno cree que lo único que hace es ir arriba y abajo con su bicicleta y vender manzanas, pero conoce a todo el mundo, y lo sabe todo.

River ya se había dado cuenta de eso.

—Se aseguró de que yo estuviera allí —dijo—, y de que viera lo que vi; incluso de que me liberaras a tiempo para hacer algo al respecto.

—¿De qué hablas?

—¿Dónde estaba él esta mañana?

—En la esquina de la iglesia. —Yates se frotó la mejilla—. ¿De verdad eres un agente secreto?

—Sí.

—¿Y por eso Kelly...?

—No —dijo River—: eso fue porque quiso, acéptalo.

El jeep giró y frenó bruscamente. Estaban en el club aeronáutico, con su pista de aterrizaje en miniatura y su hangar vacío.

River saltó del vehículo.

• • •

Roger Barrowby se había puesto pálido, lo cual le encantó a Diana Taverner. Su mañana había dado un vuelco: Ingrid Tearney estaba fuera del país y, como director del Departamento de Control Presupuestario, Barrowby podía ponerse al mando, pero parecía que la única decisión que estaba a su alcance en ese momento era en qué dirección vomitar. Los comentarios traviesos ya eran historia: tendría que haberse quedado en la cama.

—Roger, tienes cuatro segundos para tomar una decisión —dijo ella.

—El ministro del Interior...

—... tiene la última palabra, aunque se basará en la información que le demos. La cual ya tienes. Tres segundos.

—¿Un agente de campo? ¿A eso se reduce todo?

—Sí, Roger, como en tiempos de guerra.

—Dios mío, Diana, si tomamos la decisión equivocada...

—Dos segundos.

—... nos pasaremos lo que nos queda de carrera repartiendo el correo.

—Eso es lo que hace que la vida sea interesante por aquí, Roger. Un segundo.

Barrowby levantó las manos con desesperación.

—No lo sé, Diana. Todo lo que tienes es un mensaje incompleto de un caballo lento que está perdido en la campiña. Ni siquiera cumplió el protocolo.

—Roger, ¿sabes acaso que significa Código Septiembre?

—Sé que no es una designación oficial —dijo con fastidio.

—Se me han acabado los números. No sé si esto es real o no, pero si se lo ocultas al ministro un segundo más estarás faltando gravemente a tus obligaciones.

«Estarás»: disfrutó al pronunciar esa palabra.

—Diana...

—¿Roger?

—¿Qué hago?

—Lo único que puedes hacer —respondió ella y le dijo de qué se trataba.

Habían estado hablando diez minutos, pero aún no se había dicho nada importante; Arkady Pashkin se aferraba a los grandes temas: qué estaba pasando con el euro, de qué lado se inclinaría Alemania la próxima vez que uno de los estados miembros de la UE necesitara un rescate, cuánto dinero estaría dispuesta a ofrecer Rusia por el mundial de fútbol. Spider Webb parecía uno de esos anfitriones que se desesperan mientras su invitado se dedica a contar gracietas de sus hijos.

Marcus parecía más tranquilo, aunque en ningún momento apartaba la vista de Kyril y Piotr. Louisa se acordaba de Min (apenas conseguía dejar de recordarlo a cada momento) y de cuánto había desconfiado de aquel par de matones, en parte porque era su trabajo, pero también porque siempre estaba ansioso por entrar en acción.

Tuvo que tragar saliva para no echarse a llorar.

Pashkin finalmente había pasado a perorar sobre el tema de los precios del combustible, la razón aparente de aquella cita, pero Webb seguía sin parecer muy contento. «Esto no está saliendo como él esperaba», pensó Louisa. «Tan sólo consigue intercalar frases del tipo "Ya veo" y "Exactamente". Según sus planes, esto tendría que ser un reclutamiento, pero ahora no sabe qué hacer.»

Arkady Pashkin parecía tener su propio plan: perder el tiempo hasta que...

Un sonido agudo y repetitivo les llegó de todas partes al mismo tiempo: de arriba, de abajo, del otro lado de las puertas... No era sólo penetrante, sino taladrante, y el mensaje que transmitía era diáfano e inconfundible: «salgan ahora mismo».

Marcus se volvió hacia los enormes ventanales buscando un peligro inminente; Webb se puso de pie tan bruscamente que su silla volcó y cayó al suelo.

—¡Qué demonios es eso! —exclamó.

Louisa pensó que era la pregunta más estúpida que había oído nunca, lo cual no le impidió formular otra equivalente:

—¡¿Qué ocurre?!

Pashkin, todavía sentado, dijo:

—Parece la situación de emergencia de la que hablamos ayer.

—Usted lo sabía.

Pashkin metió la mano en el maletín y sacó una pistola que le entregó a Piotr.

—Sí —dijo—, me temo que sí.

El hangar parecía más grande en ausencia de la Skyhawk. Las puertas estaban abiertas de par en par y el sol iluminaba cada rincón haciendo evidente lo que no estaba allí: los sacos de fertilizante, por ejemplo. Había una pequeña cantidad de fertilizante en el suelo, como si uno de los sacos se hubiera roto, pero eso era todo.

A sus espaldas, Yates dijo:

—Yo mismo la vi marcharse bastante temprano.

—Lo sé.

—Hay algo muy raro en todo este asunto del avión, ¿no es cierto?

River ya no lo escuchaba: allí no había sólo restos de fertilizante.

Se arrodilló para observar desde un ángulo tan próximo al suelo como se lo permitía su maltrecho cuerpo. Sobre el cemento, un ligero rastro de polvo marrón serpenteaba hacia la puerta lateral.

Justo en ese momento, otro jeep llegó derrapando y River oyó la voz chillona de un oficial dando órdenes: empezaban a rodar cabezas.

Tenía la sensación de estar en el extremo de una larga cuerda, y el cabrón del otro lado no dejaba de tirar de ella.

—Si Kelly está en peligro... —dijo Yates.

No terminó la frase pero, a juzgar por sus ojos inyectados en sangre, probablemente significaba que estaba dispuesto a golpear algo hasta convertirlo en gelatina.

—¡¿Qué sucede aquí?!

Ahí estaba el oficial con su uniforme de oficial, un detalle que, a sus ojos, debía de valer más que el hecho de encontrarse en territorio civil.

River le dijo a Yates:

—Cuéntaselo tú.

Y se dirigió a la puerta lateral.

—¡Usted! ¡Deténgase de inmediato!

Pero River estaba ya al otro lado, junto a la pared del hangar que daba al este, desde donde podía verse la valla que bordeaba el campo de tiro del Ministerio de Defensa, el campo en sí (una anodina extensión de verdes superpuestos), un contenedor de basura con ruedas que estaba encadenado a uno de los postes y lleno hasta el borde, y un montón de sacos de fertilizante, uno de los cuales estaba abierto por un costado. Una pequeña parte de su contenido se había derramado en tierra. River le dio una patada, pero el saco, sólido y concreto, no se movió.

El oficial no tardó en plantarse a su lado.

—¡Usted atacó a mis hombres! —dijo su voz—. Y, según ellos, asegura ser del servicio secreto; ¿qué está ocurriendo aquí exactamente?

—Necesito hacer una llamada, ¿tiene móvil? —le preguntó River.

16

Arriba, en el cielo, unos cuantos kilómetros al sureste, sobrevolando las urbanizaciones de los alrededores de Londres (una sucesión de techos rojos y grises interrumpida por sinuosas franjas de pavimento bordeado de árboles, salpicadas aquí y allá de campos de golf), Kelly Tropper se sentía cada vez más emocionada: ése no era un vuelo ordinario, tendría un final distinto.

Como si quisiera subrayarlo, la radio había empezado a balbucear algo: que se identificaran inmediatamente... que si estaban teniendo problemas técnicos lo notificaran cuanto antes... que en caso contrario debían regresar a la ruta establecida o sufrirían serias consecuencias...

—¿A qué se referirán con «serias consecuencias»?

—No te preocupes —dijo Damien Butterfield—. Aunque, la verdad, pensaba que tardarían más en darse cuenta.

—Todo está bajo control, ¿no? Tommy dijo que esto podía pasar.

—Ya, pero Tommy no está aquí, ¿verdad?

No valía la pena responder a eso.

Como los demás miembros del club de aviación, Damien y Kelly habían crecido juntos: eran hijos de recién llegados que se habían mudado de lugares más grandes y ostentosos al bonito y semiabandonado pueblo de Upshott, una decisión incomprensible (en eso todos coincidían), pero que no había salido nada mal. Para Kelly, por ejemplo, había supuesto la oportunidad de acceder a una avioneta como aquélla (propiedad de Ray Hadley, pero cuyo mantenimiento corría a cuenta de ella y de sus amigos, lo mismo que el alquiler del hangar). A veces se preguntaba si no había algo más: si no era la cobardía la que la anclaba en el pueblo de su infancia; un miedo a fracasar en el mundo real, aunque Tommy le había dicho que...

Qué gracioso era lo de Tommy, por cierto: todo el mundo creía que lo único que hacía era vender manzanas y semillas con su bicicleta, pero conocía a todo el mundo en Upshott y sabía con detalle cada cosa que pasaba allí, como si recibiera informes de todos, como si fuera el centro de una red. Con Tommy siempre se podía hablar, y siempre sabía qué estaba pasando en tu vida. Le ocurría a ella y a todos sus amigos, pero también a sus padres: su padre siempre charlaba con él cuando no estaba en la tienda o haciendo sus rondas por el pueblo, dedicándose a los trabajos de mantenimiento con los que se ganaba un dinero extra. Era curioso que siempre desapareciera entre semana, y que nadie supiera adónde iba, pero en fin: tal vez había otro pueblo en donde llevaba una existencia parecida con personas distintas. El caso es que Kelly nunca había hablado con nadie al respecto porque nadie hablaba nunca de Tommy Moult: era el secreto de todos y cada uno de ellos. De manera que sí, era gracioso lo de Tommy, aunque hacía tiempo que había dejado de preguntarse por qué: era simplemente parte de la vida en Upshott, y nada más.

Lo que Tommy le había dicho era que había muchas formas de probar nuestra valentía y dejar huella en el mundo real, muchas formas.

Ahora le resultaba difícil recordar de quién había sido la idea de lo que iba a hacer aquella mañana, si de ella o de Tommy Moult.

Damien Butterfield, a su lado, preguntó:

—¿Ya casi llegamos? —y se rió de su propia broma.

La radio volvió a graznar y Kelly Tropper también rió y la apagó enseguida.

En alguna parte al noroeste de su posición, despegaban dos aviones más: elegantes, oscuros, peligrosos, preparados para cazar.

El conductor del taxi seguía con su interminable perorata contra los malditos manifestantes que lo único que conseguían era perjudicar a los esforzados taxistas, porque si de verdad les interesara saber lo que había que hacer con los bancos...

—Aquí está bien —lo interrumpió Ho.

Le alargó un billete y se bajó de un salto para seguir a Shirley Dander.

—Mi-i-i-ierda —alcanzó a decir ella entre bocanadas de aire. A Ho le encantó verla hecha una piltrafa.

Estaban justo enfrente de la entrada de la Aguja, a través de cuyas inmensas paredes de cristal se podía ver un impresionante y gigantesco bosque vivo. Sin embargo, antes de que Ho pudiera comentarlo estalló una descarga de sirenas; fue como si las alarmas de todos los coches de la City se hubieran activado al mismo tiempo.

—¿Qué está pasando?

Por un instante, Ho pensó que la manifestación había llegado; podía oírla a lo lejos: un rumor que hacía pensar en un partido de fútbol itinerante. Pero la gente que salía a la calle desde las puertas llevaba trajes elegantes: no eran los manifestantes, sino aquellos contra los que se manifestaban. Atravesaban las puertas giratorias de la Aguja con cara de no saber cuál sería su próximo movimiento y, en su mayoría, se detenían para mirar el edificio del que acababan de salir y luego a su alrededor, constatando que, lo que fuera que estaba ocurriendo, ocurría en todas partes.

Shirley había recobrado el aliento.

—Vale, entremos.

—Pero todo el mundo está saliendo... —balbuceó Ho.

—Por todos los cielos. Te acuerdas de que eres del MI5, ¿verdad?

—Sí, pero sobre todo me dedico a la documentación y también...

Shirley ya se abría paso a empujones entre la multitud que salía por las puertas.

La pistola se veía de lo más natural en la mano de Piotr, como si hubiera sido una taza de café o una botella de cerveza. Le apuntó a Marcus.

—Las manos sobre la mesa.

Marcus hizo lo que le decía.

—Todos.

Louisa obedeció.

Tras unos segundos de vacilación, Webb hizo lo mismo.

—Mierda —dijo, y un instante después repitió—: Mierda.

Pashkin cerró el maletín de golpe. La alarma seguía sonando, así que tuvo que alzar la voz.

—Os quedaréis aquí, a buen recaudo. Esas puertas son bastante buenas. Os irá mejor si esperáis a que alguien venga a ayudaros.

—Creía que estábamos... —dijo Webb.

—Cierra la boca.

—... haciendo algo...

—Estabais haciendo algo —lo cortó Kyril—: ayudándonos.

—Vaya, creía que no hablabas inglés —dijo Louisa.

Marcus los miraba fijamente.

—No vais a encerrarnos sin más.

—Lo sé.

Entonces Kyril dijo algo en ruso que hizo reír a Piotr.

La alarma seguía sonando, hinchándose y deshinchándose: estarían evacuando todas las plantas, los ascensores se habrían bloqueado y las puertas de las escaleras se habrían abierto automáticamente. La gente se reuniría en los vestíbulos y en los distintos puntos de encuentro en caso de emergencia, y los de seguridad tendrían listas de nombres que irían tachando a medida que comprobaban las tarjetas de la gente. Pero ninguno de los que estaban en el piso setenta y siete aparecía en ninguna de esas listas, así que su presencia no constaba en ningún cuadro de control.

Webb se incorporó.

—Miren, no sé para qué será esa alarma, pero... —alcanzó a decir.

Y Piotr le disparó a bocajarro.

Setenta y siete plantas más abajo, la gente se agolpaba en las calles. Algunos expresaban la contrariedad que sigue a una interrupción desagradable, otros encendían alegremente un cigarrillo que no habían previsto encender, pero en cuanto se daban cuenta de que todos los edificios de la zona, y no tan sólo el suyo, estaban siendo evacuados, se quedaban de piedra: de pie, quietos, mirando hacia el cielo. Muchos estaban acostumbrados a los simulacros y las falsas alarmas, pero esas cosas jamás ocurrían en muchos sitios a la vez. Ahora, en cambio, todo estaba sucediendo al mismo tiempo, y los pensamientos más sombríos florecieron aquí y allá. La City entera rompió a correr; las direcciones variaban, pero la intención era la misma: estar lo antes posible en otra parte. La cosa era que los edificios tenían diez, quince, veinte plantas, y cada una de ellas estaba repleta de personas que trabajaban, y ya fuera en sus escritorios, en las salas de juntas, reunidos alrededor de la máquina de café o charlando en los corredores, todos oían lo mismo: la alarma que les ordenaba salir. Los que se detenían a mirar por la ventana contemplaban a las multitudes procurando alejarse en todas direcciones, y eso no conducía a una evacuación ordenada precisamente. Pronto, los empujones se transformaron en agresiones, las pequeñas ondas de pánico se convirtieron en auténticas olas y las voces de la razón se ahogaron en la marea.

Esto no ocurría en todos los casos, pero sí a menudo: a medida que la City iba informando a sus abejas obreras de la posibilidad de un ataque terrorista, algunas de ellas se enfrentaron entre sí a aguijonazo limpio.

Más tarde se sabría que la mayoría de las lesiones resultantes se habían producido en los edificios donde trabajaban los banqueros. O los banqueros y los abogados, para ser precisos: era difícil distinguirlos.

Fumando de nuevo, Jackson Lamb caminaba encorvado por una de las terrazas elevadas del complejo del Barbican en dirección a la Casa de la Ciénaga. Sobre su cabeza se alzaba Shakespeare o Tomás Moro (nunca era capaz de acordarse de cuál de las torres recibía cada uno de esos nombres), y más allá había un banco que conocía bien. En una ocasión, se quedó dormido allí sosteniendo un vaso de papel en el que había habido café; cuando se despertó, encontró cuarenta y dos peniques dentro.

Ahora se sentó en el mismo banco para terminarse el cigarrillo. Por encima y detrás de él se erguían amenazantes los años setenta, construidos con vidrio y cemento; un poco más allá, la Edad Media, con la forma de la iglesia de San Gil de Cripplegate, y al este un sonido de sirenas que tocó un buen rato a la puerta de su mente distraída y finalmente entró. Un par de coches de bomberos pasaron con estrépito junto a la Muralla de Londres seguidos de una patrulla de la policía. Lamb se detuvo en medio del gesto de llevarse el cigarrillo a la boca, casi tocándose los labios con los dedos. Pasó otro coche de bomberos. Lamb tiró el cigarrillo y buscó el móvil en la chaqueta.

«Taverner», pensó. «¿Qué has hecho?»

Webb se derrumbó al tiempo que un chorrito rosáceo saltaba por los aires y luego caía sobre la alfombra, manchándola. Marcus y Louisa se tiraron al suelo al mismo tiempo. Entonces, un segundo disparo hizo una muesca en la superficie de la mesa salpicando astillas. Pero no había otro refugio posible. Tenían un segundo, tal vez menos, antes de que Piotr se agachara y les disparara directamente a la cabeza. En medio del pánico, Louisa miró a Marcus meter la mano por debajo de la mesa y despegar algo que, en su mano, parecía tan natural como una taza de café o una botella de cerveza. Disparó, se oyó un grito y un cuerpo cayó al suelo. Voces levantadas maldijeron en ruso. Marcus se incorporó y disparó de nuevo, la bala dio en las puertas antiincendios que se cerraban.

Al otro lado de la mesa, Kyril yacía en el suelo agarrándose la pierna izquierda, destrozada de la rodilla hacia abajo.

Louisa sacó el móvil mientras Marcus, pistola en mano, corría hacia las puertas. Al tratar de abrirlas, alcanzó a ver el enorme candado que abrazaba las manijas exteriores: otro regalo del maldito maletín de Pashkin. Hizo otro intento y entonces dio un salto atrás, justo en el momento en que una bala impactaba en la puerta desde el otro lado.

En el vestíbulo, el sonido de la alarma parecía girar en espiral; Marcus logró distinguir, por debajo del ruido, las pisadas de los dos hombres que llegaban a la escalera del final del pasillo.

A medida que la manifestación se acercaba a la City (la cabeza rodeando la catedral de San Pablo, la cola rezagada más allá del viaducto), una nueva consciencia la recorría: una resonancia mórfica alimentada por Twitter. Todo el cuerpo de la lombriz oyó los rumores casi al mismo tiempo: que la City estaba colapsada porque los edificios estaban siendo evacuados, que los palacios de las finanzas se desmoronaban a medida que se acercaba la multitud. Con esas noticias vino un cambio de ánimo: apareció ese triunfalismo agresivo que quiere ver al enemigo con la cabeza destrozada contra el pavimento. Se corearon nuevas consignas, más fuerte que nunca; la multitud apresuró el paso. Sin embargo, como contrapunto de aquellos indicios de victoria, otro estremecimiento avanzaba hacia el oeste: que habían tirado de la manta y el peligro había quedado al descubierto allí delante.

En primer lugar, en forma de policías antidisturbios.

—Debido a circunstancias imprevistas, la manifestación se ha cancelado. Les rogamos que den la vuelta y regresen hacia Holborn, donde podrán dispersarse.

Los vehículos blindados que hasta ahora habían sido meras sombras negras empezaron a desembuchar cascos y escudos mientras se cortaba el acceso a Cheapside. Detrás de ellos, en alguna parte, había un hombre con un altavoz.

—Más adelante, las calles están cerradas. Repito, la ruta está cerrada y esta manifestación se ha cancelado.

El ruido de sirenas que flotaba en la distancia subrayaba sus palabras.

Durante dos minutos que se convirtieron en cuatro, la cabeza de la marcha dejó de avanzar, pero fue engrosándose hasta llenar el cruce del lado este de la catedral, y los mensajes todavía circulaban de arriba abajo igual que una lombriz se comunica a sí misma la noticia de su propio descuartizamiento. Detrás, a intervalos regulares, nuevas unidades tácticas surgidas de la nada rompían la columna y conducían a los grupos a plazas y calles estrechas para luego sellar las salidas. Las consignas dejaron lugar a la ira contenida. Los ánimos se enervaban. Gatos y perros, brujas y hechiceros, se aferraban a las piernas de sus padres y algunos manifestantes, hasta ese momento pacíficos, empezaron a escupir en la cara a los policías inmóviles. Sobre sus cabezas, el ruido palpitante de las aspas de los helicópteros se hacía audible y desaparecía, se hacía audible y desaparecía, ora ahogando las alarmas estruendosas de la City, ora convirtiéndose en su sección rítmica. Mientras tanto, la City misma salía en una procesión menos organizada, huyendo de los rumores de destrucción y llegando a oleadas frente a las líneas policiales que cerraban el acceso a Cheapside.

—Más adelante las calles están cerradas y esta manifestación se ha cancelado.

La primera botella surgió de la multitud trazando un arco a poca altura. Al girar en el aire, salpicó a los policías con un líquido que podía ser agua, pero también pis, y luego estalló contra el suelo. Otras botellas la siguieron.

Y de arriba abajo de la lombriz, escondidos en lo que había sido una muchedumbre y ahora era un grupo de muchedumbres, los que habían llegado con máscaras en el bolsillo sintieron que los llamaban a escena y se las pusieron: había llegado el momento de romper cristales, de incendiar coches y de tirar piedras.

Las primeras llamas brotaron como flores tempranas de primavera: el viento se las llevaba con facilidad, esparciéndolas a kilómetros de distancia.

—La amenaza es creíble, Lamb.

—¿Creíble? ¿Una avioneta de tres al cuarto va a estrellarse contra un edificio de la City? ¿Estás segura de que es creíble?

—Estoy segura de que no quiero correr el riesgo.

—¿Vas a derribarla?

—Hay dos Harriers en el aire ahora mismo: harán lo que sea necesario.

—¿Sobre el centro de Londres?

—Si es necesario...

—Pero ¿te has vuelto loca?

—Mira, Jackson, esto es exactamente lo que nos ha preocupado durante todos estos años; esto o algo parecido.

—¿De qué estás hablando? ¿De un once de septiembre de segunda mano? ¿Tú crees que un espía soviético viejo y desgastado sería capaz de algo así? ¡Katinsky es un superviviente de la Guerra Fría, por Dios, no un bárbaro del Nuevo Orden Mundial!

—¿Y crees que es pura coincidencia que la reunión con Arkady Pashkin esté...?

—Pashkin no tiene nada que ver, Taverner: si Moscú se hubiera enterado de que Webb y tú habéis preparado todo esto para reclutarlo no harían algo así, esperarían a que volviera a casa y lo tirarían a un compactador de basura.

—Lamb...

—Nos han traído hasta aquí, paso a paso. Matando a Dickie Bow, dejando un rastro que lleva a Upshott... han puesto señales en todo el camino. El asesinato de Min Harper es lo único que han tratado de ocultar. No sé de qué va todo esto, pero no es lo que pensamos. ¿Qué está pasando en la Aguja?

—Hemos alertado a los de seguridad y los bomberos están en camino.

—¿Y qué pasa cuando ese edificio entra en estado de emergencia? —preguntó Lamb.

En las oficinas del club de aviación las cosas habían cambiado: el refrigerador seguía allí, y también las sillas; el viejo escritorio todavía estaba lleno de facturas y demás papeles, pero la pila de cajas de cartón era una pirámide derrumbada y la lámina de plástico que la cubría estaba tirada en el suelo. River se arrodilló y empezó a buscar entre las cajas: habían contenido papel, montones de hojas de tamaño Din A4, varias de las cuales se habían quedado pegadas en el fondo de una de ellas. Todas tenían el mismo diseño.

Griff Yates entró jadeante. En su cara aún había rastros de sangre, pero llevaba un móvil en la mano.

—He pedido esto prestado.

River lo tomó y su dedo pulgar empezó a marcar números incluso antes de que su cerebro pudiera procesarlos.

—¿Catherine? No es una bomba.

Ella no respondió de inmediato.

—¿Catherine? He dicho que...

—¿Y qué es entonces?

—¿Has activado ya una alerta?

—River... has dicho que era un Código Septiembre.

—Eso ni siquiera es ofi...

—Ya lo sé, ya lo sé, pero tengo muy claro lo que quiere decir, así que he avisado a Regent's Park. ¿Qué está pasando, River?

—¿Y qué han hecho los de Regent's Park?

—Han puesto en marcha la alerta terrorista ante el riesgo de un ataque terrorista inminente.

—¡Dios mío!

—Están evacuando los edificios más altos, en especial la Aguja, por lo de los rusos. River, ¿qué pasa? Háblame.

—No hay ninguna bomba..., la avioneta... ¡no es un ataque terrorista!

Miró los papeles que tenía en la mano. Eran reproducciones de la misma imagen: un perfil urbano estilizado con un rascacielos recibiendo el impacto de un rayo zigzagueante. En el pie de cada página se leían las palabras DETENGAMOS LA CIUDAD.

—Van a tirar volantes en la manifestación.

—¿Que van a qué?

—Volantes, Catherine: van a arrojar volantes en la manifestación. Pero alguien... alguien quiso que pensáramos que se trataba de una bomba. La alerta terrorista, eso era lo que buscaban, la evacuación.

—La Aguja —dijo ella.

Louisa no tenía señal, y tampoco Marcus. El aparato con forma de micrófono ya no estaba allí: se lo habían llevado Pashkin y Piotr, pero todavía estaba lo bastante cerca como para bloquear los teléfonos.

Se acercó a Webb: la bala le había dado en el pecho, pero seguía vivo; al menos por ahora. Respiraba con dificultad. Louisa hizo lo que pudo por él, que no era gran cosa, y luego se volvió hacia Marcus, que estaba de pie junto a Kyril.

—¿Eso lo pusiste ayer?

Se refería a la pistola. La respuesta era obvia; ¿de qué otro modo habría podido estar allí, pegada con cinta a la parte inferior de la mesa?

—Pura precaución —le respondió Marcus—: no me gusta ir a ciegas en ninguna circunstancia, mucho menos cuando hay enemigos.

Kyril estaba consciente y su gemido era un apagado contrapunto del estridente lamento de la alarma. Louisa le puso la mano en la pierna herida.

—¿Duele? —preguntó.

Él maldijo en ruso.

—Ya, ya. No hablas inglés, ¿no? ¿Y esto, duele también?

Apretó con más fuerza.

—¡Dios, maldita puta!

—Lo tomaré como un sí. ¿Qué ocurre? —Marcus la dejó sola y se fue a la cocina—. ¿Te han abandonado? ¿Crees que van a volver?

—Jodidos cabrones —susurró. En esta ocasión, probablemente se refería a sus camaradas ausentes.

—¿Adónde se han ido?

—Abajo...

Desde la cocina le llegó un sonido de cristales rotos. Marcus reapareció llevando en la mano un hacha para incendios.

Louisa volvió a concentrarse en Kyril.

—Abajo... —dijo y de repente comprendió algo—. ¿A la planta de Rumble, «el nuevo iPhone»? ¿De eso va todo esto? ¿Vais a robar un puto prototipo?

Marcus lanzó un hachazo y las puertas se estremecieron.

Una vez más, Louisa le puso la mano sobre la herida a Kyril.

—Antes de que mi amigo termine, vas a decirme por qué tuvo que morir Min.

· · ·

Fuera hacía un tiempo primaveral y el polen flotaba en el aire. El irritado oficial del ejército había oído lo suficiente como para saber que lo que estaba ocurriendo, fuera lo que fuese, era más grave que una simple invasión de los terrenos del Ministerio de Defensa. En ese momento estaba hablando por teléfono para confirmar el nivel de alerta nacional. Griff Yates, por su parte, había ido a lavarse la cara. Y cerca de ahí, abandonado en posición de firmes junto al jeep, esperaba uno de los dos soldados con los que habían tenido el altercado.

River volvió a mostrarle su identificación del servicio secreto.

—Necesito salir de aquí.

—Sí, claro.

—Y después de lo de esta mañana, vas a necesitar a un amigo —añadió pensando al mismo tiempo «y yo también»—. Si me llevas de vuelta al pueblo en dos minutos, yo puedo ser ese amigo.

—Se cree James Bond, ¿no?

—No, pero vamos al mismo gimnasio.

Un ave de presa daba vueltas en el cielo lanzando agudos chillidos.

—Qué más da. Súbase, rápido.

River aprovechó los dos minutos del viaje para hablar nuevamente con Catherine.

—¿Han abortado ya lo de los Harrier?

—No lo sé, River. —En su voz podía distinguirse un ligero temblor—. Ya he llamado a Regent's Park, pero... ¿no tienes un televisor cerca?

—No exactamente.

—Se ha desatado un infierno en la City. La gente de los edificios está tratando de salir mientras que los manifestantes están tratando de entrar. Dios mío, River, eso lo hemos provocado nosotros.

«Yo», reflexionó él.

—Y pensar que me dijeron que nunca superaría lo de King's Cross.

Su estómago parecía querer reducirse hasta desaparecer.

—Y ahora sí estás seguro de que la avioneta no se dirige a la Aguja, ¿verdad?

—Se han quedado con nosotros, Catherine: conmigo, con Lamb, con todos. No hace falta estrellar una avioneta contra un edificio para crear el caos, basta con hacernos creer que van a hacerlo.

—Y hay más: ¿recuerdas al ruso aquel, el tal Pashkin? Pues no existe.

—Entonces, ¿quién es...?

—Todavía no lo sé. Los móviles de Louisa y de Marcus están muertos. Pero he enviado allí a Ho y a Shirley.

—Todo es parte de lo mismo —dijo River—, tiene que estar relacionado. No dejes que derriben esa avioneta, Catherine. Han engañado al piloto, igual que a nosotros.

—Veré qué puedo hacer.

River golpeó el techo del jeep con frustración.

—Es aquí —dijo—, ¡aquí!

«En la esquina de la iglesia», le había dicho Yates: allí había visto a Tommy Moult esa mañana.

El jeep se detuvo en seco junto al pórtico de San Juan y River saltó del vehículo.

Mientras Marcus golpeaba las puertas con el hacha, se oyó una especie de crujido y el suelo se sacudió.

—¡Joder! —dijo Louisa—. ¿Eso has sido tú, Marcus?

Él se detuvo; el hacha estaba hundida un par de dedos en la puerta.

—No: ha sido un explosivo plástico —dijo y liberó la cabeza del hacha.

Louisa miró a Kyril.

—¿Ése era vuestro plan? ¿Activar la alerta terrorista y usar explosivo plástico para entrar en Rumble?

—Vale millones —dijo él con los dientes apretados.

—Supongo que sí: nadie se esfuerza tanto por un poco de calderilla.

Llegó otro crujido sordo desde abajo: estaban volando puertas, y no les llevaría mucho tiempo terminar el trabajo. Luego sólo tendrían que bajar por las escaleras y salir por el vestíbulo para escapar confundiéndose entre la multitud. Sabían que a esas alturas ningún empleado de seguridad estaría pidiéndole los nombres a nadie y, por lo que a ellos respectaba, ni siquiera estaban registrados: nunca habían estado ahí. Habría un coche esperándolos y, ahora, incluso un hombre menos para repartirse el botín.

Trac, trac, sonaba el hacha, y volaban astillas.

Louisa le dio una patada a Kyril.

—Min lo vio, ¿no es cierto?

El ruso gimió.

—Mi pierna... necesito un médico.

—Min vio a Pashkin, o como se llame en realidad, cuando se suponía que estaba en Moscú. Aunque, por supuesto, no estaba allí, sino en un albergue cutre en Edgware Road. Porque el Ambassador es un pelín caro, ¿verdad?, y no puedes permitírtelo cuando no eres un puto barón del petróleo, sino un puto ladrón. Es por eso por lo que Min está muerto.

—No era nuestra intención: sólo nos tomamos unas copas, eso es todo... ¡Ah! ¡Mi pierna!

Trac.

—Kyril, te diré lo que vamos a hacer: cuando haya metido en una bolsa a los mierdas de tus amigos, volveré para ver qué podemos hacer con tu pierna, ¿vale? —Se acercó a él—. Después de todo, tenemos un hacha.

Nada hacía pensar que estuviera bromeando.

El siguiente *trac* llegó seguido de un *chunk*.

—Ya está —dijo Marcus.

Louisa le dio una palmadita en la pierna a Kyril y se dirigió a la puerta.

· · ·

Nunca antes había volado en silencio radiofónico, y eso le daba a aquella mañana una rara dimensión añadida, como si todo esto sucediera en un sueño donde lo familiar (el tablero de instrumentos que tenía enfrente, la vista de los cielos límpidos, Damien sentado a su lado...) rozara con lo extraño. Londres iba cobrando forma, coagulándose hasta formar una masa ininterrumpida de tejados y caminos, con los barrios unidos entre sí por los coches y los buses.

En la parte trasera de la avioneta, apilados, los montones de volantes con su diseño estaban listos para cumplir su misión, arengar a los manifestantes y al resto de los transeúntes para que continuaran parando la ciudad y denunciando a los bancos. El gesto no pasaría de ser una mera anécdota, pero a Kelly le bastaba con ser parte de la cruzada: el mundo estaba lleno de codicia, de avaricia y de corrupción, y acaso lo estaría siempre, pero eso no era excusa para no tratar de cambiar las cosas.

—Deberíamos encender la radio —dijo Damien—. Esto es peligroso y es ilegal.

—No te preocupes. Volamos demasiado bajo para estar en la ruta de nadie.

—No lo había pensado hasta ahora, pero...

—¿Qué crees que harán, por Dios? ¿Derribarnos?

—Pues no, pero...

—En unos minutos estaremos sobrevolando el centro, entonces se darán cuenta de lo que queremos hacer y sí, puede que nos escolten de vuelta a casa y nos pongan una multa. Eso ya lo sabíamos al despegar. Sólo tienes que ponerle un par de cojones, Damien.

A pesar de lo que acababa de decir, Kelly empezaba a oír, por debajo del zumbido de la Skyhawk, una nota más grave: un gruñido, o más bien dos. De pronto, se imaginó un futuro más incierto; un futuro en el cual, en vez de convertirse era una radical y una temeraria que esparcía sobre los manifestantes sus panfletos hechos en casa, se convertía en un ejemplo perfecto de los extremos a los que puede llegar, para protegerse, un país que ha sido atacado en el pasado. Aunque eso parecía tan cogido por los pelos, tan irreconciliable con el escenario que ella había planeado, que logró apartar aquellas imágenes incluso cuando Damien comenzó a balbucear, cada vez con más fuerza y con más miedo en la voz, que la idea que se les había ocurrido mientras bebían cervezas en Tu Lado Oscuro a lo mejor no era tan buena; que tal vez no eran invulnerables, después de todo.

«Esto último desde luego no es cierto», pensó Kelly, y siguieron volando hacia el corazón de Londres, y los edificios se fueron acercando más y más, y los amplios espacios vacíos de las afueras fueron desapareciendo, y poco a poco los sonidos que les llegaban desde debajo de su propio avión se volvían más fuertes, ocupando más espacio y tragándose todo lo demás.

Tommy Moult, o el hombre que solía ser Tommy Moult, estaba en el cementerio de la iglesia de San Juan, sentado en un banco de madera dedicado «a la memoria de Joe Morden, que amaba esta iglesia». Ese banco daba a la pared occidental del templo, donde estaba el campanario, cuyo rosetón sin duda dejaría entrar la cálida y suave luz del atardecer y teñiría de rosa el interior del templo. En ese momento, sin embargo, permanecía en la sombra. Moult se había quitado su gorra roja junto con los mechones de pelo que salían por debajo (una imagen tan familiar en el pueblo como los majuelos en flor que flanqueaban el pórtico). Calvo y de aspecto envejecido, no se levantó al ver llegar a River: parecía perdido en la contemplación de aquella iglesia medieval alrededor de la cual se habían erigido y derruido las versiones anteriores del pueblo de Upshott. En una mano, sostenía cuidadosamente un iPhone, la otra colgaba por detrás del banco, fuera del alcance de la vista.

—Qué mañana tan atareada —dijo River.

—Por aquí no tanto.

—Usted es Nikolai Katinsky, ¿verdad?

—A veces, sí.

—Lamb me contó algunas cosas. —River se lo quedó mirando—. Supongo que también es Alexander Popov, o el hombre que lo inventó.

Ahora Katinsky parecía un poco más interesado.

—¿Todo esto lo has averiguado tú solo?

—Resulta obvio, llegados a este punto —replicó River y se sentó en el banco dejando dos palmos entre ellos—. Quiero decir, tantas falsas pistas... Esto no podía ser obra de un estafador de medio pelo, ni de un simple desencriptador.

—No desprecies a los desencriptadores —le dijo Katinsky—: igual que ocurre en cualquier otra rama del gobierno, el trabajo de verdad lo hacen los de abajo, los otros sólo van a reuniones.

Allí, a la sombra de la torre, se veía gris. La piel de su cabeza parecía suave, pero en su mentón y en sus mejillas crecían unos pelos cortos e hirsutos; sus ojos también eran grises: parecían dos de esas tapas que ponen a los pozos para evitar accidentes: que algo caiga dentro o se escape hacia fuera.

—El siete de julio Londres supo mantener la compostura —dijo River—. Así supimos que habíamos ganado, sin importar cuántos cuerpos enterramos; pero esta mañana la City entera se parece al primer día de rebajas.

Katinsky señaló con un gesto el móvil que tenía en la mano.

—Sí, he estado siguiendo las noticias.

—¿Eso era lo que buscaba?

—En parte. Ese tal Pashkin, me temo que tampoco es su verdadero nombre, se está aprovechando del caos para hacerse con las pertenencias de ciertos inquilinos de la Aguja. —Moult volvió a mirar el móvil. —Sin embargo, todavía no ha llamado: es posible que las cosas no estén saliendo según los planes.

—Los planes de Pashkin, no los suyos.

—Tenemos objetivos diferentes.

—Pero están trabajando juntos.

—Él tiene acceso a varias cosas que yo necesito: a Andrei Chernitsky, para empezar. Hace algunos años, Andrei y yo secuestramos a su amigo Dickie Bow. Yo estaba tratando de construir la leyenda de Popov y para eso era imprescindible que uno de los suyos lo viera brevemente, pero necesitaba que fuera alguien poco fiable, alguien cuyas palabras no fueran dignas de confianza. Cuando uno está haciendo un espantapájaros, no debe hacerlo a la vista de todos, ¿entiendes?

—Lo entiendo meridianamente bien.

—Desde entonces, igual que un considerable y lamentable número de antiguos colegas, Andrei se ha pasado a la empresa privada para ganarse el pan. En pocas palabras: fue contratado por alguien que, para simplificar las cosas, seguiremos llamando Arkady Pashkin.

—Y usted necesitaba dejar un rastro que Dickie Bow pudiera seguir.

—Exactamente. Así que Pashkin y yo llegamos a un arreglo ventajoso para los dos que en este mismo instante le está dando pingües beneficios, al menos en teoría porque, como ya te he dicho, no ha llamado aún.

River no se lo podía creer. Le dolía todo el cuerpo, pero debajo del dolor latía una especie de sobrecogimiento: por primera vez en su vida estaba cara a cara con el enemigo. No precisamente su enemigo, pero sí el de su abuelo... y el de Jackson Lamb. Por fin le ponía cara a la historia contra la cual habían luchado los espías del pasado, y eso estaba ocurriendo allí, en un cementerio contiguo a una iglesia de pueblo y con los cadáveres de antiguos habitantes como testigos.

—¿Y eso es todo? —dijo—. Consiguen que la ciudad se paralice durante una mañana entera, ¿y ya está? ¡Qué desperdicio! Los diarios publicarán editoriales llenos de preocupación y luego todo se olvidará en un par de días.

Katinsky rió.

—¿Cómo has dicho que te llamas? —preguntó—. Tu nombre real, quiero decir.

River negó con la cabeza.

—No, supongo que no me lo dirás. ¿Tienes un cigarrillo?

—Fumar es perjudicial para la salud.

—Pero ¿qué es eso, algo de sentido del humor que se asoma? Bueno, parece que no todo está perdido entre nosotros.

—¿Eso es lo que significa todo este asunto para usted? ¿Una broma gigantesca?

—Si quieres definirlo así —dijo Katinsky—. Y dime, ¿quieres que te cuente el final?

«Debo de estar en la planta veinte», pensó Roderick Ho jadeando y sintiendo el tenue sabor de la sangre. «En la planta veinte por lo menos.»

Siguiendo la estela de Shirley Dander, había entrado a trompicones en el vestíbulo, le había enseñado la identificación al guardia de seguridad (que permanecía firmemente en su puesto a pesar de que la City se venía abajo) y, tras escuchar atentamente sus indicaciones, había llegado hasta una escalera que parecía ascender hasta el infinito. Y ahora debía de estar al menos en la planta veinte, aunque Shirley ya hacía rato que había desaparecido. Allí sólo se oía el estruendo de la alarma, más fuerte si cabe en el hueco de la escalera, rebotando contra las paredes y los escalones, mientras él jadeaba como un perro, caminando a cuatro patas con la frente apoyada en el escalón siguiente. Su labio inferior era incapaz de contener la saliva, todo se veía borroso...

A ver, ¿por qué demonios estaba allí?

Louisa y Marcus tenían problemas: no le importaba.

Pashkin no era quien decía ser: no le importaba.

Shirley Dander lo consideraba un cobarde: no le importaba.

Debería estar sentado tranquilamente en su despacho, navegando en los mares procelosos de internet.

«Te acuerdas de que eres del MI5, ¿verdad?»

Pues no le importaba.

Cayó en la cuenta de que el programa que había diseñado para falsificar su rutina laboral ya habría comenzado a funcionar y que cualquiera que lo buscara en este momento lo encontraría trabajando en los archivos: clasificando y guardando, clasificando y guardando. Se habría reído si le quedara aliento. Era una lástima no tener a nadie para compartir la broma: bien vista, era muy graciosa.

¿Shona? ¿Shana? ¿Cómo se llamaba la chica del gimnasio que había planeado conocer tras arruinar cuidadosamente su relación? La verdad era que jamás se atrevería a hacer algo así. Y no se refería a arruinar una relación, o al menos a meter algunos palos entre las ruedas: eso estaba en su currículum, desde luego, sino a acercarse a la chica y hablarle. No, eso nunca. Y aunque llegara a hacerlo, ¿cómo iba a explicarle lo del programa que había diseñado para falsificar su rutina?

Catherine Standish, por otra parte..., ella ya sabía lo del programa: lo había averiguado ella sola, y Roddy tenía la sensación de que incluso le parecía divertido.

Y pensándolo bien, era por eso por lo que estaba donde estaba: porque ella le había dicho que fuera allí para ayudar a Louisa Guy y a Marcus Comosellame.

Se incorporó, dando un suspiro, y llegó trastabillando a lo que debía de ser la planta veintiuno.

Aunque apenas era la doce.

Marcus se agachó para atravesar las puertas cortafuegos de la planta sesenta y ocho. Llevaba los brazos extendidos y la pistola apuntando al frente, luego a la izquierda, luego a la derecha, luego hacia arriba.

—Tranquila —dijo—: no hay nadie.

Y Louisa, que esperaba en las escaleras, lo siguió. En el logo de la puerta de cristal, que daba a una gran sala, se leía RUMBLE en letras estilizadas. Las luces del interior estaban encendidas, pero no se veía a nadie: el escritorio de la recepción (tras el cual podía verse un gigantesco póster de *Cegados por el sol*) estaba vacío. Marcus intentó abrir la puerta, pero estaba cerrada.

—Tal vez la han cerrado con llave.

—Están usando explosivo plástico —señaló Marcus; dio un paso atrás, tomó impulso y le dio una patada, pero no consiguió nada: el ruido del golpe se fundió con el de la alarma y nadie asomó la cabeza en el interior de la planta de Rumble—. ¿Se te ocurre otra cosa?

—Tal vez atravesaron la pared.

—O tal vez...

Marcus levantó una ceja.

—Tal vez Kyril nos ha mentido —dijo Louisa—. ¿En qué planta está la gente de los diamantes?

«Inhalar una vez, exhalar dos. Inhalar una vez, exhalar dos.»

Había una competición en la City: Shirley recordaba haber visto un póster que la anunciaba. Se trataba de subir corriendo hasta la planta más alta de un rascacielos, luego bajar, ir corriendo a otro y subirlo también. Debía de tratarse de algo filantrópico porque estaba claro que nadie lo haría simplemente por divertirse. Se preguntó cuánta gente habría muerto en el intento.

Las piernas apenas le respondían. En una de las puertas cortafuegos, un rótulo anunciaba: 32. No había visto a nadie desde que, unas plantas abajo, una pareja a medio vestir había irrumpido en la escalera preguntando si llegaban demasiado tarde, como si hubieran estado a punto de perderse la emergencia. Shirley señaló hacia abajo y siguió subiendo.

El aullido constante de la alarma parecía enroscarse por las escaleras, pero ya debía de estar acostumbrándose porque había comenzado a oír otros sonidos: algún tipo de explosión había sonado apenas unos minutos antes, y no era precisamente lo que uno quería oír a estas alturas.

No había logrado ponerse en contacto con Louisa ni Marcus, pero al menos había podido hablar con Catherine, que le había dicho que todo era una falsa alarma, que no se temía un ataque terrorista, pero lo cierto era que aquello había sonado como una bomba, aunque fuera pequeña.

Inspiraba y exhalaba, y al menos una de las dos cosas sonaba como un suspiro. Arkady Pashkin no era quien decía ser, y además iba acompañado de dos matones. Ella no llevaba ninguna arma, pero había conseguido tumbar dos veces a un tipo sólo con sus manos, así que tampoco la necesitaba. De hecho, por eso había terminado en la Casa de la Ciénaga.

Total, que no importaba que las piernas apenas le respondieran, ni que apenas hubiera subido la mitad del trayecto: la City se estaba desmoronando y ése parecía ser el plan de Pashkin, así que no iba a quedarse allí, jadeando, mientras Guy y Longridge lo detenían y se llevaban toda la gloria: si había un billete de vuelta a Regent's Park, ella tenía que ser la primera de la lista.

Apretó los dientes y subió el siguiente tramo de escaleras.

Desde muy arriba le llegó otro ruido; ¿había sido un disparo?

La planta sesenta y cinco: König, los comerciantes de diamantes. La decoración de esa planta evocaba el desierto, con telas finísimas colgando de las paredes y, en el centro, un arreglo de palmeras que, sin embargo, habían quedado completamente destrozadas con una explosión que había hecho estremecerse el suelo hasta doce pisos más arriba. Todavía se veía humo en el techo, y todos los muebles que no estaban cerca de la pared habían ido a parar al lado derecho de la sala. Justo en medio de la pared de enfrente, unas puertas de metal colgaban fuera de sus goznes.

—Se han ido —dijo Louisa.

—Nunca des nada por sentado.

Marcus pasó por la puerta metálica del mismo modo que lo había hecho en la entrada: apuntando en todas direcciones con la pistola. Louisa lo siguió.

Aquello había sido una cámara de seguridad. Las paredes estaban cubiertas de estrechas cajas blindadas de las cuales una docena por lo menos habían sido abiertas mediante pequeñas explosiones. En el suelo brillaba un trozo de cristal... que no era cristal («Dios mío», pensó Louisa), sino un diamante del tamaño de una uña.

Y allí estaba también Piotr: una bala le había hecho estallar parte de la cabeza, embadurnando de sangre y de sesos la pared más cercana.

—Pashkin viaja ligero de equipaje —dijo Marcus.

—Sólo puede estar en las escaleras.

—Pues vamos.

Corrieron hacia el vestíbulo, pero al llegar a la puerta cortafuegos Louisa se detuvo en seco.

—Podría estar en cualquier planta.

—Necesita salir cuanto antes: cuando la calma vuelva a las calles no lo tendrá tan fácil.

Tuvo que acercarse para que ella lo oyera, pese a que la alarma parecía estar perdiendo fuerza, como si se estuviera quedando sin batería.

Louisa miró su móvil.

—Todavía no funciona —dijo—, y Webb está desangrándose ahí arriba. Tenemos que conseguir un teléfono con línea al exterior.

—Vale —dijo él—. Yo iré tras Pashkin.

—Apúntale bien —dijo Louisa.

Marcus siguió bajando por aquellas interminables escaleras y Louisa regresó a las oficinas de König.

• • •

—Usted era uno de los cerebros del Kremlin.

—Sí, hasta que me convertí en un descifrador de Moscú que poseía justo la cantidad de información necesaria para que se me permitiera la entrada en vuestro Jerusalén.

—Usted inventó a Popov, del que sabíamos que era una leyenda, pero dimos por hecho que las cigarras lo eran también y, sin embargo, las cigarras eran reales. ¿Por qué traerlas a Upshott?

—Tenían que estar en alguna parte una vez caído Moscú, ¿no? —contestó Katinsky—. Además, eran una célula durmiente, ¿y qué mejor lugar para dormir?

—Eran agentes de influencia.

—Eran gente inteligente y talentosa con acceso a gente que tenía acceso a otra gente, de modo que podían llegar al mismísimo corazón del sistema. Habría sido un juego interesante si no hubiera tenido un final tan prematuro.

—Eso sólo quiere decir que quizá habrían ganado si no hubieran perdido —replicó River—. Pero ¿ellos lo saben?, quiero decir, ¿saben que los otros son quienes son?

Katinsky se rió, y lo hizo con tantas ganas que acabó sufriendo un violento ataque de tos: tuvo que levantar una mano (la que sostenía el iPhone, la otra seguía ocultándola) para pedirle a River que se detuviera, que esperara un poco.

—En general, creo que no... —dijo cuando por fin consiguió recuperar la respiración—, aunque pueden tener sospechas.

—Y después de todos estos años, usted decide volver a la vida. Tiene que haber una razón... Se está muriendo, ¿no es cierto?

—Cáncer de hígado.

—Sé que es uno de los más dolorosos, lo siento.

—Gracias. A ti te gusta la chica, ¿verdad? Kelly Tropper. Quiero decir: sé que os habéis acostado, pero hay algo más, ¿no? Los espías se acuestan con una chica cuando se les dice que lo hagan y los jóvenes se acuestan con una chica cuando se presenta la oportunidad. ¿A ti qué te movió, Walker?

—¿No le incomodó enviarla a la muerte?

—¿Enviarla? Ella te diría que fue idea suya.

—Estoy seguro de que aún lo cree. ¿De verdad está esperando una llamada?

—Puede que sí, o puede que esté esperando para hacer una llamada.

—Es consciente de que todo ha terminado, ¿no?

—Terminó hace mucho tiempo —dijo Katinsky—, pero eso es lo que tiene morirse: dan ganas de poner las cosas en orden.

—De saldar las cuentas.

—Prefiero verlo como reestablecer un equilibrio. No creerás que se trata de una cuestión ideológica, ¿o sí?

—Bueno, no creo que se trate de un simple atraco. Pero ¿por qué Upshott?

—Eso ya lo has preguntado.

—Pero usted no ha respondido. Nada de lo que ha hecho es accidental: usted vino aquí por una razón específica.

El sol trataba de asomarse sobre el campanario en su camino hacia el oeste y, al final, con tiempo y paciencia lo lograría: siempre lo lograba. Detrás de ellos, las lápidas se calentaban poco a poco, pero el banco seguía en la sombra. Katinsky daba la impresión de estar donde más cómodo se sentía, pero River tenía miedo de que se evaporara en cuanto lo tocaran los rayos del sol.

—¿Por qué crees tú que vine aquí?

«No», pensó River, «este tipo no me recuerda a mi abuelo, sino a Jackson Lamb».

—Porque esto es Inglaterra —respondió.

—Ay, por favor: también lo es Birmingham, o Crewe.

—La Inglaterra de las postales, con la iglesia medieval, el pub, el parque... Usted quería estacionar su red en el corazón de una estampa de la Inglaterra rural.

Katinsky asintió como un profesor reticente.

—Tal vez, ¿y qué más?

—Cuando llegó aquí, había una base militar y el pueblo existía básicamente para atender las necesidades de esa base: no había nada más.

—Un lugar pequeño y propiamente inexistente..., me pregunto por qué lo escogería el hombre que inventó a Alexander Popov.

Un viento pasajero se paseó por el césped bien cortado, sacudiendo el rocío de los narcisos que adornaban una lápida. Sin razón aparente, a River le vino a la memoria el momento en que su abuelo, el Viejo Cabrón, había cogido con sumo cuidado aquella ramita para rescatar a una cochinilla de un tronco que ardía en su chimenea. Y entonces aquel recuerdo se hinchó levemente y desapareció en un pequeño estallido, igual que la cochinilla cuando fue alcanzada por el fuego. Pero la conexión estaba hecha: allí, en el cementerio silencioso, River recordó una conflagración lejana.

—ZT/53235.

Katinsky no dijo nada, pero sus ojos respondieron que sí.

—Usted viene de allí —dijo River, y al hablar le vinieron a la cabeza las palabras de Katinsky: «Prefiero verlo como reestablecer un equilibrio.» A pesar de la inminente luz del sol, en el banco comenzó a hacer frío.

Louisa encontró un teléfono y llamó a los servicios de emergencia, pero nadie cogió la llamada. ¿Qué demonios pasaba? A través de la ventana vio rastros de humo negro que se desperdigaban como tinta por el cielo. Abajo, Londres estaba en llamas.

Llamó a la Casa de la Ciénaga e informó a Catherine de lo ocurrido.

—¿Todavía estaba vivo cuando lo dejaste?

—Respiraba, pero no soy médico.

Louisa se estaba arrepintiendo de haber dejado solo a Webb. Ni siquiera solo: el otro ruso estaba también allí, también sufriendo, aunque eso a ella le importara menos.

—¿Dónde está Pashkin ahora mismo?

—Imagino que estará bajando hacia la calle: Marcus lo persigue.

—Espero que tenga cuidado.

—Yo espero que mate a ese hijo de puta.

—Yo espero que el hijo de puta no lo mate antes, ni a Roddy, ni a Shirley.

Roderick Ho y Shirley Dander ya eran parte de la escena.

—En las calles hay un verdadero caos, Louisa, no puedo decirte cuándo os llegarán refuerzos.

—Primero necesitamos paramédicos.

—Haré que os manden un helicóptero.

—¡Joder, claro! —exclamó Louisa.

La azotea.

—ZT/53235 —dijo River—. Usted viene de allí.

—Ninguna leyenda digna de ese nombre nace en tierra virgen: le presté mi pasado a Popov, en efecto.

—Así que usted... fue un niño alguna vez.

—Es difícil de creer, ¿no? Pero aparentemente llevo los recuerdos conmigo. —Hizo una mueca—. No era saludable nacer en esa ciudad, ni siquiera antes de que la arrasarais.

—Fue su propio gobierno el que la destruyó —dijo River—: pensaron que había un espía. Pero no: nunca hubo un espía allí. Destruyeron la ciudad entera sin razón alguna.

—Siempre hay razones. El espía no era real, pero sí lo era la evidencia. Así funciona el mundo de los espejos, Walker: tu agencia no pudo plantar un espía allí porque la seguridad era demasiado estricta, así que tomó la segunda mejor opción: plantar la evidencia de un espía. Y el gobierno hizo lo que hacen los gobiernos, y destruyó la ciudad. Es lo que tu agencia llamaría «un resultado», por aquel entonces lo llamaban por su nombre: una victoria.

—Eso fue hace mucho tiempo —replicó River como si eso tuviera alguna importancia a estas alturas, como si alguna vez hubiera tenido alguna importancia.

—Yo venía de un lugar que, para los ingleses, era el epítome de lo soviético —dijo Katinsky—, y el fuego lo devoró. Así que heme aquí, en un lugar que es un epítome de lo británico. Dime, ¿qué sigue ahora mismo?

River se movió en el preciso instante en que Katinsky revelaba lo que sostenía en la mano derecha. Se echó hacia atrás, pero no con la velocidad suficiente. Katinsky alcanzó a tocarle el codo con la táser y la fuerza de la descarga lo tiró al suelo.

Katinsky se puso de pie.

—Ya te he dicho que Pashkin tenía varias cosas que yo necesitaba. ¿De dónde crees que saqué esto? —Se agachó y le soltó otra descarga a River. Saltaron chispas, el mundo se volvió rojo y negro—. La otra cosa era un proveedor de explosivos plásticos: ser un criminal de carrera abre toda suerte de puertas; el crimen no conoce fronteras, se podría decir.

—No había bomba... —alcanzó a balbucear River.

—No: la avioneta era sólo un señuelo para ayudar a Pashkin. El plástico está aquí, a nuestro alrededor.

«Se refiere a las lápidas», pensó River confusamente. Y luego: «No.»

«Se refiere al pueblo entero.»

—Cada una de las cigarras tiene suficiente material para crear una bomba de buen tamaño —siguió Katinsky—, y a cada una se le indicó dónde debía ponerla: son las instrucciones que han esperado durante años. Ahora todas ellas saben por qué se las envió a Upshott: era para estar en posición de destruir al enemigo.

—Está loco. No lo harán.

—Se lo di todo —dijo—. Sus identidades, el impulso para comenzar una nueva vida... y durante más de veinte años han estado esperando, Walker, esperando la llamada que las active. Es lo que hacen las cigarras: se despiertan y cantan.

—Aunque hayan puesto esas bombas, ¿qué lograrán con eso?

—Ya te lo he dicho antes: reestablecer un equilibrio. Y demostrar que la historia nunca perdona.

—Está como una puta cabra.

—¿No estás tan seguro, entonces? ¿No estás seguro de que no lo harán?

River había estado acumulando fuerzas, había hecho acopio de toda la energía que bullía en su cuerpo, de todo lo que no se había disipado durante la noche más larga de su vida, y en un momento estaría en condiciones de levantarse de un salto. Qué extraño que aún se sintiera débil e indefenso.

—Ya no son las personas que usted cree: ya han pasado demasiado tiempo aquí.

—Eso ya lo veremos —dijo levantando el móvil—. Haré unas llamadas y lo comprobaremos.

—¿Piensa preguntárselo?

Katinsky rió y dio un paso atrás.

—No, amigo mío —dijo—. Prefiero hablar con las bombas. ¿Qué creías, que estaban conectadas a un fusible? Se detonan por control remoto. Así.

Y marcó unos números.

Webb respiraba, y sus párpados temblaron levemente cuando Louisa se agachó a su lado.

—No te mueras... —dijo ella, pero él no reaccionó— gilipollas —añadió, pero eso tampoco lo hizo reaccionar.

Kyril no estaba, aunque había dejado un conveniente rastro de sangre tras él.

Todavía jadeando, Louisa lo siguió.

Kyril se había dirigido a la escalera, pero había subido en lugar de bajar. Viendo los charcos de sangre, estaba claro que no avanzaba demasiado rápido. De hecho, se había detenido dos plantas más arriba, donde permanecía reclinado contra una pared con el rostro convertido en una mueca de dolor.

—¿Tienes prisa?

—Maldita zorra...

Su voz era un áspero susurro, no era muy probable que pudiera gritar para avisar a nadie.

—Está en la azotea, ¿verdad? Un helicóptero viene por vosotros.

Pero Kyril puso los ojos en blanco y ya no dijo nada más.

Louisa no llevaba pistola: allí arriba sería un blanco fácil para Pashkin, así que procuró abrir la puerta cuidadosamente, pero una ráfaga de viento la abrió de par en par en un instante.

Trescientos metros por encima de las calles de Londres, soplaba una brisa nada despreciable. El gran mástil de la Aguja estaba en el lado opuesto de la azotea: una elegante brizna de metal que se alzaba hacia el cielo azul. Entre ambos extremos había un conjunto desordenado y feo de aparatos de aire acondicionado y conductos de ventilación, un pararrayos y lo que parecía ser una serie de estructuras de cemento que resguardaban la maquinaria de los ascensores, o tal vez otras escaleras. Aquel paisaje resultaba curiosamente sórdido para un edificio tan ostentoso, pero las operaciones de aspecto impecable siempre tenían su lado sucio. Louisa estaba pensando en eso cuando una bala impactó en la puerta que estaba a sus espaldas.

Dio un salto para esconderse detrás de un conducto de ventilación con forma de chimenea de barco y se agazapó para recuperar el aliento.

—¿Louisa?

Se trataba de Pashkin. En aquella azotea, a una altura más apropiada para los pájaros, tenía que gritar para hacerse oír.

—¡No tienes escapatoria, Pashkin! ¡La caballería está en camino!

Su voz había brotado de una de las estructuras de cemento del lado oeste del edificio, así que tenía que estar escondido en esa zona. El lado este caía a un nivel inferior: una extensión más llana donde un helicóptero podría aterrizar, aunque no lo había hecho todavía. Ni hacia la derecha ni hacia la izquierda podía verse la ciudad: sólo un cielo levemente satinado por el humo aceitoso de los incendios. Una baranda ridículamente delgada marcaba el borde de la azotea: si eso era todo lo que evitaba que uno cayera al vacío, mejor desear que el viento no se envalentonara.

—¡Sí la tengo! —gritó él—: he reservado un transporte de lo más adecuado. ¿Y tú, Louisa, has subido hasta aquí sin una pistola?

—Por supuesto que tengo una jodida pistola.

Debía de haberse puesto fuera del alcance del inhibidor de frecuencia, porque su móvil comenzó a vibrar.

Era Catherine Standish.

—Estoy un pelín ocupada.

—He llamado al servicio de emergencias médicas: dicen que ya los han llamado desde la Aguja. Louisa...

—Me lo había imaginado ya.

¿Para qué buscarte un piloto cuando puedes secuestrar un helicóptero del servicio de emergencias?

Pashkin estaba detrás de una de esas estructuras de cemento... a menos que no fuera así. Podría estar incluso detrás del mismo conducto de ventilación en el que ella se apoyaba, dando la vuelta agazapado para sorprenderla. Una parte de ella deseaba que lo intentara.

Porque no era estúpida: había cogido el hacha de incendios.

—¿Louisa? Lo mejor para ti es que vuelvas ahí dentro y cierres esa puerta. En unos minutos me habré largado. «Sin sangre no hay crimen», ¿sí? ¿No es así como se dice?

—No en este país.

Confió en que su voz hubiera sonado firme. Una nubecilla delgada, apenas visible, se desplazaba tan rápidamente en el cielo que la estaba mareando. Si cerraba los ojos, quizá pudiera dar un par de volteretas y llegar hasta aquella frágil barandilla; más allá, incluso.

—En ese caso, tendré que matarte.

—¿Igual que mataste a Min?

—Bueno, a ti te dispararé, pero el resultado será el mismo.

«Dios mío», pensó ella. Ahí estaba, acurrucada con la espalda contra un conducto de ventilación en la azotea del edificio más alto de la ciudad mientras un mafioso bien vestido hacía comentarios ingeniosos: estaba en *La jungla de cristal*.

—¿Louisa?

Su voz sonaba más cerca, pero era difícil saberlo con certeza. Apenas unas horas antes, después de la cena de la noche anterior, Louisa hubiera podido enfrentarse a aquel tipo con su espray de pimienta y sus abrazaderas de plástico, y todo habría terminado en un abrir y cerrar de ojos. Pero el maldito Marcus había interferido y ahora ella se encontraba allí, cientos de metros por encima de Londres, con Pashkin armado y dispuesto a todo.

«¿En qué estaba pensando cuando decidí subir hasta aquí, y además desarmada?»

Por toda respuesta se acordó de Min, a quien ese hijo de puta había asesinado por un puñado de diamantes.

Le pareció oír el ruido de un helicóptero.

Decisiones, decisiones: podía hacer lo que él le había sugerido y tratar de volver a un lugar seguro, aunque sin ninguna garantía de que él no le disparara por la espalda antes de subirse al helicóptero. Abajo, en las calles de Londres, reinaba el caos: Pashkin aterrizaría en Hyde Park y se perdería entre la multitud. «¡Piensa!», se dijo. Pero en vez de pensar se puso de pie y atravesó de un salto el espacio que había entre el conducto de ventilación y la siguiente estructura: un robusto cuadrado de cemento dentro del cual dormía en silencio el mecanismo de uno de los ascensores.

Aterrizó boca abajo contra el suelo. El disparo que esperaba no sonó, pero el hacha se le escapó de las manos y fue a parar un par de metros más allá.

—¿Louisa?

—Aquí sigo.

—Ésa era tu última oportunidad.

—Tírame la pistola, eso te servirá para quitarte algunos años de condena.

Definitivamente, se oía un helicóptero. Y definitivamente se estaba acercando.

—Tú no vas armada, Louisa; esto no va a acabar bien.

El hacha la había delatado: nadie que tuviera una pistola habría llegado hasta allí cargando un arma tan pesada.

Un arma que ahora estaba fuera de su alcance. Trató de alcanzarla alargando el brazo, pero esta vez Pashkin disparó: la bala no le dio en la mano, pero sí en el mango del hacha, que salió despedida violentamente. Louisa soltó un grito.

—¿Louisa? ¿Estás herida?

Ella no contestó.

El aleteo constante de las aspas se hizo más fuerte. Si el piloto veía a un hombre armado, no aterrizaría; se alejaría de inmediato... Louisa tenía que hacerle ver de algún modo que Pashkin era una amenaza. Si Min estuviera ahí le diría que era un plan estúpido, pero Min no estaba ahí porque estaba muerto, y si ella no hacía nada el hombre que lo había matado escaparía. El hacha podía ser útil, así que intentó cogerla otra vez y en ese momento un elegante zapato de piel calada le aplastó la mano.

Levantó la vista y se encontró con la cara de Pashkin. Él la miró intensamente, como si el hecho de tener que pasar por todo esto lo irritara de verdad. En una mano llevaba una bolsa de tela del tamaño de una pelota de fútbol: muchos diamantes. En la otra sostenía la pistola, y apuntaba directamente a la cabeza de Louisa.

—Lo siento —dijo—, de verdad.

Entonces se oyó un disparo y Pashkin, su pistola y su bolsa de diamantes cayeron al suelo, pero, mientras que Pashkin y la pistola se quedaron ahí, inmóviles, los diamantes se desparramaron por todas partes como si fueran canicas. Algunos llegaron hasta la cornisa del edificio y cayeron al vacío.

Mientras las aspas del helicóptero sacudían el aire, Louisa no pudo evitar imaginar todos aquellos diamantes cayendo como gotas de lluvia sobre la calle.

En el instante en que Katinsky marcó el número que detonaría las bombas, se hizo el silencio en el camposanto y en el pueblo entero: fue como si alguien hubiera colocado de pronto la tapa del portatartas. Se detuvo la luz del sol, se apaciguó el viento, un mirlo calló en medio de su canto y hasta el dolor que sentía River quedó en suspenso a la espera de las explosiones que partirían el cielo como un relámpago y arrasarían Upshott.

Como en un caleidoscopio, por la mente de River desfilaron las semanas que había pasado allí: pensó en el pub y en la tienda del pueblo, en la elegante curva de casas del siglo XVIII que enmarcaba el parque, en la antigua casa señorial... y luego imaginó todo aquello convertido en una serie de humeantes cráteres sólo para satisfacer los deseos de venganza de un espía moribundo. Sería como la Zona Cero, pero en plan rústico: un memorial para un pueblo olvidado, ZT/53235, que desapareció en una conflagración olvidada, víctima en el juego de espejos de los espías.

Sería en vano, pero el pueblo quedaría arrasado.

Pero entonces brilló el sol y la brisa se levantó de nuevo, y el mirlo recuperó el aliento y siguió cantando.

Y Nikolai Katinsky volvió a ser lo que era: un viejo que miraba el móvil como si la tecnología lo sobrepasara.

—¿Lo ve? —dijo River, y su voz sonó casi normal.

Los labios de Katinsky se movieron, pero River no logró entender lo que decía.

Intentó incorporarse y esta vez lo consiguió. Se recostó en el banco; las piernas todavía le temblaban.

—Llevan años viviendo aquí —dijo—: ya no le pertenecen. No les importa lo que los trajo aquí; ésta es su vida y éste es su pueblo.

Había coches acercándose. River reconoció el ruido de los motores de los jeeps del ejército y sintió una breve oleada de pánico al preguntarse cómo terminaría todo. Qué pasaría con aquella comunidad que en realidad era una célula durmiente, pero que dormía tan profundamente que había preferido no despertar.

—Buen intento, de todos modos —dijo, y sus manos se apartaron del banco.

«Ahí tienes», pensó: «puedes sostenerte en pie.» Y mientras lo pensaba, avanzó por el sendero del pórtico, por donde en breve entraría una multitud de soldados.

—¿Walker?

Se dio la vuelta. La luz del sol, que en el último minuto había empezado a asomar por encima del campanario, envolvía a Katinsky.

—No todas las bombas eran de los otros: una era mía.

Marcó otro número en su móvil.

El estallido, que derrumbó la pared occidental de San Juan, mató instantáneamente a Katinsky, que estaba justo enfrente. En futuras pesadillas, River vería cómo un pedazo de piedra centenaria le abría en dos la cabeza al espía pero, en realidad, la onda expansiva hizo que River cayera al suelo y, para cuando empezaron a llover piedras, él ya se encontraba a cubierto en el pórtico, hecho un ovillo y con la cabeza entre las piernas. De manera que, más que ver la muerte de Katinsky, la oyó mientras el campanario se balanceaba y vacilaba y perdía la capacidad de mantenerse en pie. Cuando al fin se derrumbó, lo hizo lejos del lugar donde se refugiaba River. De otra forma, él se habría unido al viejo en cualquiera que fuera su vida después de la muerte. Tal como sucedió, pareció que la caída de la torre sobre el camposanto y el sendero se prolongara en el tiempo, como convenía a su retiro brutal de un paisaje que había ocupado durante cientos de años, y durante horas pareció que la torre seguía cayendo y desmoronándose por partes mientras el golpe reverberaba en el paisaje repentinamente vacío y creaba formas nuevas hechas de silencio y de polvo.

• • •

Marcus se aseguró de que Pashkin estuviera muerto y enseguida ayudó a Louisa a incorporarse.

—Me encontré con Shirley en las escaleras —dijo—: Pashkin no se había cruzado con ella, así que pensé que a lo mejor vez había venido a la azotea.

—Gracias —dijo Louisa.

—Ya te lo había dicho: soy un caballo lento porque me gusta el juego, pero eso no quita que sea jodidamente bueno.

El helicóptero aterrizó y ambos fueron a su encuentro.

17

A lo largo del día de la manifestación abortada, Londres sufrió varios incendios.

Les prendieron fuego a muchos coches y a un bus, y una de las unidades blindadas de la policía, a semejanza de los barcos, a los que se les rompe una botella en el casco, fue bautizada con un cóctel molotov en Newgate Street. Una foto de la catedral de San Pablo oscurecida por una nube de humo aceitoso adornó las portadas de los periódicos de la mañana siguiente, pero antes del atardecer la manifestación que se había convertido en motín acabó en una desbandada: consciente de las críticas que la acusaban de haber sido demasiado blanda en los disturbios precedentes, la policía cargó con dureza. Se fracturaron cabezas y se hicieron arrestos. La multitud se dispersó, los cabecillas acabaron metidos en furgones con las manos atadas, y los que se habían pasado gran parte del día atrapados en el tráfico pudieron regresar a sus hogares. Según informó el comandante en jefe de la policía en la inevitable rueda de prensa posterior, aquello fue una firme, pero también proporcionada, demostración de la eficacia policial, lo cual no cambió el hecho de que la City efectivamente se había paralizado.

Los rumores avivaron las llamas. Resultó que, en el curso de la mañana, un mensaje de Twitter que aseguraba que un avión cargado de explosivos había sido derribado por la Real Fuerza Aérea se había abierto camino hasta tenerse por un hecho.

La verdad, menos incendiaria (que una Cessna Skyhawk había sido interceptada y escoltada a una base donde se descubrió que llevaba un cargamento de volantes hechos en casa), sólo se supo a la mañana siguiente. Pero entretanto la responsabilidad por la evacuación precipitada de Square Mile se les había atribuido a los servicios de seguridad, o más concretamente al director del Departamento de Control Presupuestario, que en efecto había ocupado el puesto de primero al mando y cuyo consejo había llevado al ministro del Interior a hacer sonar la alarma de la City. Roger Barrowby impresionó a muchos al aceptar la culpa sin rechistar; según varios medios, tenía el aire de quien reconoce cuando le han hecho una jugada maestra. Su dimisión se manejó con discreción, aunque se filtró que se había sentido conmovido por el regalo de despedida que recibió: una silla Mies van der Rohe de imitación.

En los días siguientes al desastre, muchos negocios y tiendas del centro de Londres permanecieron cerrados y en las calles hubo menos tráfico del habitual: era como si la comunidad contuviera el aliento y todo el mundo prefiriera irse a la cama temprano. Ni siquiera en las calles habitualmente más concurridas se movía ni un ratón.

Pero si un ratón se hubiera movido, habría podido entrar fácilmente en la Casa de la Ciénaga. Ningún ratón digno de ese nombre habría tenido problemas para colarse por aquella puerta tanto tiempo cerrada y recorrer el primer tramo de escaleras sin moqueta, tras lo cual (deteniéndose en el umbral del primer despacho) podría contemplar una bella, aunque inestable, torre construida con cajas de pizza y una gran variedad de latas todavía pegajosas y, tras ella, a un Roderick Ho roncador que, agotado por las inusuales exigencias de los últimos días, yace con la mejilla contra el escritorio y las gafas ladeadas. Es incluso posible que el ratón considerara durante un momento que la saliva que le sale de la boca entreabierta podría ser comida, pero un balido repentino, a medio camino entre un ronquido y una pedorreta, acabaría por decidir el asunto y veríamos una cola dar la vuelta y alejarse.

Enseguida, nuestro amigo se apresuraría a entrar en el despacho adjunto, donde su incursión, al contrario de lo que hubiera ocurrido en otros tiempos, no sería recibida como una posible prueba, sino como una acción enemiga, pues un ambiente de paranoia envuelve ahora esta pequeña sala, brota de las paredes y empapa la alfombra: tanto Shirley Dander como Marcus Longridge saben que uno de ellos es visto como la marioneta de Diana Taverner, y como cada uno está convencido de no ser la marioneta, también está convencido de que el otro lo es. Las únicas palabras que han intercambiado hoy son «cierra la puerta». Aún no han comentado sus respectivos informes sobre el asunto de la Aguja; si lo hubieran hecho habrían sacado algunas conclusiones útiles acerca del probable veredicto oficial: que, en la medida en que James Webb le había tendido una trampa al mafioso que se hacía pasar por un tal Arkady Pashkin, la operación había valido la pena pero, ya que «la intervención de los caballos lentos había hecho peligrar el operativo», pocas distinciones por conducta valerosa, y aún menos convocatorias de regreso a Regent's Park, les serían ofrecidas. Nada de eso habría aligerado mucho el ambiente, aunque, si Jackson Lamb se hubiera puesto a ello, habría podido mejorar las cosas, pues tenía muy claro que lo único que pretendía Diana Taverner al decirle que uno de los nuevos estaba informándole directamente a ella era meterle cosas raras en la cabeza. «Puede que Taverner sea una experta en este campo, como puede atestiguar Roger Barrowby», pensaba Lamb, «pero cada vez que piense que me la ha jugado debería revisarse los bolsillos». De haber tenido a un topo en la Casa de la Ciénaga, Taverner se habría enterado de que Webb les había dado una comisión de servicios a dos caballos lentos antes de que Lamb se lo dijera, así que... En todo caso, Lady Di tenía ya otra marca negra junto a su nombre en el libro de Lamb, pues fueron sus instrucciones las que hicieron que Nick Duffy hiciera un trabajo tan mediocre a la hora de investigar la muerte de Min Harper. Todo esto tendrá consecuencias, evidentemente, pero por lo pronto en este despacho se respira un aire de traición, algo que ningún roedor de buen corazón podría soportar por mucho rato, de manera que nuestro ratón arrancaría de nuevo y subiría las escaleras en busca de nuevos horizontes.

Los cuales encontraría en la figura de River Cartwright. River también estaría callado, pues acaba de terminar una llamada al hospital de Saint Mary, al que fue llevado Spider Webb tras recibir el disparo (por lo visto, con mucho menos celeridad de lo que recomiendan los servicios de urgencias). Probablemente esté valorando las noticias sobre el estado de su amigo, y nuestro ratón no lograría decidir si eso que acaba de oír le causa dolor o placer.

Aunque también es posible que River tenga otra cosa en la cabeza; por ejemplo, la sospecha de que la razón por la cual el nombre de zt/53235 apareciera con tanta prontitud en la memoria de su abuelo es que llevaba mucho tiempo frecuentando ese lugar en su imaginación, habiendo sido él, precisamente, el Viejo Cabrón, quien había convencido a las autoridades soviéticas de que aquella ciudad cerrada albergaba a un traidor. zt/53235, en la que murieron miles de personas, fue arrasada por las llamas en el año 1951, cuando David Cartwright tendría más o menos la misma edad que su nieto ahora, lo cual lleva a River a preguntarse si su temperamento es también capaz de jugar a los espejos como si lo que estuviera en juego fueran cerillas usadas y no vidas humanas, y a preguntarse, también, si semejantes pensamientos se inmiscuirán la próxima vez que visite al viejo o si, por el contrario, los enterrará como cualquier otro secreto de espía y saludará a su abuelo con el mismo cariño de siempre.

Al no poder hacer nada al respecto, nuestro ratón retrocedería para encontrar en el despacho de Louisa Guy un tipo distinto de silencio: el que sirve para ahogar un suave sollozo. Este sollozo no encuentra eco ni consuelo, pues no hay nadie que pueda ofrecerlo. La razón es que el escritorio sobrante es aquí justamente eso: sobrante, redundante, desatendido. Con el tiempo llegará algún cuerpo nuevo a ocuparlo (como ha señalado Lamb en muchas ocasiones, la Casa de la Ciénaga se nutre fundamentalmente de incompetentes, los cuales nunca escasean), y tal vez sea esa ocupación futura lo que provoca el llanto de Louisa, o tal vez el vacío que la espera en su estudio, que alguna vez pareció demasiado pequeño para dos personas y ahora es demasiado grande para ella sola, sensación que no ha mitigado su más reciente adquisición, que en la actualidad reposa entre su ropa interior nueva, poco práctica y ya injustificada: un diamante del tamaño de una uña, de peso menor que el de un esponjoso dónut y de un valor que para ella es un misterio. Verificar su precio sería dar un paso más hacia el otro lado de una línea que ella nunca quiso cruzar, de manera que el diamante permanece por ahora envuelto y bien oculto. La única promesa que esconde es la posibilidad de escapar de un lugar vacío al siguiente, lo cual es todo lo que el futuro parece reservarle a Louisa: un espacio vacío tras otro, como una infinidad de espejos que llegan hasta el final de la nada.

No es para sorprenderse que solloce, pero tampoco lo sería que nuestro ratón se alejara sigilosamente de una tristeza que jamás podría consolar. Más arriba, en la última planta, le haría una breve visita a Catherine Standish, quien no tiene miedo de los ratones... mientras sean reales, por supuesto: Catherine ha visto una buena cantidad de ratones fantasmas, pequeñas formas que se escabullían de su vista cuando ella se daba la vuelta, aunque eso son cosas del pasado y el único día que importa es el que está por llegar y al cual se enfrentará de la misma forma que se ha enfrentado a la mayoría de las cosas: con calma y serenidad. Un talento afinado por el contacto diario con el irritante Jackson Lamb, que actualmente se encuentra en su propio despacho, y cuya puerta, cerrada con firmeza, representaría para nuestro murino explorador un obstáculo tan fácil como el montón de listines telefónicos en cuya cima se detendría por fin con el hociquillo vibrando y un temblor en los bigotes. Jackson Lamb tiene los pies sobre el escritorio y los ojos cerrados. En su regazo reposa un periódico, abierto en la página de una curiosa noticia sobre un pequeño y localizado temblor de tierra en los Cotswolds (¡quién lo iba a decir!): un sísmico encogimiento de hombros que provocó el colapso de una iglesia bienamada, aunque por fortuna tan sólo se cobró una vida. «Y así», piensa Lamb, «el fantasma de un tal Alexander Popov, encarnado en un tal Nikolai Katinsky, se disipa hasta desaparecer en el corazón de un pueblo que en nada se parece a aquella ciudad cerrada de la cual emergió un día, salvo por la forma en que pensaba destruirla; en cuanto a las cigarras, aquellos espías durmientes largamente enterrados, tan profundamente dormidos que sus existencias falsas reemplazaron a las reales, para ellas no habría despertar, cruel o no, puesto que en la escuela filosófica de Los del Fondo del Corredor la teoría prevalente es que, cuando un espía duerme, mejor fingir que no está allí: después de todo, fingir es lo que mejor hacen los espías».

Con estos pensamientos en la cabeza, Jackson Lamb alarga el brazo buscando algo, tal vez sus cigarrillos, y cuando sus manos inquisidoras vuelven vacías, acude al recurso de abrir los ojos. Y allí, frente a él (con el hociquillo vibrando y un temblor en los bigotes), ve a un ratón. Por un instante, Lamb tiene la incómoda sensación de que este ratón tiene la mirada fija en un pasado que él ha intentado enterrar o en un futuro que preferiría olvidar, pero entonces parpadea y el ratón desaparece, si es que alguna vez estuvo allí.

—Lo que este lugar necesita es un gato —gruñe Lamb, aunque no hay nadie que pueda oírlo.